Dans la collection L'EXPRESS EMPLOI

Le guide du CV et de la lettre de motivation

150 lettres de motivation commentées et corrigées

Votre lettre de motivation en 12 étapes simples

La lettre de motivation pour toutes les situations

Le guide du CV et de l'entretien d'embauche en anglais

L'entretien d'embauche en 202 questions

Réussir ses entretiens d'embauche

Entretien d'embauche : testez-vous en 200 questions

L'entretien d'embauche pour toutes les situations

Trouver un emploi en temps de crise

Relancer sa carrière

Pack emploi

1 000 tests psychotechniques de logique et d'intelligence

500 tests psychotechniques de logique et d'intelligence

500 tests psychotechniques (niveau supérieur)

Tests de Q.I. et de personnalité

Le guide complet des tests de logique et d'intelligence

Culture générale : testez-vous en 1 500 QCM

Culture générale : Testez-vous en 1 500 QCM (vol. 2)

Le guide complet du nouveau manager

Mastermanager : le guide complet du manager performant

Le guide de l'expatriation

S'installer et travailler en Grande-Bretagne et en Irlande

S'installer et travailler aux États-Unis

S'installer et travailler en Chine

Laurence Nadeau

S'installer et travailler au Québec

Huitième édition

L'EXPRESS

Sommaire

S'installer et travailler au Québec

Le Québec vous intéresse ?

De nombreux Français ont été séduits par le Québec et cela depuis fort longtemps. N'était-ce pas des colons français qui s'installèrent en Nouvelle-France, il y a quatre cents ans ? Aujourd'hui, la France et le Québec se sont retrouvés après quelques siècles d'éloignement. À elle seule, Montréal regroupe l'une des plus fortes concentrations de Français hors de France.

Porte de l'Europe sur le nouveau continent, la Belle Province est pourtant une terre bien américaine. Les Québécois, peuple majoritairement de langue française, sont avant tout des Anglo-Saxons dans l'esprit, même si leur cœur a parfois des inclinations latines. Certes, il existe une culture francophone commune et des liens historiques évidents, mais le Québec doit s'apprivoiser comme une culture distincte. Ce constat serait plus simple à faire si les Québécois parlaient une autre langue. Cette langue à la fois commune et différente, parfois source de malentendus.

On trouve au Québec une autre façon de travailler, de s'exprimer dans la vie de tous les jours, de vivre en communauté, mais aussi d'entretenir une relation particulière avec l'espace, la nature et l'Histoire. Les références ne sont pas les mêmes non plus dans les expressions ou les préoccupations politiques et jusque dans des sujets légers comme l'humour et la séduction.

Ce guide très pratique vous aidera, nous l'espérons, à préparer votre installation et aussi votre rencontre avec cette autre culture.

Bienvenue dans un monde décidément différent !

Laurence Nadeau

PARTIE 1

Préparer son départ

Tout séjour à l'étranger se prépare avec soin. Pensez à amorcer vos démarches et à vous organiser au moins un an à l'avance. Parfois plus, selon vos plans. Pour réussir au mieux son installation, il faut se préparer psychologiquement, tout en effectuant les démarches administratives pour obtenir le visa, se renseigner sur la culture locale – par curiosité naturelle mais aussi pour minimiser les surprises –, organiser son déménagement. Cette préparation est également nécessaire pour un séjour plus court au Québec, dans le cadre d'un échange ou d'un stage, par exemple. En effet, si la langue et l'Histoire rapprochent naturellement la Belle Province de la France, n'oubliez pas qu'il s'agit d'un autre monde, d'une autre culture.

Sommaire

Premier contact avec le Québec

Deuxième plus grand pays au monde après la Russie, le Canada s'étend sur 10 millions de kilomètres carrés. Le Québec est la plus grande des dix provinces canadiennes (il y a aussi trois territoires dans le nord du pays, le Nunavut, les Territoires du Nord-Ouest et le Yukon). Il représente à lui seul trois fois la superficie de la France et 54 fois celle de la Belgique. En décembre 2011, la population du Québec a passé la barre symbolique des 8 millions de personnes. Les Québécois représentent donc aujourd'hui 24 % de la population canadienne, contre 29 % au début des années 60. Le Canada est aussi

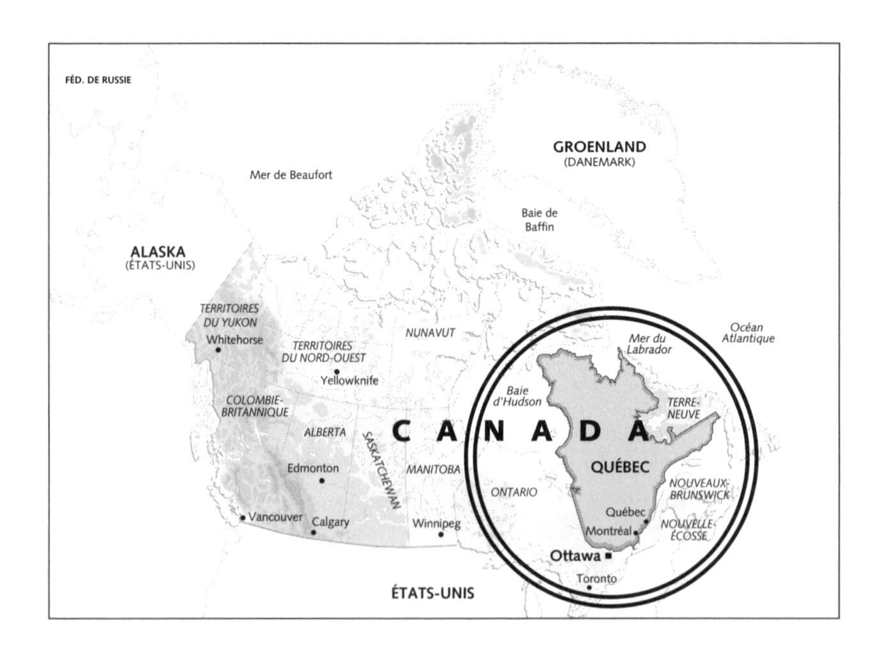

Québec : fiche d'identité

- Langue officielle : français
- Superficie : 1 640 581 km^2
- Population : 8 000 000 habitants
- Capitale : Québec
- Devise : Je me souviens.
- Monnaie : le dollar canadien
- 1 euro = 1.29 CAD dollar canadien

LE CANADA : UN PAYS SÛR

SELON LES STATISTIQUES du ministère de la Sécurité publique du Québec, le taux de criminalité est en constante diminution dans la province, particulièrement depuis le milieu des années 90.

LA MOYENNE PROVINCIALE était de moins de 4 918 crimes par 100 000 habitants en 2009. Les trois quarts des infractions au code criminel sont des vols d'une valeur inférieure à 5 000 $ CAN, des entrées par effraction, des vols de véhicules à moteur et des voies de fait. Les villes québécoises sont parmi les plus sûres du Canada. En 2007, il n'y a eu aucun meurtre dans la ville de Québec.

LE CANADA, OÙ LE PORT D'UNE ARME EST PROHIBÉ, est beaucoup plus sûr que les États-Unis. Dans les années 90, le taux d'homicides aux États-Unis était le triple de celui du Canada... et les deux tiers de ces homicides impliquaient des armes à feu.

COMME DANS DE NOMBREUX PAYS INDUSTRIALISÉS, les personnes âgées vivent de plus en plus longtemps. Au Canada, voici l'espérance de vie en 2010 : moyenne 81,7 ans ; femmes 83,6 ans ; hommes 78 ans. En revanche, le nombre de personnes obèses ne cesse d'augmenter au Canada, comme chez son voisin américain. En 2008, 17 % des Canadiens étaient obèses contre 15 % en 2003.

l'un des pays les moins denses au monde avec trois habitants au kilomètre carré, alors que ce chiffre s'élève à 230 habitants au kilomètre carré en Allemagne et 107 en France.

DE GRANDS ESPACES NATURELS

Le Québec est entouré, à l'ouest par la province canadienne de l'Ontario et la baie d'Hudson ; au sud par les États-Unis (états de New York, du Vermont, du New Hampshire et du Maine) et la province canadienne du Nouveau-Brunswick ; à l'est par le golfe du Saint-Laurent et les provinces maritimes dont celle de Terre-Neuve ; et au nord par le détroit d'Hudson. Le fleuve Saint-Laurent qui est le plus long cours d'eau en Amérique du Nord est la voie maritime qui a permis le développement du Québec, de l'implantation des premiers colons à l'industrialisation. Il se jette dans l'océan Atlantique. Le Québec possède un million de lacs et des milliers de rivières ; la forêt recouvre plus de la moitié du territoire. Le Canada possède la plus grande réserve d'eau douce : il recèle à lui seul 16 % des eaux douces au monde.

La population québécoise se concentre au sud de la province, non loin de la frontière américaine, c'est-à-dire essentiellement autour des rives nord et sud du fleuve Saint-Laurent. Le Québec et l'Ontario constituent les deux provinces les plus peuplées du Canada. Ils représentent aussi le centre industriel et manufacturier du Canada, produisant plus des trois quarts de tous les biens fabriqués dans le pays. Les villes québécoises comme toutes les villes nord-américaines sont dessinées sur la base de plans géométriques, un quadrillage nord-sud. À Montréal, la rue Saint-Laurent divise la ville d'est en ouest. Ainsi le 2330, boulevard de Maisonneuve-Est n'est pas la même adresse que le 2330, boulevard de Maisonneuve-Ouest.

Un grand système parlementaire

Sur le plan politique, le Canada est un système parlementaire inspiré de ses origines britanniques. Il existe trois niveaux différents de gouvernement au Canada : l'état fédéral, les provinces et les territoires.

Le pouvoir central de la capitale fédérale Ottawa comporte une Chambre des communes et un Sénat. Le pouvoir central du Québec compte une Chambre des communes appelée l'Assemblée nationale. Le gouvernement fédéral d'Ottawa concède aux provinces certains pouvoirs et juridictions dans des domaines spécifiques comme ceux de la santé et de l'éducation. Chaque province a sa propre capitale : dans la Belle Province, c'est la ville de Québec. La Constitution canadienne exige des élections tous les cinq ans pour renouveler le pouvoir central, c'est-à-dire les membres de la Chambre des communes. La même règle s'applique au Québec. Les gouvernements ne sont pas limités par un nombre déterminé de mandats au pouvoir.

Les principaux partis politiques au Canada sont : le Parti libéral, le NPD (Nouveau Parti démocratique), les conservateurs et le Bloc québécois. Au Québec, les trois principaux partis provinciaux sont le PQ (Parti québécois), le PLQ (Parti libéral du Québec) et la CAQ (Coalition avenir Québec). Le chef de l'État canadien est la Reine d'Angleterre, même si elle règne et ne gouverne pas. Elle délègue son pouvoir au gouverneur général du Canada. On retrouve son effigie sur la monnaie canadienne.

DES PEUPLES AUTOCHTONES AU QUÉBEC MODERNE, CINQ SIÈCLES D'HISTOIRE

Les peuples autochtones ont été les premiers habitants du pays. Aujourd'hui encore, d'un océan à l'autre, plus de 53 langues indigènes sont toujours parlées. Plus de 60 000 autochtones habitent le territoire québécois. La population amérindienne compte dix nations distinctes : les Abénakis, les Algonquins, les Attikameks, les Cris, les Hurons-Wendats, les Malécites, les Mohawks, les Montagnais, les Micmacs et les Naskapis. Les Inuits, pour leur part, sont représentés par plus de 8 000 habitants, éparpillés dans le grand nord québécois. Au moment où les Européens mettent le pied pour la première fois sur le territoire, les Amérindiens et les Inuits sont donc déjà là depuis des millénaires. Avant la découverte officielle de l'Amérique, les Vikings et les Basques ont déjà navigué dans les eaux du Saint-Laurent. Ils pêchaient la morue et chassaient la baleine. Selon le dernier recensement canadien, datant de 2006, les peuples autochtones représentent 3,8 % de la population totale du Canada.

La Nouvelle-France (1534-1760)

Le 24 juillet 1534, lors de son premier voyage outre-Atlantique, Jacques Cartier débarque à Gaspé, il y plante une croix et prend possession du territoire au nom du roi de France, François Ier. Le 2 octobre 1535, Jacques Cartier se rend jusqu'à Hochelaga (future Montréal) et baptise la montagne « labourée et fort fertile » au centre de cette île le Mont-Royal.

En 1603, Samuel de Champlain prend possession de Terre-Neuve et de l'Acadie. Le 3 juillet 1608, il débarque au pied du cap Diamant et fonde la ville de Québec. Un an plus tard, le territoire prend le nom de Nouvelle-France. Dès le début du XVIIe siècle, Samuel de Champlain organise de nombreuses explorations pour découvrir de nouvelles terres. Il met en place des alliances avec des Amérindiens, notamment avec les Montagnais et les Hurons alors que les Anglais créent des ententes avec les Iroquois et les Mohawks. Le 5 octobre 1612, Champlain devient lieutenant du vice-roi en Nouvelle-France. En 1625, les Jésuites arrivent sur le territoire pour convertir les autochtones.

Le 29 avril 1627, afin de développer le potentiel économique du territoire, le cardinal de Richelieu fonde la Compagnie de la Nouvelle-France (ou des Cent-Associés). Cette compagnie privée regroupe cent marchands et aristocrates. Elle détient alors le monopole de la traite des fourrures et développe le régime seigneurial en

Nouvelle-France. La compagnie s'engage à amener 300 colons par année jusqu'en 1643.

En 1634, Nicolas Goupil, sieur de La Violette, fonde la ville de Trois-Rivières, à l'embouchure du fleuve Saint-Laurent et de la rivière Saint-Maurice. L'année suivante, les Jésuites fondent le Séminaire de Québec. En 1639, c'est au tour des Ursulines de créer une école pour les jeunes filles à Québec.

En 1642, la ville de Montréal est fondée par Paul de Chomedey de Maisonneuve et Jeanne Mance, une infirmière partie comme lui de La Rochelle l'année précédente. Leur projet est de construire des établissements pour des missionnaires au Canada. Appelée Ville-Marie, Montréal, à son origine, se résume à un fort, un hôpital géré par Jeanne Mance, une grande maison et une chapelle appelée Notre-Dame.

En 1663, Colbert nomme des gouverneurs pour administrer la Nouvelle-France. Afin de stimuler l'implantation de colons, la France finance l'installation de centaines de femmes célibataires communément appelées « les filles du Roy ».

En 1670, les Anglais créent la Compagnie de la baie d'Hudson (aujourd'hui le magasin La Baie) et s'engagent avec la France dans une guerre commerciale sur la fourrure qui prendra fin en 1713. Pendant ce temps, en Europe, un autre conflit se déroule concernant la succession d'Espagne. Les Anglais obtiennent par le traité d'Utrecht l'Acadie, Terre-Neuve et la Baie d'Hudson. Le territoire de la Nouvelle-France se trouve limité aux rives du Saint-Laurent.

Les rivalités continuent de s'accentuer entre Français et Anglais. En 1759, la bataille des Plaines d'Abraham à Québec fait tout basculer. La célèbre défaite de la France devant l'envahisseur anglais marque la fin du régime français. En pleine guerre de Sept Ans, les Anglais conquièrent la Nouvelle-France. Les chefs Montcalm et Wolfe sont tués lors de l'affrontement. Québec capitule le 17 septembre 1759. En 1760, Vaudreuil signe la capitulation de Montréal, c'est ainsi que prend fin le règne français en Amérique.

Le régime anglais (1760-1867)

La bataille des Plaines d'Abraham est un tournant majeur pour la colonie de la Nouvelle-France. Un an après la conquête anglaise, la colonie se vide de son élite économique, qui décide de rentrer en France. En 1763, avec le traité de Paris, la France concède la Nouvelle-France à l'Angleterre. Désormais, les Anglais tiennent les rênes du pouvoir économique et politique de la région. Des immigrants anglais, irlandais et écossais accourent s'installer dans le Nouveau Monde.

La colonie française devient britannique, mais soucieux de ne pas attiser davantage les révoltes, les Anglais permettent aux habitants de conserver la religion catholique. Ainsi en 1774, juste avant la guerre de l'indépendance américaine (1775-1783), l'Angleterre octroie l'Acte de Québec qui remet officiellement en vigueur les lois françaises et le catholicisme.

En 1783, la guerre de l'Indépendance américaine prend fin avec le traité de Versailles. Débute alors l'immigration des Loyalistes (fidèles au roi d'Angleterre) des États-Unis au Canada. Ces nouveaux venus ne veulent pas être soumis au code français et exigent des institutions semblables à celles laissées derrière eux. C'est ainsi qu'en 1791, l'Acte constitutionnel voit le jour ; celui-ci divise le Canada en deux parties : le Bas-Canada (Québec) et le Haut-Canada (Ontario). Chacun a le pouvoir d'élire ses députés et d'édicter ses lois.

En 1834, le Parti patriote remporte une éclatante victoire aux élections du Bas-Canada (futur Québec) avec, à sa tête, Louis Joseph Papineau. Il présente ses « 92 résolutions » qui exigent plus de pouvoir par rapport à l'Angleterre. En 1837, devant le refus de Londres de prendre en considération les résolutions, les Patriotes tiennent des assemblées publiques partout dans la province. La révolte des Patriotes éclate dans le Bas-Canada en 1837 et 1838 : des villages sont brûlés. Suite aux rébellions des Patriotes, Lord Durham dépose son rapport dans lequel il souhaite que les habitants du Bas-Canada (donc le Québec) « délaissent la langue française au profit de la langue de son conquérant, l'anglais ». Il espérait qu'avec l'union des deux Canada, les francophones assimileraient rapidement la langue anglaise.

En 1840, Londres impose la loi de l'Acte d'Union afin de contrôler les révoltes des Canadiens français. Cette loi crée le « Canada uni » qui amoindrit le pouvoir des francophones puisqu'ils deviennent minoritaires. La langue anglaise y devient la seule langue officielle, la langue française est bannie du Parlement et des organismes gouvernementaux. En 1848, la langue française sera de nouveau reconnue.

La naissance du Canada (1867-1924)

Pour unifier davantage la colonie, le 1er juillet 1867 naît officiellement le Canada avec l'entrée en vigueur de l'Acte de l'Amérique du Nord britannique, qui réunit quatre provinces : le Québec, l'Ontario et les deux provinces maritimes de la Nouvelle-Écosse et du Nouveau-Brunswick. Cet acte a été voté par le parlement britannique à Londres. Rapidement, d'autres provinces s'ajouteront à cet acte, le Manitoba (1870), la Colombie-Britannique (1871), l'île du Prince-Édouard (1873), l'Alberta et le Saskatchewan (1910) et Terre-Neuve (1949). L'enseignement du français est aboli ou réduit dans de nombreuses provinces du pays, sauf au Québec.

Jusqu'au début du XXe siècle, la vie économique de la province du Québec est étroitement liée à l'agriculture et à l'industrie forestière. Par la suite, le processus d'urbanisation s'accélère et la croissance du secteur manufacturier attire les ruraux vers les villes. De nombreux immigrants d'Europe affluent vers le Québec. En 1914, la Première Guerre mondiale éclate en Europe : en 1918, le gouvernement canadien impose la conscription obligatoire à tous les habitants. Des émeutes éclatent au Québec pour protester contre l'obligation de se battre sous la couronne britannique.

En 1918, le gouvernement fédéral du Canada donne le droit de vote aux Canadiennes, mais ce n'est qu'en 1940 que les Québécoises pourront voter au niveau de leur province. En 1931, l'Angleterre confère au Canada le statut de pays indépendant avec le traité de Westminster. La Seconde Guerre mondiale éclate et, cette fois-ci, le Canada entre en guerre aux côtés des Alliés en tant qu'État indépendant.

En 1942, lors d'un plébiscite pancanadien, les Québécois s'opposent à la conscription, mais une majorité de Canadiens se prononcent en sa faveur. Pendant la Seconde Guerre mondiale, plus d'un million de Canadiens et de Terre-Neuviens (Terre-Neuve rejoint le Canada en 1949) sont partis combattre en Europe. 45 000 d'entre eux sont morts et 55 000 ont été blessés.

Le Québec moderne

En 1936, Maurice Duplessis devient Premier ministre du Québec. Son régime, interrompu pendant la Seconde Guerre mondiale, durera près de vingt ans jusqu'à sa mort en 1959. Duplessis et son parti, l'Union nationale, marquent profondément leur temps en défendant farouchement les valeurs agricoles et religieuses avec un pouvoir omniprésent de l'Église. En 1948, un collectif d'artistes signe le « Refus global » afin de

dénoncer le conformisme artistique et moral au Québec. C'est en 1939 que le Québec choisit de nouvelles armoiries et sa devise nationale « Je me souviens ». En 1948, sous Duplessis, le Québec adopte le drapeau québécois fleurdelisé. La mort de Duplessis et l'élection des libéraux de Jean Lesage en 1960 annoncent des temps nouveaux pour le Québec. C'est le début de la « Révolution tranquille » où la société québécoise vit des changements considérables dans tous les secteurs. L'enseignement devient mixte, gratuit et laïc ; la société se décléricalise. La protection sociale est mise en place. L'énergie hydroélectrique est nationalisée avec Hydro-Québec. La culture, le syndicalisme, les mouvements indépendantistes, féministes et sociaux prennent de l'ampleur.

Livres sur l'Histoire et la société québécoise

- ***Brève histoire du Québec***, **J. Hamelin, Boréal, 1997.**
- ***Brève histoire de Montréal***, **P.-A. Linteau, Boréal, 1992.**
- ***Le Québec : un pays, une culture***, **F. Tétu de Labsade, Boréal, 2001, deuxième édition.**
- ***Histoire du Québec contemporain***, **tomes 1 et 2, P.-A. Linteau, J.-C. Robert, R. Durocher et F. Ricard, Boréal, 1992.**
- ***Histoire du Québec***, **J. Lacoursière, Nouveau Monde, 2005.**
- ***Irréductibles Québécois***, **V. Lion, Éditions des Syrtes, 2005 (les accomplissements québécois des dernières années dans la culture et l'économie).**
- ***Le Québec expliqué aux immigrants***, **V. Armory, VLB éditions, 2007 (les propos d'un sociologue d'origine argentine installé depuis vingt ans au Canada). Voir l'interview en page 428 « Le Québec expliqué aux immigrants ».**
- ***L'état du Québec 2011***, **Institut du nouveau monde, Boréal, 495 pages.**

☛ **Bonus Web. Pour plus de références : www.immigrer.com/101**

De nouveaux partis politiques voient le jour tels le RIN (Rassemblement pour l'indépendance nationale) en 1960 et le PQ (Parti québécois) de René Lévesque en 1968. Montréal accueille le monde entier avec son exposition universelle Expo 67. Au même moment, le Président français, Charles de Gaulle lance son « Vive le Québec libre ! » du balcon de l'hôtel de ville de Montréal.

En 1970, un groupuscule nationaliste déclenche la crise d'Octobre, il s'agit du FLQ (Front de libération du Québec). Le ministre québécois du Travail est retrouvé mort. Le Premier ministre canadien, Pierre-Elliot Trudeau, décrète la Loi des mesures de guerre et envoie l'armée sur le territoire québécois. Des centaines d'arrestations sans mandat sont effectuées. Le 15 novembre 1976, le parti indépendantiste de René Lévesque prend le pouvoir. Il adopte l'année suivante la Loi 101 qui vise à protéger et renforcer la présence du français à l'école et au travail.

En 1980, les Québécois votent « non » à près de 60 % au projet de « souveraineté-association ». Les discussions constitutionnelles et les mésententes entre le Québec et le gouvernement fédéral sont de plus en plus importantes sur la scène politique québécoise et canadienne. En 1982, on rapatrie la Constitution canadienne (c'est-à-dire qu'on applique la Constitution modifiée de Londres, en Angleterre, à Ottawa, au Canada) malgré le désaccord du Québec. En 1990, c'est l'échec de l'accord constitutionnel du lac Meech qui voulait reconnaître le statut distinct du Québec et la création du parti indépendantiste, le Bloc québécois pour représenter le Québec à Ottawa. En 1995, un deuxième référendum sur la souveraineté du Québec se solde par 49 % des Québécois votant oui au projet d'indépendance.

☛ **Bonus Web.** Pour plus d'informations sur l'Histoire récente du Québec : www.immigrer.com/102

LE BILINGUISME : MYTHE OU RÉALITÉ ?

L'histoire du Canada, animée par ses deux peuples fondateurs, les Anglais et les Français, en fait officiellement un pays bilingue. Pourtant, selon le recensement de 2006, 17 % des citoyens se disent bilingues (18 % en 2001), le bilinguisme demeurant principalement l'affaire des francophones du pays et des anglophones du Québec. En 2006, au Québec, un habitant sur trois affirme être bilingue. Pour leur part, les francophones du reste du pays sont bilingues à 85 %. Le bilinguisme progresse très peu chez les anglophones à l'extérieur du Québec, et on note même une régression chez les jeunes âgés de 10 à 19 ans.

En 2006, les francophones représentent 22 % de la population canadienne alors qu'ils étaient 26 % en 1971. Et cette population francophone diminue régulièrement hors du Québec, s'assimilant de plus en plus pour passer à l'anglais, le plus souvent lors d'un mariage avec un conjoint anglophone.

LES LANGUES PARLÉES AU QUÉBEC

Le Québec, l'une des 10 provinces canadiennes, a fait du français la langue officielle de la province avec la Loi 101 de 1977. Instaurée par le Parti québécois et son chef René Lévesque, elle vise à protéger et à promouvoir la langue française à l'école, au travail et dans l'affichage commercial. En 2006, 79,6 % des Québécois parlent le français à la maison et dans la vie de tous les jours. Cette baisse en dessous de la barre symbolique de 80 % n'a pas manqué de semer un émoi dans la population québécoise qui s'inquiète pour la pérennité du français au Québec. Pour sa part, la population anglophone a augmenté entre 2001 et 2006 : elles sont désormais 607 000 personnes

LE FRANÇAIS DU QUÉBEC

C'EST DANS LA NOUVELLE-FRANCE que la langue française s'est uniformisée pour la première fois, bien avant de l'être en France. En effet, pour se comprendre, ces Français venus de plusieurs régions, surtout de l'ouest et du nord de l'Hexagone, devaient trouver un terrain d'entente. Après la colonisation anglaise, les habitants de l'ancienne Nouvelle-France ont pu garder la langue française et la religion catholique. La langue parlée au Québec a évoluée à 7 000 kilomètres de la France et de l'Académie française. Quand on arrive au Québec, certains ont l'impression d'arriver dans un village gaulois, tel le village d'Astérix.

Achaler : déranger
Accoutumée : habituellement
Asteure (« À cette heure ») : maintenant
Avoir de la misère : avoir des difficultés
Babillard : tableau d'affichage
Barrer : fermer à clé
Baveux : arrogant
Bec : un baiser
Blonde : petite amie
Branleux : lent au démarrage
Break-à-bras : frein à mains
Bûche (se tirer une) : s'asseoir
Canter : s'endormir
Capoter : paniquer
Cenne : un sou
C'est tiguidou : c'est parfait
Chicane : querelle
Char : voiture
Chialeux : geignard
Chum : amoureux ou ami
Colon : personne rustre
Combines : caleçon
Constipé : coincé
Couenne : peau
Courriel : e-mail
Cramper : mort de rire
Croche : de travers
Cruiser : draguer
Déguédiner : se dépêcher
Dépanneur : petit magasin
Dispendieux : cher
Drette : droit
Écœurant : peut être très positif ou négatif
Effoirer : écraser, aplatir
Enfarger : trébucher contre quelque chose
Enfirouaper : mener en bateau
Enweille : allez ! vas-y !
Épais : imbécile
Être tanné : en avoir marre
Être fin : être gentil
Être chaud : être saoul
Fin de semaine : week-end
Foirer : échouer ou faire la fête (selon les régions)
Frais ou frais-chier : prétentieux, m'as-tu-vu
Frette : très froid
Foufounes : fesses

(...)

(...)

Gammik ou gamique : combine peu réaliste
Garoucher : lancer
Gogosse : truc, machin
Gras dur (être) : peinard
Jasette : conversation, bavardage
Kétaine ou quétaine : ringard
Liqueur : boisson gazeuse
Lousse : ample, lâche
Lumière(s) : feu de signalisation
Magané : abîmé
Magasinage : shopping
Maringouin : type de moustique
Minoune : vieille voiture
Mitaine : moufle
Moumoune : peureux, dégonflé
Nettoyeur : pressing
Niaiseux : stupide
Pantoute : pas du tout
Pas pire : pas mal
Patente : chose
Pétard : belle fille
Piastre : dollar
Pitoune : bois flottant ou belle fille/fille trop maquillée
Placotter : jaser
Plate : ennuyeux
Poche : *décevant*
Pogner : *prendre, attraper ou succès avec le sexe opposé*
Quétaine : plouk, ringard
Robineux : clochard
Ruine-babine : harmonica
Se faire passer un Québec : se faire avoir
Souffleuse : chasse-neige
Tabarnac ! (juron)
Téteux : lèche-bottes
Tomber en amour : devenir amoureux
Tuque : bonnet chaud

Et évitez de crier au square « Où sont les gosses ? » compris au Québec comme « Où sont les testicules ? »

☛ **Bonus Web. Pour découvrir d'autres expressions québécoises : www.immigrer.com/103**

dans la province, représentant moins de 10 % des habitants ; 13 % des anglophones de ce groupe d'âge vivant à l'extérieur du Québec se déclaraient bilingues, en baisse par rapport à 2001 (15 %) et à 1996 (16 %). En revanche, moins de 10 % des anglophones du Canada sont bilingues. Si l'on ne tient pas compte des anglophones québécois, la proportion chute à 7 % pour le reste du pays. Les Québécois de langue anglaise représentaient en 2001, 8,3 % de la population. Leur nombre s'érode lentement, alors que la part des allophones, ces immigrants dont la langue maternelle n'est ni le français ni l'anglais, grossit chaque année au Canada et à Montréal (10 % au Québec).

Pour en savoir plus sur la langue québécoise

- ***Dictionnaire des proverbes québécois***, **P. Desruisseaux, Éditions Typo, 1997.**
- ***Dictionnaire des expressions québécoises***, **P. Desruisseaux, Bibliothèque québécoise, 1990.**
- ***Le français au Québec, 400 ans d'histoire et de vie***, **Conseil de la langue française sous la direction de M. Plourde, avec la collaboration de H. Duval et P. Georgeault, FIDES, Les Publications du Québec, 2000.**
- ***La parlure québécoise***, **L. Proteau, LEDAFQ, 2001.**

C'est à Montréal qu'on s'exprime le plus en anglais. Selon le recensement 2006, le poids de la population de langue maternelle française de Montréal est en baisse. De 53 % en 2001, elle est passée sous la barre de 50 % en 2006, avec un taux de 49,8 %. Des chiffres qui confirment le recul du français au Québec, même à Montréal. Une nouvelle génération d'enfants voit ainsi le jour à Montréal : il s'agit d'enfants trilingues qui s'expriment en français, en anglais et dans la langue de leurs parents. Selon le dernier recensement, les langues parlées à Montréal, outre le français et l'anglais, sont l'italien, l'arabe, puis l'espagnol.

Le français du Québec

Les Québécois utilisent de nombreux anglicismes, surtout à Montréal où se côtoient les communautés anglophone et francophone. Avant la Loi 101 de 1977 et la législation sur l'utilisation de la langue au travail, l'anglais, langue des employeurs à l'usine, était omniprésente dans les entreprises et les Québécois francophones durent utiliser de nombreux termes anglais. Le Québec et la France ne partagent pas les mêmes anglicismes. Ainsi, au Québec, on dira « nettoyeur » pour pressing et « fin de semaine » pour week-end mais aussi, « cute » pour mignon ou

LA SPÉCIFICITÉ QUÉBÉCOISE

BIEN QUE LES HABITANTS de la Nouvelle-France soient devenus sujets britanniques au XVIIIe siècle, le Québec est resté majoritairement francophone (à 80 %) et catholique. L'ancienne colonie française cultive sa différence par rapport au reste du Canada, communément appelé ROC. En décembre 2006, après bien des hésitations, le gouvernement canadien de Steven Harper a reconnu la nation québécoise au sein d'un Canada uni. Toutefois, la spécificité québécoise n'en demeure pas moins, comme le montre un sondage réalisé par la société Léger Marketing en avril 2007 auprès de 1 500 Canadiens âgés de 18 ans et plus.
Certes, les Canadiens ont tous en commun :
- **l'attachement à un système de santé universel (81 %) ;**
- **l'égalité entre les hommes et les femmes (76 %) ;**
- **le respect des droits et libertés (69 %) ;**
- **l'importance de réduire l'écart entre les riches et les pauvres (60 %).**

Mais les Québécois accordent plus d'importance que leurs concitoyens à :
- **l'égalité entre le français et l'anglais au Canada : 57 % contre 35 % ;**
- **la séparation de l'Église et de l'État : 56 % contre 42 % ;**
- **le pacifisme : 51 % contre 23 % ;**
- **la reconnaissance du caractère distinct du Québec : 46 % contre 15 % ;**
- **le bilinguisme : 54 % contre 30 %.**

« all-dressed » pour une pizza « complète », par exemple. Paradoxalement, les Québécois, ardents défenseurs de la langue française, sont dérangés par les anglicismes des Français. En fait, au Québec, l'utilisation de mots anglais est un symptôme d'aliénation, de colonisation et non synonyme de mode ou de modernité comme en France.

Les Québécois, tels les villageois gaulois d'Astérix, sont sur le qui-vive face à l'envahisseur. En effet, lors de la colonisation britannique, les habitants de la Nouvelle-France ont pu garder leur religion et leur langue. Aujourd'hui, les quelques millions de Québécois baignent dans le continent nord-américain peuplé de 300 millions d'anglophones. Ainsi, pour eux, la France, le pays francophone par excellence, se doit de rester forte face à ce fléau. Le Québec va même jusqu'à pousser à la francisation à outrance, en indiquant par exemple sur les panneaux de signalisation routière « Arrêt » plutôt que « Stop ».

LES MENTALITÉS

« On ne le répètera jamais assez, les Québécois sont avant tout des Nord-Américains qui parlent le français. Contrairement aux États-Unis, il y a au Québec un système de santé universel, moins d'écarts entre les riches et les pauvres et un respect de l'environnement et de la langue française » rappelle Jean Bourrette, chargé de relations publiques dans une compagnie d'insertion sociale de Montréal, Insertech.

DES RELATIONS PLUS SEREINES

Les Québécois, comme les Canadiens, vivent en général dans un environnement dénué de rapports de force. L'immensité du territoire, le nombre peu élevé d'habitants au kilomètre carré et l'absence de guerre depuis celle de la colonisation britannique (il n'y a jamais eu de Révolution au Canada ou de guerre de Sécession) contribuent à des échanges posés entre les individus. C'est certainement cette sérénité qui vous attirera au Québec. On respire à tout point de vue ! Les habitants ont une approche consensuelle lorsqu'un conflit semble s'annoncer. Et s'ils le peuvent, ils préfèrent aborder directement un sujet délicat en cas de problème plutôt que de se confronter brutalement à la personne.

Une réelle atmosphère bon enfant règne. Sandrine Arrault, une immigrante, se trouve plus posée depuis son arrivée à Montréal

Vécu

Être gay au Québec

ARRIVÉE DE NANTES ***en décembre 2003, Brigitte est venue rejoindre sa copine québécoise dans la ville de Québec. Elle se sent bien. Selon elle, il est bien différent d'y être lesbienne. « En France, les gens te regardent de travers. Être gay, c'est tabou. Tu ne peux pas te promener main dans la main sans que l'on te regarde et se retourne à tout moment sur toi. »***

ELLE A APPRIS À NE PLUS VIVRE DANS LE SECRET. « En France, je me cachais. Je ne dis pas qu'au Québec, il n'y a pas de gens qui se comportent de la même manière, mais la majorité trouve ça "normal". On nous considère comme des personnes dites "normales". À Québec, tous mes amis savent que je suis lesbienne, j'ai appris à rester moi-même, à être honnête, à ne pas me cacher. Ça a été dur au début car j'avais toujours peur qu'ils me tournent le dos, me jugent, comme c'était le cas en France. Rares sont les amis que j'ai gardés... Au Québec, je n'en ai perdu aucun. Ouverture d'esprit oblige, ça n'a vraiment rien à voir. »

LES GAYS ET LESBIENNES ONT GAGNÉ de nombreuses batailles ces dernières années au Québec et au Canada. Depuis 2002, les couples de même sexe peuvent enfin immigrer ensemble avec le même dossier au Canada comme n'importe quel autre couple d'immigrants. Ils n'ont qu'à prouver qu'ils sont conjoints de fait. Le parrainage gay est aussi possible. Depuis 2004, de nombreuses provinces canadiennes dont le Québec, l'Ontario et la Colombie-Britannique ont reconnu le mariage gay. La cour suprême du Canada a statué en 2004 que le mariage homosexuel « fait partie des réalités de la vie moderne et peut être étendu à tout le pays ». Il n'y a pas d'équivalent du PACS (en France) au Canada ou au Québec puisque les gays peuvent s'y marier. Le Canada a même déjà connu son premier divorce gay en 2004. Le quartier gay de Montréal est un des plus importants en Amérique du Nord, ceci sans parler de son défilé gay chaque année début août. En 2006, Montréal est l'hôte des premiers « Outgames mondiaux », un événement sportif et culturel.

Quelques liens :

- **Magazine gay et lesbien ➢ www.fugues.com**
- **Magazine Être ➢ www.etremag.com**
- **Organisme de renseignements et d'écoute ➢ www.gai-ecoute. qc.ca/**
- **Festival culturel Divers/cité ➢ www.diverscite.org**
- **Guide gais et lesbiennes ➢ www.toile.com/guides/societe/gais_et_lesbiennes**

☛ **Bonus Web. Pour d'autres témoignages : www.immigrer.com/104**

en 2002. « Pour entretenir de bonnes relations avec les autres, il faut prendre un peu sur soi, affirme-t-elle. Ici, c'est différent, on a moins envie de s'énerver. Il y a toujours un moyen de communiquer autrement. C'est l'environnement qui fait cela. » Les Québécois, sur ce point, ont certainement hérité quelque peu du flegme britannique.

L'ACTION PLUTÔT QUE LES LONGS DISCOURS

Comme les Nord-Américains, les Québécois ont une approche pragmatique des choses. C'est-à-dire qu'ils discutent d'un problème pour chercher à apporter une solution rapide et concrète, détestant les discours vides et sans fin, les « prises de tête » et les critiques non constructives. En fait, les Québécois n'aiment pas argumenter pour le simple plaisir de faire de la rhétorique. Pour eux, il s'agit d'une grande perte de temps et d'énergie. Ils préfèrent l'action concrète aux longs discours. Certains diront qu'ils sont trop « politically correct ». Pour en savoir plus sur ce fameux *politically correct*, lisez l'encadré page 412. Ne manquez pas non plus l'encadré sur les erreurs à éviter lors d'une discussion avec un Québécois page 421.

Les Québécois interprètent ce que vous dites au premier degré, sans arrière-pensées. Ils s'attendent à la même chose de votre part. Les allusions indirectes ne seront pas nécessairement comprises puisque les individus utilisent une approche directe pour aborder les sujets. Ils s'attendent aussi à ce que vous fassiez ce que vous dites et à une ponctualité rigoureuse lors de rencontres.

VIE EN COLLECTIVITÉ : RESPECT ET TOLÉRANCE

Les Québécois, comme les Nord-Américains, ont une notion collective du civisme. Ils ne vous tiendront pas nécessairement la porte et ne vous diront pas nécessairement « bonjour » avant de vous poser une question mais d'autres codes sociaux règlent le comportement pour le bienfait de la collectivité. Ils attendent patiemment aux caisses ou à la poste sans rouspéter, ils respectent sagement la file pour attendre un autobus ou à un guichet, les uns derrière les autres sans tenter de dépasser, ils sortent leur animal préféré en emportant un petit sac de plastique pour ramasser les excréments, ils déposent les papiers dans la poubelle la plus proche, personne ne viendra voler à la dernière minute votre place de stationnement, et si dans la rue vous voulez poser une question, les gens prennent le temps de vous répondre. On ne monte pas le ton inutilement. Il est très mal vu d'exprimer de l'agressivité ou son insatisfaction en public.

Les Québécois ne vous jugeront pas sur votre origine sociale, votre origine ethnique, votre accent, votre habillement, votre culture générale. « Au Québec, tu peux t'habiller avec un sac poubelle et mettre un chapeau de paille, tout le monde s'en fout, affirme Sylvain qui aime bien cette liberté. C'est le côté positif de l'individualisme. Tu fais ce que tu veux, personne ne vienda t'embêter. » Les Nord-Américains n'ont aucun complexe à parler d'argent et ils échangent des propos aussi facilement sur leur salaire que sur le prix de leur maison ou d'articles de tous les jours.

Francophones oui, mais pas français !

Les Québécois sont avant tout des Nord-Américains et le Québec est une terre francophone en Amérique du Nord et non une terre de France en Amérique. Ils partagent la même langue que les Français, mais la ressemblance s'arrête là et surtout les malentendus débutent. Les habitants de la Belle Province ont un mode de vie et de pensée fondamentalement nord-américain.

QUALITÉ DE VIE : CANADA 2E PAYS AU MONDE

SELON L'OCDE, en 2011, le Canada arrive au deuxième rang derrière l'Australie pour sa qualité de vie. Suivent la Suède, la Norvège, l'Australie et le Danemark. Dans ce palmarès de l'Organisation de coopération et de développement économiques, onze facteurs sont pris en considération : le revenu, la santé, l'emploi, le logement, la conciliation travail-vie privée, l'environnement, l'éducation, la communauté, la sécurité, la gouvernance et le sentiment de bien-être.

La société nord-américaine est une société de services. Même si la personne devant vous ne reçoit pas de commission ou de pourboires, elle sera cordiale et souriante et vous aidera à trouver le meilleur service ou produit possible. Le client a raison, et il est très mal vu de s'obstiner contre lui. De nombreux magasins sont ouverts le dimanche, d'autres restent ouverts 24 heures sur 24 comme certains restaurants et certaines pharmacies. Vous retournez un article qui ne convient pas sans problème si vous avez la facture. On vous recevra même avec le sourire sans demander d'explication. De nombreux magasins et produits ont des lignes téléphoniques d'information gratuites commençant par « 1-800 ». Les caissières emballent vos aliments à l'épicerie, les restaurants vous apportent de l'eau sans que vous ayez besoin de la demander, les taxis sont nombreux et disponibles, les gens sont conciliants et cordiaux. Au restaurant, vous serez rapidement servis, signe en Amérique du Nord d'un service bien rendu.

La majorité des magasins sont ouverts tous les jours, et ceci même le dimanche. Les horaires d'ouverture sont généralement du lundi au mercredi de 10 heures à 18 heures, les jeudi et vendredi jusqu'à 21 heures et les samedi et dimanche jusqu'à 17 heures. Certains centres commerciaux et des grands magasins ouvrent même leurs portes tous les jours jusqu'à 21 heures. Il n'est pas difficile de trouver un dépanneur ou une pharmacie ouverts 24 heures sur 24, surtout en centre-ville.

Il n'y a pas vraiment de périodes de soldes comme c'est le cas en France. Il y a des promotions toute l'année, mais surtout en janvier après les fêtes et aussi le lendemain de Noël, journée baptisée le « boxing day ». Il est possible de faire des achats en ligne dans de nombreux magasins comme il est facile de se faire livrer son épicerie à la maison.

☛ Quelques liens pour rester un consommateur averti :
Association de consommateurs ➢ www.option-consommateurs.org
Magazine québécois sur la consommation ➢ www.protegez-vous.qc.ca
Émission La Facture ➢ www.radio-canada.ca/lafacture

Cigarettes, alcool et vitesse

Fumeurs, respectez la loi. Au Canada, il n'était déjà plus toléré depuis de nombreuses années de fumer dans les lieux publics sauf dans les bars et certaines salles de restaurant. Certaines villes canadiennes comme Toronto avaient pratiquement banni la cigarette de tous les endroits publics, incluant les restaurants. Mais depuis le 31 mai 2006, une loi sur le tabac au Québec interdit totalement de fumer dans les lieux publics comme les bars et les restaurants. Il est également interdit d'allumer une cigarette au-delà d'un rayon de 9 mètres de toute porte communiquant avec de nombreux immeubles comme les établissements d'enseignement, de santé, des services sociaux. En Amérique du Nord et au Canada, les règles sont appliquées à la lettre. Celui qui tente de s'y opposer et de les discuter ira droit dans le mur et perdra son temps. Après une baisse constante du nombre de fumeurs au Québec au cours des dernières années, leur proportion stagne depuis 2004 pour s'établir à 22 % de la population de la province. La moyenne canadienne est de 19 %. Les campagnes de publicité antitabac, comme celles concernant la vitesse sur les routes ou l'alcool au volant n'y vont pas de main morte pour prévenir les fumeurs et les automobilistes. La publicité du tabac est interdite, les paquets de cigarettes portent même des images et des messages rappelant les effets néfastes de cette dépendance.

Alcool au volant, tolérance zéro. Les publicitaires qui s'adressent aux automobilistes n'ont pas peur de verser dans le sanglant lors de campagnes chocs de prévention. L'alcool au volant n'est pas toléré, dans certaines provinces canadiennes c'est même la tolérance zéro. Au Canada, le pourcentage d'accidents mortels impliquant des conducteurs en état d'ébriété n'a cessé de baisser au cours des dernières décennies. Entre 1996 et 2005, le taux d'accidents de ce type a baissé de 10 %. Le taux d'alcoolémie légal au Québec est de 80 milligrammes d'alcool pour 100 millilitres de sang (0.08) et les personnes reconnues coupables d'avoir dépassé cette limite sont condamnées à une amende dès la première infraction. Les règles varient d'une province canadienne à une autre.

La vitesse au volant est aussi fortement réglementée et les règles sont appliquées. Si vous dépassez les limitations de vitesse de plusieurs kilomètres à l'heure, vous risquez une contravention. Sur les autoroutes du Canada, la vitesse est limitée à 100 kilomètres à l'heure.

☛ Pour plus d'informations sur les règles de conduite, le permis de conduire, les assurances, reportez-vous page 324.

Le coût de la vie

Entre 1981 et 2008, le niveau de vie des Québécois a augmenté de 46 %, il a crû de 53 % au Canada. En 2010, le revenu personnel disponible par habitant au Québec s'est établi à 26 642 $ CAN alors qu'il était de 22 000 $ CAN en 2004. C'est dans la région de Montréal qu'on retrouve les revenus personnels disponibles les plus élevés de la province avec 27 793 $ CAN. La région de la ville de Québec (Capitale nationale) présente également un bon niveau de revenu personnel avec 28 228 $ CAN. Les régions de la Gaspésie-Îles-de-la-Madeleine (22 959 $ CAN) et du Bas-Saint-Laurent (23 044 $ CAN) connaissent les niveaux les plus bas principalement à cause du travail saisonnier très répandu dans cette partie de la province.

Montréal, bien moins cher que Paris

Montréal est l'une des grandes villes les moins chères au monde, c'est ce qu'affirment plusieurs études dont celle de Mercer Human Consulting, un organisme spécialisé dans les ressources humaines. Chaque année, il scrute les tendances des plus importantes villes du monde. Selon le palmarès 2011 sur le coût de la vie, Montréal ne figure même pas parmi les 50 villes les plus chères du monde où Tokyo, Osaka, Moscou, Genève et Hong-Kong se partagent le titre des villes les moins abordables. Pour sa part, New York se retrouve en 32e position et Paris occupe la 27e place. Sur les 214 villes de l'étude, Vancouvert est la ville canadienne la plus chère en 65e position, suivie de Toronto (59e), Montréal (79e), Calgary (96e) et Ottawa (114e).

Selon une étude triennale **datant de 2010**, sur les villes les plus chères de la planète menée par une banque suisse (UBS) les Montréalais

PALMARÈS MERCER 2011 QUALITÉ DE LA VIE

CHAQUE ANNÉE, LE CABINET Mercer publie un palmarès sur la qualité de la vie. En 2011, Montréal se retrouve en 22e position des villes où il fait bon vivre. Comparé à d'autres villes canadiennes et européennes, le climat de la métropole québécoise constitue un handicap selon les analystes de Mercer. Dans ce classement, Vienne (Autriche) se retrouve en 1re position, suivie de Zurich (Suisse) et des villes canadiennes de Vancouver (5e position), Ottawa (14e), Toronto (15e), Calgary (33e). Paris n'arrive qu'en 34e position. Attention, ce palmarès ne prend pas en compte le coût de la vie.

ont le 11e pouvoir d'achat au monde. Le palmarès examinant 73 villes à travers le monde place aussi la ville canadienne de Toronto, en Ontario, en 14e position. Ainsi, UBS a évalué que les Montréalais et les Torontois doivent travailler respectivement douze et quinze minutes en moyenne pour s'offrir un Big Mac, contre une moyenne mondiale de trente-sept minutes. Les Canadiens travailleraient dix heures et demie pour se procurer un lecteur iPod Nano, contre neuf heures pour les travailleurs de New York et Zurich. Le Canada s'en sort bien car son économie est très stable, moins affectée qu'ailleurs par la dévaluation des prix des propriétés et dont le système bancaire a connu moins de secousses qu'ailleurs.

Logements moins chers. Le coût de location d'un appartement ou d'achat d'une maison est vraiment plus bas qu'en France et en Europe. En général, vous devrez facilement payer le double pour la même surface sur le Vieux Continent. Comme constaté dans la partie sur l'achat immobilier (voir page 361), le marché de la revente montréalais n'a pas connu de baisse malgré la récente crise économique, l'accès à la propriété se fait toujours plus facilement au Québec qu'ailleurs au Canada. Selon la Société canadienne d'hypothèques et de logement, le prix moyen d'une habitation dans la région de Montréal en 2011 est de 329 000 $ CAN (218 500 $ CAN en moyenne au Québec). Et si vous sortez de Montréal pour vous installer ailleurs au Québec, le prix de l'habitation baisse encore considérablement. Au niveau des logements locatifs, les tarifs sont très abordables à Montréal. La rue commerçante Sainte-Catherine au centre-ville est dix fois moins chère que la 5e avenue à New York, artère la plus onéreuse au monde. En effet, louer dans cette rue montréalaise revient à 200 $ CAN (173 $ US) au pied carré (1 pied carré = 0,305 m^2) en 2009 pour 1 700 $ le pied carré sur la 5e avenue. Les Champs-Élysées se situent au 3e rang.

Les produits de consommation courante moins chers

Les consommateurs québécois profitent de prix avantageux sur leurs factures de téléphone, d'électricité et d'eau. Le prix mensuel du téléphone est fixe pour les appels locaux, il n'est pas calculé selon vos heures d'utilisation. Son tarif varie de 25 à 30 $ CAN par mois selon les compagnies. Grâce aux richesses naturelles du Québec et à ses barrages hydroélectriques, vous profitez d'une des électricités les moins chères au monde. Généralement, il n'y a pas de facture pour la consommation d'eau, elle est incluse dans la taxe foncière des immeubles comme c'est le cas à Montréal. Si la consommation est facturée, son prix se calcule selon un coût moyen, un forfait qui ne tient pas compte de la consommation réelle. Les produits électroniques et électroménagers sont en général plus abordables qu'en Europe. En fait, tout le domaine de l'électronique est plus accessible qu'il s'agisse d'appareils hi-fi, de téléviseurs ou de lecteurs MP3. Si vous apportez vos propres appareils, pensez à acheter des prises

Vécu

Immigrer pour une qualité de vie meilleure

ORIGINAIRE DE LA BANLIEUE PARISIENNE, *Nadine Leferfort est arrivée à Montréal en mai 2008 avec son mari et ses deux enfants. Une des raisons de leur immigration au Québec était la recherche d'une meilleure qualité de vie.*

« À LA NAISSANCE DE MON PREMIER ENFANT, je dépensais tout mon salaire de secrétaire pour payer la nourrice, se souvient-elle. Nous avions tout de même une bonne vie en France mais nous étions curieux d'ailleurs et nous avions envie de nous épanouir. Après la naissance du deuxième, je ne suis pas retournée travailler et nous avons activé sérieusement notre dossier d'immigration. Nous voulions que l'aîné entre en maternelle à notre arrivée au Québec. »

DEPUIS LEUR INSTALLATION EN TERRE QUÉBÉCOISE, il est clair pour eux que les conditions de vie se sont grandement améliorées. Son mari gagne deux fois le salaire qu'il touchait en France pour le même travail (voir témoignage « Géomatique : une profession d'avenir au Québec » page 162). En plus, « Mickaël part toujours à 8 heures le matin comme en France, mais il rentre à 17-17h30 tous les soirs. S'il rentre à 19h30, c'est parce qu'il est allé à son cours de saxo », affirme-t-elle.

SON MARI PASSE TROIS FOIS MOINS DE TEMPS DANS LES TRANSPORTS pour aller au travail. Ce qui prenait souvent jusqu'à une heure et demie en banlieue parisienne le matin et le soir, ne représente plus que 30 minutes de déplacement à Montréal. « Nous avons aussi trouvé un logement à 5 minutes d'un métro. Notre logement, au bas d'un immeuble de deux étages (duplex au Québec), est un 6 et demi à 1 200 $ CAN par mois, pas chauffé mais avec tous les appareils électroménagers compris ainsi que l'électricité. En France, nous avions en banlieue parisienne un plus petit logement pour le même prix. En plus, il fallait payer les charges, l'eau, le gaz et l'électricité. »

(...)

(...) **Nadine a trouvé au Québec son nouvel équilibre. Et cette diplômée d'un bac + 1 en maths et physique en France, a décidé de retourner faire des études à l'Université. « J'apprécie aussi dans ma nouvelle vie de pouvoir refaire des études, affirme cette femme de 37 ans. J'ai commencé des études de traductrice et je viens d'être acceptée pour les poursuivre. »**

électriques d'adaptation et des transformateurs car le voltage en Amérique du Nord est de 110 volts.

La viande coûte généralement moins cher au Québec qu'en France contrairement aux fromages et aux vins. Le prix des autres produits, les fruits et les légumes notamment, peuvent varier d'une épicerie à une autre. En règle générale, les produits plus chers qu'en France sont principalement des importations françaises.

En ce qui concerne l'ameublement et l'habillement, vous trouvez comme en France toutes sortes de produits pour tous les porte-feuilles, allant du bas de gamme au haut de gamme.

☛ **Bonus Web.** Pour plus d'informations : www.immigrer.com/105

Immigrer au Québec

Le Québec vous tente ? Vous avez envie d'une nouvelle expérience ? Vous voulez voir si c'est mieux ou différent ailleurs ? Vous voulez changer complètement de vie ? Vous voulez vivre dans un monde embrassant les valeurs de la société québécoise ? Toutes ces raisons amènent de plus en plus de Français et de francophones à entamer des démarches d'immigration vers la Belle Province. De nombreuses personnes rêvent de l'Amérique mais peu savent que le Québec, qui offre un mode de vie à la nord-américaine et en français, est ouvert à l'immigration. En effet, il y a peu de régions de par le monde qui, comme le Québec et le Canada ou l'Australie dans l'hémisphère Sud, cherchent à recruter des immigrants pouvant s'adapter à leur nouvel environnement. Ces pays ont une politique d'immigration précise et retiennent les candidats par le biais de formulaires et d'entretiens où les candidats exposent leur expérience, leur cursus et leur motivation.

La politique d'immigration du Québec

Depuis les années 90, le Québec a juridiction pour sélectionner les travailleurs indépendants qui veulent s'installer sur son territoire. Il a donc créé un formulaire distinct avec des questions relatives à ses attentes particulières. Au Canada, il existe trois types d'immigration : le parrainage, la demande d'asile pour le statut de réfugié et la catégorie des travailleurs indépendants. Les deux premiers types relèvent des décisions du gouvernement canadien (sauf si les réfugiés sont encore dans leur pays d'origine, c'est alors le Québec qui les sélectionne). Il existe aussi une catégorie d'immigration d'affaires que nous abordons dans la partie 2, chapitre « Créer son entreprise ».

Population vieillissante accueille jeunesse dynamique

Le Québec a un des taux de fécondité le plus bas au monde : 1,7 en 2011. Ce taux est nettement inférieur au seuil de 2, nécessaire pour renouveler la population. Celui-ci n'est guère plus fort dans le reste du Canada où il est de 1,5 ces dernières années. En juillet 2011, pour la première fois, la pyramide des âges a basculé au Québec. Selon Statistique Canada, il y avait plus de personnes âgées que de jeunes de moins de 15 ans dans la Belle. La population ne se renouvelle plus, tout comme celle de nombreux pays occidentaux de l'hémisphère Nord. Entre 1996 et 2001, le Québec a connu le plus faible taux de natalité de son histoire. Par ailleurs, le Canada connaît un faible taux de croissance de sa population, certains experts estiment même qu'en 2040 le nombre d'habitants pourrait décroître, alors que dans d'autres pays comme les États-Unis et le Mexique, la progression reste forte. À cela s'ajoute le vieillissement rapide de la population de la Belle Province. Au Canada, le Québec et la Nouvelle-Écosse se partagent le triste record de la plus vieille population du pays. Au Québec, l'âge médian en 2008 était de 41 ans. Les moins de 19 ans représentent moins de 24 % de la population québécoise.

Les « baby-boomers », comme on les appelle, quittent peu à peu le marché du travail, ce qui crée un grand manque de personnel dans bien des secteurs. D'ici 2019, il faudra plus de 1,4 million de nouvelles personnes sur le marché du travail pour prendre la relève des personnes retraitées et faire face à la croissance prévue de l'emploi.

D'ici 2021, un travailleur sur cinq au Québec aura plus de 55 ans, en 2007 le ratio était de un sur sept. En 1981, il y avait six travailleurs pour un retraité au Canada. En 2031, le ratio serait de trois travailleurs pour un retraité. Des domaines prometteurs comme la santé, la construction, la mécanique, l'agroalimentaire, l'enseignement, l'usinage, la géomatique (science relative aux données géographiques et couvrant différentes disciplines dont la cartographie, la télédétection, le système de positionnement global), l'ingénierie, le tourisme, les services sociaux, l'aérospatiale auront besoin de personnel afin de combler la demande. Selon les analyses des Éditions Ma Carrière, spécialisées dans l'emploi, l'année 2013 sera celle de la cassure : il y aura plus de gens qui quitteront le marché du travail que de personnes pour les remplacer.

Plus de 50 000 immigrants par an pour le seul Québec

Pour pallier cette insuffisance, tout comme le Canada, le Québec a décidé, comme le pays l'a toujours fait, d'attirer des immigrants prêts à s'installer dans le pays et à contribuer à l'essor économique de la nation. Le Québec doit pour sa part faire face à un triple défi : il doit remplacer les générations qui quittent le marché du travail, continuer à avoir une place importante dans l'économie mondiale et perpétuer sa productivité, mais il veut aussi s'assurer de continuer à vivre en français. Le candidat idéal pour le Québec serait un jeune immigrant issu d'un pays francophone ou francophile, qui a entre 20 et 35 ans, un bon niveau d'études et une expérience de travail. La politique d'immigration du Québec privilégie donc les nouveaux arrivants des pays francophones afin de faciliter leur adaptation au marché du travail local, mais aussi pour assurer la longévité du français. Et on peut noter que de réels efforts ont été faits au Québec dans ce sens : le pourcentage d'immigrants connaissant le français à leur arrivée a augmenté

ATTENTION AUX ILLUSIONS !

CERTES, LE QUÉBEC cherche des candidats, mais une immigration nécessite une longue préparation psychologique et économique. Une fois votre visa en main, vous ne devrez compter que sur vous-même pour faire votre place.

Personne ne vous attend ! Aucun paradis n'existe sur Terre et toute démarche d'immigration comporte sa part de problèmes. Les gens peu motivés ou mal renseignés peuvent se décourager dès les premiers obstacles.

Aussi, nous vous invitons à sérieusement réfléchir, faire une réelle introspection et vous poser plusieurs questions avant de procéder à un tel changement. Informez-vous ! Vous pouvez lire, dans la partie 4, le chapitre consacré aux obstacles à l'intégration.

considérablement depuis quelques années, passant de 37 % en 1997 à 49 % en 2002, 57 % en 2005 et à 64 % en 2009.

Francophones appréciés au Québec. Ces dernières années, le Québec a accueilli plus de 50 000 immigrants environ sur son territoire et ses objectifs sont pour les prochaines années de dépasser ce chiffre. Le nombre de Français sélectionnés à l'immigration québécoise a augmenté ces dernières années. Généralement, chaque année, la Belle Province sélectionne plus de 3 000 Français comme résidents permanents.

En 2010, le Québec a accueilli 54 000 immigrants venus de 130 pays. Les trois principaux pays d'immigration sont le Maroc, l'Algérie et la France. Les immigrants parlant les langues espagnole, créole et arabe sont plus enclins à choisir de s'exprimer en français une fois installés au Québec. Les immigrants du Québec sont de

DES CONSEILS D'EXPERTS POUR MENER À BIEN VOS DÉMARCHES

LES EXPERTS d'Immigration – Québec exposent ici quelques conseils permettant de bien remplir son dossier et d'optimiser l'installation sur place. Ainsi, selon eux, lors de la constitution du dossier, il est nécessaire de faire certifier conformes des documents tels que les attestations de travail, les diplômes et les relevés de notes. Les mairies sont les bons interlocuteurs pour les documents – en français – destinés à l'étranger. Lorsque le dossier est complet, les services d'immigration peuvent procéder à une première sélection.

LORS DE LA DEMANDE de Certificat de sélection, il est impératif de ne pas oublier de remplir les annexes et de les joindre à la demande. Attention, les services d'immigration exigent les attestations d'emploi et de stage. Pour la suite, en plus du voyage de découverte et de prospection, d'assister à une séance d'information en France et de rencontrer des professionnels de son domaine d'activités, il est conseillé de prendre contact avec l'ordre professionnel auquel votre métier est rattaché. Pour ce faire, consultez le site IMT d'Emploi-Québec pour prendre connaissance des profils recherchés et lisez le guide téléchargeable *Apprendre le Québec* qui regorge d'informations :

- **IMT Emploi-Québec**
http://imt.emploiquebec.net
- **Apprendre le Québec**
www30.immigration-quebec.ca

LORS DE VOTRE ARRIVÉE au Québec, n'hésitez pas à contacter les services d'intégration. Toute une gamme d'ateliers et de sessions sont proposés afin d'accompagner le nouvel immigrant dans ses premiers pas. Ils sont là pour vous !

plus en plus francophones ou francophiles, mais dans le reste du Canada la situation est tout autre. À l'échelle du pays, le nombre des nouveaux arrivants connaissant le français a chuté brutalement à 4 % au cours des dix dernières années. Les trois quarts d'entre eux affirment pouvoir s'exprimer en anglais.

Les démarches administratives d'immigration

Les démarches d'immigration vers le Québec prennent au moins un an. Ce n'est d'ailleurs pas une mauvaise chose, ce délai vous permettra de prendre le temps de réfléchir à ce changement de vie. Sachez qu'il est possible d'assister aux séances d'information de la Délégation du Québec à Paris et aussi dans plusieurs régions de France. En effet, des conseillers se déplacent dans votre région pour vous renseigner sur une éventuelle immigration au Québec. Pour connaître les prochaines réunions d'information tenues en France, rendez-vous sur le site de la Délégation du Québec à Paris (voir page 55). Il est aussi possible d'assister à des réunions au Royaume-Uni, en Belgique et en Suisse.

Témoignage

David et sa famille, la persévérance paie, trois tentatives avant d'être accepté à l'immigration

DAVID VAUCLIN ET SA FEMME ont dû faire preuve de persévérance et insister avant de décrocher le sésame. Originaire du Havre, ce Normand obtient un CAP de chaudronnier (soudeur au Québec) et travaille dans le chantier naval. Par la suite, il part en Bourgogne et y travaille dans l'imprimerie pharmaceutique pendant dix ans. Puis (...)

(...) dans la trentaine, il décide d'y ouvrir deux pressings et une cordonnerie mais il trouve l'entreprenariat bien difficile en France. « Après les vacances au Québec de mon fils, ce dernier nous a raconté son séjour qu'il avait trouvé génial, se souvient-il. L'idée du Québec a commencé à germer dans nos têtes. » David fait alors un premier séjour de repérage avec l'intention d'acheter un commerce. Mais en 2007, leur demande de travailleur autonome est refusée par Immigration-Québec à cause d'un manque de fonds.

EN 2008, LA FAMILLE TENTE ALORS UNE DEUXIÈME DEMANDE d'immigration mais cette fois en tant que résident permanent (RP). Mais il leur manque encore des points. Deuxième refus. « Après cela, lors de discussions sur le forum immigrer.com, j'ai appris que mon CAP français correspondait à deux diplômes québécois, se souvient-il. Alors nous avons recommencé tout le dossier en mettant en évidence ce point. Nous avons eu un entretien assez difficile à Paris avec une agente d'immigration sur ses gardes mais qui finalement nous a donné le CSQ (Certificat de sélection du Québec). »

ÂGÉ DE 42 ANS, DAVID ARRIVE ENFIN AU QUÉBEC en tant qu'immigrant en mars 2011, cinq ans après avoir envoyé sa première demande d'immigration. Installé à Lévis, face à la ville de Québec, il arrive quelques semaines avant sa famille. Un commis de pharmacie lui dit qu'une entreprise locale dans le domaine de la pharmaceutique embauche du personnel. « Je suis entré au Laboratoire Vachon comme opérateur machine à 13 $ CAN de l'heure et, quelques mois plus tard, je suis à 15 $ CAN de l'heure, affirme-t-il. Bientôt je vais obtenir une nouvelle place à 20 $ CAN de l'heure. Ma femme a trouvé dans un nettoyeur (un presssing) sans même envoyer de CV. » Et leur fils diplômé d'un brevet professionnel agricole est horticulteur et travaille dans une usine productrice de champignons.

Il apprécie la chaleur des gens de sa région. « Les collègues de travail m'ont tout de suite très bien accueilli, affirme-t-il. Je n'étais là que depuis quelques semaines quand ils m'ont proposé d'aller tous chercher ma femme et mon fils à leur arrivée à l'aéroport... de Montréal à quatre heures de route. » (...)

(...) **Pour encore mieux s'intégrer, David a fait du bénévolat aux Fêtes de la Nouvelle-France pendant l'été à Québec. « Je ne critique pas, j'écoute les conseils et je tente d'avoir beaucoup d'humilité, déclare-t-il. Ici au Québec nous sommes finalement à notre place. Nous avons enfin la satisfaction de ce qu'on cherchait depuis notre plus jeune âge. J'ai l'impression d'être chez moi, d'avoir toujours vécu ici. C'est mon pays ! »**

L'ÉVALUATION PRÉLIMINAIRE EN LIGNE

La première démarche d'immigration pour obtenir le statut de résident permanent est l'évaluation préliminaire en ligne. Si vous n'avez jamais mis les pieds au Québec, si vous n'y connaissez personne et si votre niveau d'anglais est nul, cela ne signifie pas un rejet automatique du dossier. Celui-ci est évalué dans son ensemble grâce à un système de points attribués à chacune de vos réponses : un nombre de points est requis pour franchir cette première étape. Certaines réponses demeurent néanmoins éliminatoires comme l'âge minimum et le capital à votre disposition. Attention, depuis mars 2012, certaines formations sont éliminatoires si elles ne se retrouvent pas dans le groupe 1 ou 2 de la catégorie des travailleurs qualifiés.
☛ Pour en savoir plus : www.immigration-quebec.gouv.qc.ca/fr/informations/ reception-demandes.html

Un système de points. Lors de l'évaluation, vous devez indiquer vos coordonnées, votre état civil, vos pays et date de naissance (de 18 à 35 ans, vous avez le maximum de points pour l'âge) ainsi que vos études (incluant le titre du diplôme obtenu et la spécialité). Vous devez aussi exposer vos expériences professionnelles en précisant les dates, titres et noms des entreprises pour lesquelles vous avez travaillé. Selon la grille d'évaluation datant de 2009, les candidats n'ont plus à avoir une

QUIZ INTERACTIF SUR VOTRE POTENTIEL D'IMMIGRANT AU QUÉBEC

AFIN DE METTRE toutes les chances de votre côté, voici un mini-test permettant d'analyser différents aspects de votre vie au regard de l'immigration soit votre profil général, votre vie professionnelle, votre situation familiale et financière.

1) Immigrez-vous seul ou en groupe ?
2) Quel est votre âge ?
3) Êtes-vous déjà venu au Québec ou ailleurs au Canada ?
4) Avez-vous des enfants ?
5) Quelles sont vos motivations de départ pour votre immigration ?
6) Comment vous définiriez-vous dans un éventuel statut lors de votre immigration ?
7) Comment percevez-vous la culture québécoise ?
8) Vous sentez-vous particulièrement attaché à votre pays d'origine ?
9) Qu'auriez-vous le plus de difficulté à quitter dans votre pays d'origine ?
10) Selon vous, sur quoi repose la réussite de votre immigration ?
11) Combien d'années d'activités professionnelles avez-vous dans votre domaine ?
12) Êtes-vous prêt à recommencer à zéro dans votre domaine ?
13) En combien de temps estimez-vous normal de vous faire de nouveaux amis au Québec ?
14) Seriez-vous prêt à faire un petit boulot hors de votre domaine afin de subvenir à vos besoins ?
15) Selon vous, quel est le délai raisonnable pour trouver un travail à votre niveau au Québec ?
16) Avez-vous un emploi qui vous attend dans votre pays d'accueil ?
17) Quel est votre niveau en anglais ?
18) Selon vous, quelles sont les qualités recherchées par les employeurs québécois/canadiens ?
19) Pensez-vous que l'éloignement familial peut être un facteur important pour vous empêcher de réussir votre immigration ?
20) Avez-vous des amis proches ou de la famille qui sont installés depuis plus de cinq ans au Québec/Canada ?
21) Selon vous, votre situation financière personnelle vous permettra de vivre combien de temps sans travailler ?
22) Avez-vous des dettes dans votre pays d'origine ou ailleurs ?

Si vous avez un conjoint :

Êtes-vous tous les deux pleinement engagés dans le projet ?

Est-ce que votre conjoint travaillera également dès votre arrivée ?

Pour connaître les réponses :

☛ www.immigrer.com/potentiel

CONJOINTS NON MARIÉS

DEPUIS LA NOUVELLE LOI canadienne sur l'immigration du 28 juin 2002, les conjoints de fait, de sexe différent ou de même sexe, peuvent remplir d'une façon commune ces formulaires. Il suffit de pouvoir prouver que vous êtes conjoints de fait, c'est-à-dire que vous vivez sous le même toit depuis au moins un an. Une facture d'électricité ou de téléphone à vos deux noms peut servir de preuve pour confirmer votre union.

expérience professionnelle pour déposer un dossier d'immigration, cette condition n'est pas éliminatoire. Il vous est aussi demandé d'évaluer votre connaissance des langues française et anglaise. Vous devez mentionner vos séjours au Québec en tant que touriste ou travailleur, ou encore lors de stages, études ou échanges. Le fait d'avoir séjourné dans la Belle Province donne des points. Le cas échéant, vous devrez fournir les coordonnées de membres de votre famille ou de vos connaissances résidant au Québec.

Vous devez indiquer la somme d'argent dont vous disposerez lors de votre installation au Québec, ce pécule devant être d'au moins 2 889 $ CAN (pour une personne seule sans enfant) pour subvenir à vos besoins pendant les premiers temps. On vous demandera également de préciser l'emploi que vous envisagez d'occuper au Québec. Si vous venez en couple, votre partenaire devra également remplir une partie du formulaire avec des informations sur sa date de naissance, ses études et ses expériences professionnelles, ainsi que ses séjours et sa connaissance des deux langues officielles. Habituellement, c'est le membre du couple qui a l'expérience professionnelle la plus importante qui remplit le formulaire en tant que requérant principal.

L'évaluation est gratuite et peut se faire en ligne à l'adresse : http://www.immigration-quebec.gouv.qc.ca/fr/immigrer-installer/
☛ **Bonus Web.** Pour plus d'informations sur ces démarches : www.immigrer.com/106

La demande de Certificat de sélection

La deuxième étape est celle de la DCS, la demande de Certificat de sélection. Ce formulaire comporte généralement les mêmes questions que l'évaluation, mais vous devrez cette fois y répondre plus en profondeur avec des pièces justificatives. Par exemple, en ajoutant les photocopies de vos diplômes et attestations de travail. Cette demande coûte 750 $ CAN par dossier, auxquels il convient d'ajouter 156 $ CAN pour chaque personne à charge. En cas de refus à cette étape, ces frais ne sont pas remboursables.
Depuis le 6 décembre 2011, les nouveaux candidats à l'immigration au Québec ainsi que leurs conjoints souhaitant obtenir le maximum de points pour leurs compétences linguistiques doivent prouver ces dernières en joignant à leur demande d'immigration le résultat des tests d'évaluation délivrés par un des organismes reconnus par le MICC.
Ces évaluations ne sont pas obligatoires mais elles sont fortement recommandées à tous les candidats, même ceux de l'Hexagone, car ceci rajoute des points à votre profil. En effet, vous pourriez obtenir le maximum de points pour la connaissance du français (16 points) et de l'anglais (6 points) dans votre dossier d'immigration. Si vous ne voulez pas vous soumettre à ces examens, vous devez alors cocher les cases prévus à cet effet dans votre formulaire afin de ne pas voir votre demande renvoyée. Mais attention, dans ce cas vous n'aurez aucun point sur la connaissance de ces langues.

☛ Pour en savoir plus : www.immigration-quebec.gouv.qc.ca/competenceslinguistiques

Un entretien facultatif. Par la suite, vous pouvez être convoqué à un entretien avec un agent des autorités québécoises, ceci afin de vérifier les données de votre dossier. Tous les candidats ne sont pas convoqués à cette entrevue et l'être n'est pas en soi un mauvais présage. Les démarches au niveau de la province québécoise se terminent avec la réception du CSQ (Certificat de sélection du Québec). La validité de celui-ci est de trois ans, mais vous avez douze mois pour déposer votre dossier au gouvernement fédéral.

Vous trouverez ce formulaire dans les délégations du Québec, les services d'immigration des ambassades du Canada à travers le monde et également sur le site Internet de Immigration-Québec : www.immigration-quebec.gouv.qc.ca/

Les démarches au niveau fédéral

Après l'obtention du CSQ du Québec, vous pouvez amorcer vos démarches pour le fédéral. Vous devez remplir une demande d'immigration pour « travailleur qualifié » (il s'agit de la demande normale d'immigration). Par le biais d'une entente entre le Québec et le Canada, les candidats à l'immigration au Québec qui ont déjà obtenu leur CSQ peuvent normalement obtenir le visa final de résident permanent pour le Canada. En plus de ce formulaire à remplir pour l'immigration au Canada, vous devez passer une visite médicale et présenter un extrait de votre casier judiciaire. Les frais de traitement de la demande au niveau fédéral sont de 550 $ CAN par dossier (pour le requérant principal et son conjoint), augmentés de 150 $ CAN pour chaque enfant à charge de moins de 22 ans. Ceci n'inclut pas les frais pour la visite médicale et pour le casier judiciaire.

Le mémo de vos démarches d'immigration

- **DCS (Demande de certificat de sélection) : entretien de sélection ; obtention du CSQ, Certificat de sélection du Québec.**
- **Transfert du dossier complet au gouvernement fédéral : visite médicale, casier judiciaire, certificat de police.**
- **Obtention du visa de résident permanent pour le Canada.**
- **Calculateur des frais d'immigration : www.immigrer.com/p/calculateur**
- **Comparer vos délais avec d'autres candidats : www.immigrer.com/p/delais/index**

La visite médicale

Une fois le dossier fédéral complété et envoyé avec les frais de traitement aux autorités canadiennes, vous devez prendre rendez-vous avec un médecin accrédité par les autorités canadiennes de son pays. La liste des praticiens est établie par l'ambassade du Canada en France ou les ambassades canadiennes à travers le monde. Elle peut être consultée sur le site Internet de l'immigration (www.cic.gc.ca). Cette visite médicale consiste en un bilan de santé. Le médecin vous pèse, vous mesure, prend votre tension, pratique un examen de la vue et de l'audition et vous pose une série de questions sur votre santé. Toutes les personnes figurant dans le dossier, même les nouveau-nés, doivent se soumettre à cette visite médicale. « Une rencontre qui ne dure que cinq minutes », affirme Nathalie Lembrez, installée au Québec depuis juin 2004, et qui a passé son bilan de santé à Paris. « La visite médicale complète coûte environ 150 € pour une personne seule, mais le prix peut varier d'un médecin à un autre », prévient-elle.

Le médecin vous indique ensuite un laboratoire d'analyses médicales pour faire une prise de sang (pour le test du VIH) et un test d'urine.

Vécu

Problème pour la visite médicale : une ex-conjointe qui fait des siennes

LE TOULOUSAIN HUGUES MERCUSOT voulait immigrer avec sa seconde femme Sylvie et ses trois enfants au Québec. Il avait aussi deux autres enfants d'une précédente union, mais qui eux n'immigrent pas. Les consignes pour la visite médicale sont claires, tous les enfants de moins de 21 ans doivent passer la visite, même s'ils n'immigrent pas. Mais l'ex-conjointe de cet informaticien s'est catégoriquement opposée à cette consigne, alertant même l'immigration à Paris pour se plaindre. Une situation stressante pour ce couple qui voulait refaire sa vie à 7 000 kilomètres de la France.

« Nous étions catastrophés, on ne pensait pas y arriver, affirme sa nouvelle conjointe, Sylvie Bernier. L'immigration nous a bien affirmé qu'il était nécessaire que les enfants passent la visite médicale. Nous aurions pu les amener en catimini, mais mon mari n'avait la garde que le week-end lorsque les médecins agréés par l'ambassade ne travaillent pas. Finalement, son ex-épouse a fait un tel scandale auprès de l'immigration que ces derniers ont dû nous prendre en pitié et ils nous ont suggéré de faire un refus de parrainage, une procédure exceptionnelle, pour ces deux enfants. Avec toute cette histoire, notre dossier a été gelé pendant plus d'un mois, mais finalement nous avons eu nos visas et sommes installés depuis 2005 à Montréal. »

Toutes les personnes de plus de 11 ans inscrites au dossier doivent également se rendre chez le radiologue. Les résultats de la visite médicale sont envoyés directement à l'Ambassade. Lors de cette visite, n'oubliez pas d'apporter les instructions médicales envoyées par l'Ambassade ainsi que les deux photos requises pour chacune des personnes inscrites dans le dossier. Les photos doivent respecter des mesures strictes et être prises sur un fond blanc (les photos de Photomaton ne sont pas acceptées, il est conseillé de passer par un studio de photographes professionnels). Le visage doit mesurer entre 25 et 35 mm, la photo doit faire 35 x 45 mm.

Comme la radiologie des poumons est obligatoire, les femmes enceintes doivent reporter de quelques mois leur visite médicale et donc leur installation au Québec. Seules les maladies graves qui coûteront cher au système de santé québécois sont éliminatoires. Une maladie bénigne ne peut bloquer votre projet d'immigration. Le candidat dispose de quatre-vingt-dix jours après la réception des instructions médicales pour passer la visite chez le médecin. Le coût de cette visite médicale n'est pas remboursé par la Sécurité sociale française. Il est à noter que le visa du résident permanent est valide pour une période d'un an, ceci à compter du jour de la visite médicale. Passé ce délai, le candidat doit repasser la visite.

☛ **Bonus Web.** Pour d'autres témoignages : www.immigrer.com/107

Le dossier judiciaire

Puis vient l'étape du dossier judiciaire, nécessaire pour s'assurer que le candidat ne constitue pas une menace pour la sécurité des Canadiens. Le candidat doit demander son casier judiciaire, ou le cas échéant un certificat de police, dans tous les pays où il a séjourné plus de six mois depuis l'âge de 18 ans. Si vous avez fait plusieurs séjours à l'étranger, veuillez anticiper cette étape et demander rapidement votre casier judiciaire car l'attente peut être longue. Le casier judiciaire ne doit pas avoir plus de trois mois. Vous pouvez en faire facilement la demande en France par écrit ou en ligne (www.cjn.justice.gouv.fr). Si vous avez résidé plus de six mois au Canada et au Québec, vous devez aussi formuler cette demande : pour obtenir plus d'informations, allez sur le site de la gendarmerie royale du Canada (www.rcmp-grc.gc.ca) et consultez la section sur les services d'informations des casiers judiciaires canadiens.

☛ **Bonus Web.** Pour lire des témoignages à ce sujet : www.immigrer.com/108

Du visa à la nationalité canadienne

Après ces deux dernières démarches, le candidat reçoit une lettre pour l'aviser que son dossier est accepté. Il ne reste qu'à payer les frais d'établissement du visa final de 490 $ CAN par personne. Les enfants à charge n'ont pas à payer ces droits pour la résidence permanente. Vous avez un an, à partir de la date de la visite médicale, pour vous installer au Québec.

Demander la nationalité canadienne. Depuis le 28 juin 2002, il est à noter que pour garder le statut de résident permanent canadien, vous devez être présent sur le territoire pendant 730 jours sur cinq ans. Vous pouvez obtenir la nationalité canadienne au bout de trois ans de présence sur le territoire. Il faut en faire la demande auprès de Immigration Canada et remplir le formulaire de demande de citoyenneté. Le traitement prend quelques mois et chaque adulte âgé de 18 à 54 ans doit passer un examen portant sur le Canada.

L'examen sur le Canada. Il s'agit d'un QCM (Questionnaire à choix multiple) sur le Canada et son histoire, son économie, sa géographie, etc. Le candidat prépare ce test grâce à une brochure envoyée lors de sa convocation pour l'examen. Il est possible de repasser ce test en cas d'échec. Le nouveau Canadien est ensuite invité à une cérémonie de remise de citoyenneté où il doit chanter l'hymne national « Ô Canada » et prêter allégeance à la Reine d'Angleterre qui est le chef de l'État au Canada. Depuis peu, le gouvernement québécois a aussi sa petite cérémonie pour souligner l'appartenance des nouveaux immigrants au Québec. Pas de test à passer, juste une présence.

Les sites d'informations sur l'immigration

- **Les sites officiels :**
  Immigration-Québec ➢ www.immigration-quebec.gouv.qc.ca
  Citoyenneté et Immigration Canada ➢ www.cic.gc.ca
  Délégation du Québec à Paris ➢ www.quebec.fr
- **Autres liens :**
  Immigrer.com ➢ www.immigrer.com

☛ **Bonus Web.** Pour lire des témoignages à ce sujet : www.immigrer.com/109

LA RÉPARTITION DES IMMIGRÉS SUR LE TERRITOIRE

Selon le dernier recensement canadien fait en 2006, le pays a accueilli 1 110 000 immigrants entre 2001 et 2006. Les nouveaux arrivants viennent essentiellement d'Asie et du Moyen-Orient (58 %), d'Europe (16 %), d'Amérique latine et des Antilles (11 %) et d'Afrique (11 %). Les immigrants chinois ne représentent plus la minorité visible la plus importante (1,2 million) comme c'était le cas en 2001. Les Canadiens originaires d'Asie du Sud (Inde, Pakistan et Sri Lanka) les ont devancés (1,3 million). Tous ces immigrants sont majoritairement allophones (ayant ni le français ni l'anglais comme langue maternelle) ; ceci dans une proportion de 70 % des cas. Ils parlent surtout, par ordre d'importance, le chinois (19 %), l'italien (7 %), le pendjabi (6 %), l'espagnol (6 %), l'allemand (5 %), le tagalog (langue philippine, 5 %) et l'arabe (5 %). Au Québec, Montréal qui accueille plus de 80 % des immigrants québécois se distingue des autres grandes villes canadiennes par son importante communauté issue de l'Afrique du Nord et de l'Afrique noire. Ces derniers sont beaucoup moins présents dans le reste du pays.

Par ailleurs, la part de la population issue de l'immigration est moindre au Québec que dans les autres provinces canadiennes. Les immigrants constituent près de 20 % de la population canadienne, soit la plus importante proportion enregistrée en soixante-quinze ans. La population immigrante a augmenté de 14 % entre 2001 et 2006, selon un rythme quatre fois plus élevé que celui de la population née au pays, qui s'établit à 3 %. En 2006, le Québec comptait 12 % de personnes nées à l'étranger, 87 % d'entre elles ont choisi de s'installer dans la région de Montréal, 3 % à Québec, 3 % à Ottawa-Hull et 1 % à Sherbrooke. En 2006, en Ontario, 28 % de la population est née à l'étranger, 16 % en Alberta, 13 % au Manitoba, 28 % en Colombie-Britannique. Entre 2001 et 2006, le Québec a accueilli 246 993 immigrants, plus que pendant la décennie 1991-2001 où 244 900 nouveaux arrivants avaient choisi le Québec.

Une concentration dans les grandes villes

La grande majorité des immigrants du Canada se concentre dans les centres métropolitains de Toronto, Vancouver et Montréal ; peu s'installent en région. Entre 2001 et 2006, 69 % des immigrants arrivés au pays se sont installés dans les régions de Toronto, Montréal et Vancouver. Seulement 16,6 % d'entre eux se sont dirigés vers d'autres centres urbains, comme Calgary (Alberta), Ottawa-Gatineau, Edmonton (Alberta), Winnipeg (Manitoba), et les villes ontariennes de Hamilton et London. Toronto en Ontario demeure la ville qui compte le plus d'immigrants au monde. En 2006, on notait que près de 46 % de la population était née à l'étranger, soit plus du double de la moyenne canadienne. Toronto serait donc plus multiethnique que Miami aux États-Unis (40 %), Sydney en Australie (31 %) et les autres villes américaines telles Los Angeles (31 %) et New York (24 %).

UN HABITANT SUR CINQ N'EST PAS NÉ AU CANADA

Dans les vingt dernières années, le nombre de personnes provenant d'une « minorité visible » a triplé au Canada ; en 2006, il y avait 6 186 950 personnes nées à l'étranger installées au Canada. On entend par minorité visible des individus qui ne sont ni autochtones, ni de race caucasienne ou de couleur blanche. Leur nombre était de 5 millions en 2006 à travers tout le pays, ce qui représente un bond de 27 % depuis 2001, alors qu'en 1981 on ne recensait que 1,1 million de représentants, soit 5 % du pays. Ils représenteront 20 % de la population canadienne en 2017. À Montréal, toujours en 2006, la population de minorité visible est surtout noire (188 100), arabe (109 000) et latinos (89 500).

Les populations arabes et latino-américaines ont connu une hausse d'environ 50 % de leur population au Québec, entre 2001 et 2006, principalement à Montréal. Les immigrants originaires de l'Asie du Sud représentent le quart des minorités visibles au Canada alors qu'ils ne sont qu'un peu plus du dixième des minorités au Québec. Les minorités visibles représentent 16 % de la population à Montréal alors qu'elles sont 40 % dans les villes de Vancouver et Toronto.

En 2006, la proportion de la population canadienne née à l'étranger a atteint le plus haut sommet depuis soixante-quinze ans soit 20 %, c'est-à-dire un habitant sur cinq. Il faut remonter à la vague d'immigration qui a précédé la crise de 1929 pour retrouver un taux plus élevé de nouveaux arrivants, alors que celui-ci se chiffrait à 22 % de la population. Selon le bureau de la statistique, seule l'Australie (22 %) devance le Canada sur ce sujet. Aux États-Unis, 13 % de la population était née à l'étranger en 2006 selon le *American Community Survey* (le recensement officiel américain).

Séjourner au Québec

Si vous ne souhaitez pas émigrer vers le Québec pour de longues années, mais y séjourner quelques mois seulement pour travailler ou étudier, c'est aussi possible. Nous aborderons ainsi dans ce chapitre le visa temporaire de travail, le « programme Vacances-Travail » (PVT), le programme de mobilité des jeunes travailleurs, les échanges de France-Québec et de l'OFQJ (Office franco-québécois pour la jeunesse), le programme VIE (Volontariat international en entreprise) et le visa étudiant.

Le visa de séjour temporaire

Pour travailler temporairement au Québec, il faut trouver un employeur québécois prêt à vous embaucher et à exécuter quelques démarches administratives. Votre futur employeur doit en effet faire approuver son offre d'emploi par Développement des ressources humaines Canada et le ministère de l'Immigration et des Communautés culturelles. Pour vous employer, il devra prouver que malgré des efforts raisonnables de recrutement au sein de la main-d'œuvre locale, il n'a pas réussi à pourvoir le poste que vous allez occuper.

Cependant, l'employeur n'a pas à démontrer la rareté de la main-d'œuvre dans tous les secteurs d'activité. En effet, les travailleurs issus de certains domaines d'activité peuvent bénéficier de mesures d'exception afin d'être embauchés facilement par un employeur

LES DÉMARCHES ADMINISTRATIVES POUR TRAVAILLER TEMPORAIREMENT

POUR FAIRE LES DÉMARCHES, l'employeur doit remplir le formulaire de demande pour l'emploi de travailleur étranger (www.rhdsc.gc.ca/fr/competence/travailleurs_etrangers/fwp_formulaires.shtml) et le faire parvenir avec les pièces justificatives à RHDSC (Ressources humaines et développement social Canada).

Le dossier devra être envoyé au MICC (ministère de l'Immigration et des Communautés culturelles) avec un formulaire de demande de CAQ (certificat d'acceptation du Québec) (www.immigration-quebec.gouv. qc.ca/fr/formulaires/formulaire-titre/dca-travail.html) accompagné du paiement exigé pour le traitement du dossier. Le tarif est de 182 $ CAN par travailleur temporaire.

Assurez-vous que votre dossier est correctement complété afin de prévenir tout retard de traitement. Lorsque le dossier est accepté, l'employeur reçoit une lettre conjointe de validation du MICC et du RHDCC, Ressources humaines et Développement des compétences Canada. Par la suite, l'employeur doit faire parvenir au futur employé une copie de cette lettre de confirmation ainsi qu'une offre d'emploi. L'employé doit faire sa demande de permis de travail, muni de ces documents, auprès de l'ambassade du Canada de son pays. D'autres frais administratifs d'un montant de 150 $ CAN sont exigés à cette étape. Il est par ailleurs possible que le futur employé doive passer un examen médical et des contrôles de sécurité.

québécois. Il s'agit des professionnels du cinéma, de l'optique, des technologies de l'information, des infirmières, des médecins, des moniteurs en essai clinique, des titulaires d'une chaire de recherche, des aides familiales et des travailleurs agricoles saisonniers. Les travailleurs dans ces secteurs doivent se reporter au site d'Immigration-Québec pour connaître toutes les démarches qui leur permettront d'être recrutés par un employeur québécois.

LE PROGRAMME DE L'EXPÉRIENCE QUÉBÉCOISE (PEQ) : TRAVAILLEURS TEMPORAIRES ET ÉTUDIANTS ÉTRANGERS

DEPUIS FÉVRIER 2010, LE GOUVERNEMENT DU QUÉBEC a mis en place un programme accéléré de sélection permettant aux étudiants étrangers diplômés du Québec et aux travailleurs temporaires spécialisés en emploi d'obtenir facilement la résidence permanente, synonyme d'immigration dans la Belle Province. Voici les principales exigences prévues pour y accéder :

- **être âgé d'au moins 18 ans,**
- **démontrer une connaissance du français (intermédiaire),**
- **avoir obtenu un diplôme d'études d'un établissement reconnu par le ministère de l'Éducation,**
- **être un travailleur temporaire et occuper un emploi à temps plein de niveau cadre, professionnel ou technique depuis un an au Québec,**
- **s'engager à subvenir à vos besoins et ceux de votre famille lors des trois premiers mois de votre statut de résident permanent.**

En savoir plus :

- **www.immigration-quebec.gouv.qc.ca/peq-etudiants**
- **www.immigration-quebec.gouv.qc.ca/peq-travailleurs**

Si vous désirez immigrer au Québec et devenir résident permanent (RP) n'attendez pas la fin de votre contrat temporaire et de votre visa pour engager les démarches car elles pourraient être plus longues que vous ne le pensiez. Vous pourriez devoir retourner en Europe quelque temps afin d'attendre le visa final. Ne laissez pas trop traîner les choses si vous désirez rester sur place plus longtemps. Si vous devenez RP, vous n'êtes plus lié à votre employeur actuel pour obtenir votre visa. Ainsi en plus d'assurer votre présence sur le territoire canadien, vous pouvez facilement décider de changer de travail. En outre, votre employeur n'a plus à engager toutes les démarches administratives pour vous garder au sein de son entreprise car votre statut l'en dispense. Pour certains d'entre eux, cela peut être un vrai casse-tête.

Aussi, si votre conjoint vous accompagne, le fait d'être un travailleur temporaire peut impliquer quelques contraintes. Certains employeurs seront moins enclins à engager un travailleur temporaire car ils veulent pouvoir compter sur leur nouvel employé. Aussi, sachez que pour se présenter à des postes de la fonction publique, il faut être résident permanent, le visa temporaire ne suffit pas.

Originaire de Nantes, Mickaël Rivette est un professeur embauché par l'École Polytechnique de Montréal sur la base d'un visa temporaire. Selon lui, il y a quelques autres désavantages liés à ce type de visa. « Le travailleur avec un visa temporaire, n'a donc pas le statut de résident permanent, et il est donc plus difficile pour lui d'obtenir une carte de crédit et même une marge de crédit à la banque, affirme-t-il. Heureusement, j'ai pu avoir accès à ces services par le biais de mon université. »

☛ **Bonus Web.** Pour plus d'informations : www.immigrer.com/110

Les programmes d'échanges entre le Québec et la France

Si vous êtes âgé de 18 à 35 ans, vous pouvez profiter de différents programmes d'échanges et de réciprocité entre le Québec et la France qui permettent de travailler temporairement au Québec (pour les 35 ans et plus, il existe le programme Voyage Découverte). Voici une présentation de quelques-uns des principaux programmes.

L'ASSOCIATION FRANCE-QUÉBEC

Cette association, comme son équivalente québécoise, Québec-France, est un organisme parrainé par les gouvernements français et québécois, qui offre différents types de programmes : le programme Intermunicipalités propose une expérience de travail d'été dans une municipalité québécoise, le programme Voyage Découverte, des stages professionnels et des emplois d'été.

Le programme Intermunicipalités. Il propose aux étudiants français âgés de 18 à 30 ans un emploi dans une municipalité québécoise pour une période de six à huit semaines durant l'été. Contactez, avant toute démarche, l'association France-Québec de votre région, qui vous indiquera les villes participant à cet échange : en effet, seuls les candidats recrutés par l'une de ces municipalités pourront bénéficier de ce programme. Ces derniers percevront le salaire minimum au Québec, mais devront prendre en charge les coûts du voyage, l'adhésion à l'association France-Québec et les frais d'inscription.

Les stages professionnels. Pour participer à ce programme, il faut avoir la nationalité française, être étudiant ou diplômé, être âgé de 18 à 35 ans et bénéficier d'une promesse d'embauche ou de stage (ou souhaiter en réaliser un) d'un employeur québécois d'une durée maximale de six mois. Il faut aussi devenir membre d'une association régionale France-Québec et entamer les démarches au moins deux mois avant la date de départ. Les emplois d'été vous permettent de vivre une expérience professionnelle de trois mois maximum et ce dans différents domaines (restauration, camps de vacances, etc.). Pour prendre connaissance en détail des programmes et se procurer le

Où se renseigner ?

- **France-Québec**
  24, rue Modigliani, 75015 Paris ☎ 01.45.54.35.37
  ➢ www.france quebec.fr ✉ stages.perso@francequebec.fr

- **Québec-France**
  9, place Royale, Québec, G1K 4G2 ☎ 1.418.643-1616 ; 1-877-236-5856 (gratuit au Québec) ➢ www.quebecfrance.qc.ca
  ✉ dv@quebecfrance.qc.ca

formulaire des stages professionnels, rendez-vous sur le site Internet de France-Québec.

L'Office franco-québécois pour la jeunesse

L'OFQJ (Office franco-québécois pour la jeunesse) section française offre plusieurs opportunités pour la destination Québec aux jeunes de moins de 35 ans : stage de perfectionnement ou d'insertion, stage lié aux études, séjour de formation et développement de carrière, emploi temporaire, export des TPE et PME, poursuite d'études.

L'OFQJ est une structure bigouvernementale qui existe depuis plus de 40 ans et qui soutient chaque année plus de 7 000 jeunes Français pour un séjour professionnel au Québec. Cet organisme qui est un acteur majeur des échanges entre le Québec et la France construit son action autour de trois axes stratégiques qui sont prioritairement encouragés : accroître l'employabilité, favoriser l'internationalisation des TPE et PME, développer les réseaux de partenaires, les échanges d'expertises et de savoir-faire.

Pour être admissible aux programmes de l'OFQJ, il faut être âgé entre 18 et 35 ans et généralement être de nationalité française.

Québec
Délégation générale
Paris

Faire carrière
à l'international
Le réseau Pôle emploi international propose une large gamme de services aux candidats à la mobilité internationale et aux entreprises qui les recrutent.
CANDIDATS
. conseils personnalisés
. ateliers
. offres d'emploi
. assistance juridique « expa-conseil »
ENTREPRISES
. Conseil en recrutement
. assistance juridique « expa-conseil ».
En 2011, le réseau Pôle emploi international a proposé plus de 30 000 offres en Europe et à l'international. Ce réseau spécialisé de Pôle emploi compte 50 points d'implantation.
pôle emploi

LIBRAIRIE DU QUÉBEC

Pour les stages de perfectionnement, il est possible de maintenir l'allocation d'Aide au Retour à l'Emploi (ARE) et Revenu de Solidarité Active (RSA) durant le stage au Québec grâce au partenariat de l'OFQJ avec Pôle Emploi. Les offres de stages sont disponibles sur le site web. Vous pouvez trouver toutes les informations pour ces programmes sur le site web de l'OFQJ.

Généralement, l'OFQJ demande une contribution forfaitaire au participant allant de 150 à 650 euros (en fonction des dates de départ et de certaines conventions avec des régions françaises). En échange, le participant reçoit un accompagnement pour monter le projet, une assurance-assistance complémentaire santé, un coffret d'accueil et le billet d'avion aller-retour.

Stages de perfectionnement ou d'insertion. Cette opportunité concerne les demandeurs d'emploi et les personnes en formation professionnelle d'une durée de trois à six mois. Ce stage permet aux participants de maintenir les ARE ou le RSA. C'est également le cas pour un jeune diplômé indemnisé par Pôle Emploi. L'OFQJ propose une bourse de 700 euros par mois, tout en permettant de cumuler les indemnités versées par l'employeur québécois.

Stages liés aux études. Cette opportunité est offerte aux étudiants, aux apprentis et aux élèves en formation technique et professionnelle. La durée du stage est de trois semaines à six mois. Les frais vont de 560 à 650 euros (pour les départs en haute saison) incluant le billet d'avion aller-retour.

Missions thématiques. Ces missions sont des séjours de formation et de développement de carrière qui peuvent être montés sur mesure selon le moment. Ces opportunités qui sont souvent reliées au monde culturel sont annoncées sur le site web de l'OFQJ. Les frais s'élèvent

Où se renseigner ?

- **L'OFQJ en France**
  Office franco-québécois pour la jeunesse, 11, passage de l'Aqueduc, 93200 Saint-Denis ☎ 01.49.33.28.50 ➤ www.ofqj.org ✉ info@ofqj.org
- **L'OFQJ au Québec**
  Office franco-québécois pour la jeunesse, 934 Sainte-Catherine Est, Montréal, Québec, H2L 2E9 ☎ 1 (514) 873-4255, 1-800-465-4255 (gratuit au Québec) ➤ www.ofqj.org ✉ info@ofqj.gouv.qc.ca

au maximum à 800 euros incluant le billet d'avion, l'hébergement, l'accréditation, l'assurance, les prises de rendez-vous. La durée est d'environ une semaine ou deux.

Emploi temporaire. Cette opportunité d'emploi temporaire est proposée pour une durée de six à douze mois. Par contre, il faut trouver l'emploi à l'avance *via* ses propres contacts ou les offres de l'OFQJ. Les ex-Pvtistes peuvent profiter de cette offre pour pouvoir revenir au Québec grâce au permis des jeunes travailleurs délivré exclusivement par l'OFQJ. Les tarifs sont de 650 euros incluant le billet d'avion.

Export des TPE et PME. Cette opportunité est un peu le pendant commercial de la mission thématique. Il s'agit d'une mission de prospection, généralement dans le monde des affaires. Ainsi l'OFQJ vous aide à monter un programme de rendez-vous d'affaires pour rencontrer des prestataires, ouvrir des marchés, etc. Les frais s'élèvent à 800 euros maximum incluant le billet d'avion, l'hébergement, l'accréditation, l'assurance, les prises de rendez-vous. La durée est d'environ une semaine ou deux.

Liens pour le PVT

- **Ambassade du Canada, 35, avenue Montaigne, 75008 Paris**
  ☏ 01.44.43.29.00 ➢ www.dfait-maeci.gc.ca/canada-europa/france/jeunesse-youth/programme_mobilite-mobility_program-fr.asp
  ✉ paris-im.visiteur@dfait-maeci.gc.ca
- **Mon PVT** ➢ www.monpvt.com
- **April Mobilité** ➢ www.aprilmobilite.com
- **ISIC (carte d'étudiant internationale)** ➢ www.isic.fr
- **PVT (programme Vacances-Travail)** ➢ www.immigrer.com/pvt-html
- **Quelques suggestions pour l'assurance :**
  Axa ➢ www.axa.fr (assistance expatriés individuels-longs séjours avec option assurance)
  ACS ➢ www.assistance-etudiants.com
  AVI ➢ www.avi-international.com

Poursuite d'études au Québec. Des accords entre la France et le Québec permettent aux étudiants français de s'inscrire dans des établissements au Québec dans des conditions privilégiées portant sur des exemptions de frais de scolarité. L'OFQJ apporte un accompagnement et un soutien logistique.

LE PROGRAMME VACANCES-TRAVAIL

Ce programme né le 6 février 2001 avec la signature d'un accord entre la France et le Canada, permet chaque année à des centaines de jeunes Français (et aussi de jeunes Québécois et Canadiens) de séjourner et travailler dans l'autre pays pendant un an. Pour participer au PVT (programme Vacances-Travail), les jeunes Français doivent résider en France au moment du dépôt de leur candidature, être âgés de 18 à 35 ans, ne pas être accompagnés de personne à charge et disposer d'un

LE VISA TEMPORAIRE : PAS TOUJOURS BIEN PERÇU PAR L'EMPLOYEUR

DE QUELQUES CENTAINES il y a des années, aujourd'hui les Pvtistes français se comptent chaque année par milliers. Pour 2011, 7 000 PVT ont été accordés en novembre et décembre à de jeunes Français. Selon Nadir Sidhoum de l'OFII, l'Office français de l'Immigration et de l'Intégration, les statuts temporaires comme le programme PVT peuvent énormément séduire les jeunes Français par sa facilité d'accès mais il y a quelques ombres au tableau.

« Il y a un réel problème de perception de la part des employeurs pour les visas temporaires comme le PVT, affirme le directeur de l'OFII. Les entreprises préfèrent engager à long terme et sont parfois réfractaires à donner la chance à des employés qui ont un PVT. Nadir Sidhoum suggère souvent aux Pvtistes de bien insister sur leur intention de rester au Québec afin de rassurer l'employeur. Les Pvtistes sont également invités à venir sur place dès que leur visa débute afin de ne rien perdre de leur année de visa. »

Aussi, il constate un changement dans l'utilisation de ce programme. « Auparavant le PVT était utilisé pour faire du tourisme avant le travail, souligne-t-il. Maintenant on a l'impression que c'est pour faire de la prospection avant une installation à long terme. » Selon lui, les administrations devront faciliter les changements de statut des Pvtistes qui veulent obtenir la résidence.

minimum de ressources financières, c'est-à-dire 700 euros par mois, pour les trois premiers mois. En revanche, le visa n'est pas reconductible, mais il est possible d'allonger son séjour par un emploi en perfectionnement, avec une possibilité de prolongation de six mois.

Le participant doit prendre une assurance hospitalisation et invalidité qui le couvre pour la durée du séjour (voir l'encadré p. 67 pour des suggestions d'assureurs). Il n'a pas besoin d'avoir au préalable un contrat de travail, il n'est pas non plus lié à un employeur spécifique

Vécu

Une PVTiste au Québec

C'EST EN AVRIL 2009, à 24 ans, que Jessica Abdelmoumene arrive avec son permis vacances-travail au Canada. Cette diplômée d'un mastère belge en psychologie avait déjà fait en 2008 son stage de fin d'études dans un centre de traitement psychanalytique pour jeunes adultes psychotiques de la région de Québec. À la fin de cette expérience de trois mois, elle est décidée à revenir au Québec pour quelque temps, découvrir encore le pays et surtout travailler dans d'autres centres d'aide. « Au Québec, il y a eu une désinstitutionalisation depuis les années 80, ainsi les patients ne restent pas dans les hôpitaux comme en Europe, mais bénéficient d'une aide psychosociale dans des centres spécialisés, ce qui a permis de développer tout un réseau très dynamique évitant la désinsertion sociale. » De retour en Belgique, elle constate que les opportunités se font rares dans le domaine de la psychologie pour une jeune diplômée, cela ne fait qu'accroître son envie de revenir au Québec sans pour autant devenir résidente et immigrer. Le visa PVT est une solution idéale car il permet à la fois de voyager, travailler, et de réfléchir à une éventuelle installation. « Je voulais concrétiser un projet intéressant dans ma vie, dans ma carrière. Pas juste venir comme touriste pendant un an », affirme-t-elle.

AVEC LE VISA PVT EN POCHE, Jessica revient à Québec et commence un emploi dans un centre de crise qu'elle avait déjà contacté. Elle y travaille comme intervenante et non à titre de psychologue puisqu'elle n'a pas entamé les démarches pour être reconnue par l'Ordre des psychologues du Québec. Au centre, ses conditions de travail ne sont pas très stables puisqu'elle fait des remplacements et travaille aussi pour un autre organisme qui développe des programmes d'activités à caractère professionnelle pour des personnes suivies en santé mentale. Elle perçoit un salaire d'environ une vingtaine de dollars de l'heure.

JESSICA A DÉVELOPPÉ UN IMPORTANT RÉSEAU SOCIAL constitué en grande partie d'amis Québécois. « J'avais choisi, lorsque je suis venue faire mon stage, de vivre en colocation avec des Québécois. Je voulais être en immersion, se souvient-elle. Je voulais vivre dans la vie d'ici pour m'en imprégner. » Et puis, elle aime bien la ville de Québec. « Même *(...)*

(...) si je viens d'une grande ville comme Bruxelles, j'adore vivre à Québec. Les rapports entre les gens sont moins impersonnels, tout le monde se connaît. Il y a toujours un ami d'ami qui connaît ton ami, dit-elle. Je trouve cela très agréable ». Elle apprécie la beauté de la vieille ville de Québec qui lui rappelle l'Europe ainsi que l'ambiance bon enfant de la ville même.

JESSICA PENSE S'INSTALLER AU QUÉBEC et entamer les démarches d'immigration. « J'ai pesé le pour et le contre, affirme-t-elle. J'aime ma vie au Québec au niveau personnel. Il y a quelque chose de facile dans les relations humaines, quelque chose de très vrai. » En effet, durant les mois passés à Québec, la jeune femme s'est beaucoup investie dans des activités diverses telles que du bénévolat, une exposition de photos, des chroniques à la radio étudiante locale, des cours de tango. « J'ai l'habitude de forcer les portes en Europe pour prendre ma place. Ici je les touche à peine et elles s'ouvrent, remarque cette fonceuse de nature. C'est reposant psychologiquement, très agréable. » Conclusion : le PVT a été un excellent outil pour accompagner la réflexion de Jessica sur le choix de s'installer au Québec.

puisqu'il s'agit d'un permis ouvert. Il pourra travailler pour plusieurs employeurs s'il le désire.

Comment présenter sa candidature au PVT. Pour obtenir le formulaire de demande d'autorisation d'emploi et toutes les modalités d'inscription au programme, il faut contacter l'ambassade du Canada à Paris. Les intéressés doivent fournir en plus du formulaire dûment rempli et signé, quatre photos d'identité au format passeport, une copie des pages du passeport, une lettre de motivation, un CV et un justificatif pour les fonds nécessaires. Il est important de bien peaufiner sa lettre de motivation. L'étude du dossier a un coût de 110 euros, les délais de traitement d'une demande sont de huit semaines.

Attention, il y a des quotas avec ce type de visa, nous vous suggérons de déposer au plus tôt votre dossier à partir d'octobre de chaque année pour obtenir le PVT. En 2011, comme ces dernières années, ce visa s'est envolé comme des p'tits pains.

Le Pvtiste doit veiller à ne pas se faire radier de sa CPAM à son départ de France car ceci pourrait entraîner des difficultés au moment du retour. Les autorités vous délivrent le visa PVT, valable un an à partir de la date de votre arrivée au Canada.

☛ **Bonus Web.** Pour lire d'autres témoignages :
www.immigrer.com/111

VIE (Volontariat international en entreprise)

Ce programme est ouvert aux Français de 18 à 28 ans ou aux ressortissants de l'Espace économique européen qui veulent accomplir une mission professionnelle à l'étranger durant une période modulable de six à vingt-quatre mois. Les participants sont rémunérés pour leur travail, à raison de 1 500 à 2 500 euros net par mois. Une grande partie des candidats possède déjà un diplôme universitaire. Ce programme peut être un bon tremplin pour une carrière internationale. Ces missions s'effectuent souvent dans la filiale d'une entreprise française à l'étranger ou auprès d'une organisation internationale. Vous devez chercher par vous-même votre emploi, votre mission, à travers les offres proposées sur le site de CIVI (Centre d'information sur le volontariat à l'international), le www.civiweb.com. Une fois que vous obtenez l'engagement de l'entreprise, cette dernière doit se mettre en rapport avec UBI France afin de compléter les démarches administratives. L'entreprise défraie les coûts du voyage. Les participants bénéficient d'une couverture sociale sur place. Vous devrez passer une visite médicale avant votre départ et remettre un rapport de mission à la fin de votre séjour à l'étranger.

Mais attention, cet emploi de perfectionnement est aussi soumis à quota, celui-ci est généralement atteint avant le milieu de l'année. Il est quasi impossible de participer à ce programme en fin d'année. Il faut donc s'y prendre tôt pour avoir la chance d'en profiter.

Plus de 300 entreprises françaises sont présentes au Québec. Pour les connaître, reportez-vous à la section sur les entreprises françaises installées dans la Belle Province, page 155. Montréal accueille aussi de nombreux organismes internationaux, elle est une des 7 villes sièges des Nations unies dans le monde. En effet plus de 60 organisations internationales gouvernementales ou non gouvernementales ont élu domicile dans la capitale économique du Québec. Vous pouvez obtenir la liste des Organisations internationales de Montréal en vous adressant à l'organisme Montréal International : www.montrealinternational.com.

Pour participer, les candidats doivent s'inscrire gratuitement sur le site www.civiweb.com. Vous trouverez aussi sur ce site des offres de mission « VIE à travers le monde ». Plusieurs offres concernent le Canada. Vous pouvez également vous déplacer dans les bureaux de CIVI afin de profiter du centre de documentation.

☛ **UBIFRANCE Centre d'information sur le volontariat international (CIVI)**
77, boulevard Saint-Jacques – 75998 Paris cedex 14
Téléphone : 0810 10 1828 (numéro Azur)

- UBIFRANCE : www.ubifrance.fr/formule-vie.html
- CIVI : www.civiweb.com

TROUVER UN EMPLOI D'ÉTÉ, UN STAGE

La notion de stage n'est pas la même au Québec. Il est surtout associé aux formations dans les secteurs scientifiques ou techniques. Les

LES ÉTUDIANTS QUÉBÉCOIS ACCUMULENT LES JOBS

EN GÉNÉRAL, LES JEUNES QUÉBÉCOIS accumulent des expériences de travail pendant leurs années d'études, principalement pendant l'été. L'année universitaire se termine en juin et de nombreux étudiants profitent de la « relâche » de deux mois pour acquérir une expérience de travail valable ou encore pour mettre de l'argent de côté. Ainsi, à la fin de leurs études, il n'est pas rare qu'ils aient déjà à leur actif diverses expériences professionnelles.

Les Nord-Américains affectionnent surtout les expériences de travail assez précoces dans le but de développer l'initiative des jeunes. De nombreux étudiants gardent d'ailleurs un emploi à temps partiel pendant leurs études. La flexibilité des cursus et des horaires des cours permet cette double activité.

étudiants québécois et canadiens ne font pas de stage à moins qu'il ne soit relié à leurs études, à leur profession comme pour les médecins ou les avocats. En dehors de ces cursus spécialisés, vous devrez plutôt utiliser le terme de « premier emploi » afin de décrire ce que vous recherchez. Les jeunes des États-Unis sont plus familiers avec le concept du stage (*internships*).

VOUS CHERCHEZ UN STAGE

Ainsi, si vous cherchez un stage, selon l'acception française, dites plutôt au Québec que vous cherchez un premier emploi. Si vous voulez faire un stage ou avoir une expérience de travail temporaire au Québec, dans tous les cas, vous devrez avoir un permis de travail. Pour ceux qui détiennent un visa ou participent à un programme d'échange, il y a de nombreux emplois offerts pendant la saison estivale puisqu'elle correspond à une grande demande dans le domaine des services et de la restauration. De nombreux restaurants, magasins, terrasses cherchent des étudiants et des jeunes gens pour l'été afin de combler leurs besoins.

Tout travail doit être rémunéré sauf bien sûr les activités bénévoles, qui peuvent d'ailleurs parfois déboucher sur un emploi.

Vous cherchez un job

Si vous avez la permission de travailler au Canada et que vous cherchez un job, allez vous-même, le CV à la main, dans les magasins, les restaurants et les bars. Adressez-vous directement au gérant afin de vous présenter brièvement. Pour trouver des entreprises qui recherchent des employés au service de la clientèle, la meilleure façon est de les identifier dans un premier temps dans l'annuaire téléphonique ou sur la Toile, et d'entrer en contact avec le responsable des ressources humaines. Pensez également à passer par des agences de placement pour trouver un premier emploi.

Vous trouverez dans la partie 2, les coordonnées des agences de placement et des informations sur les différents secteurs d'activité et les principaux sites Internet de recherche d'emploi. Lisez aussi dans cette partie, le chapitre « Trouver un emploi depuis la France » (page 100) qui vous donne les coordonnées des organismes d'aide basés en France qui offrent des possibilités d'échanges et de stages.

Les préparatifs du départ

Que vous envisagiez un séjour de quelques mois ou une immigration, les préparatifs débutent au moment même où vous prenez la décision de partir. Ouvrez les yeux et les oreilles, vous avez peut-être des gens autour de vous qui ont fait des voyages ou des séjours au Québec qui pourront vous être de bon conseil. Encore mieux, votre entourage connaît sans doute des gens qui sont déjà installés au Québec. N'hésitez pas à tenter de les joindre, leur expérience vous sera précieuse. Lisez autant que vous le pouvez sur le Québec, naviguez sur Internet à la recherche d'informations sur la Belle Province. Ne manquez pas une opportunité de rencontrer des gens qui partagent le même intérêt et surtout qui vous faciliteront votre installation ou votre séjour. Tout au long de vos dernières formalités avant le grand départ, certaines questions et certains doutes s'installeront et vous hanteront de leur « Ai-je pris la bonne décision ? ». Ces hésitations de dernière minute sont tout à fait normales. Nous vous suggérons également de jeter un coup d'œil au chapitre « Les obstacles à l'intégration » dans la partie 4 concernant le choc culturel et l'introspection.

Le séjour de prospection

Lors d'une immigration, il est fortement conseillé de faire un voyage de reconnaissance afin de prendre le pouls de la société où vous voulez vous installer. Ce séjour n'est pas obligatoire, mais ce n'est pas

Vécu

Témoignages de prospection

ANNABEL MAUSSIONETTE EST VENUE DEUX FOIS en repérage à Montréal, en janvier 2008 et en mai 2009, afin de trouver l'appartement, inscrire les enfants à l'école et débuter ses recherches de travail, avant son installation à l'été 2009. « C'était pour prendre la température dans tous les sens du terme, affirme cette mère de trois enfants. Il faut être conscient que c'est tout de même un gros changement de vie. Ce n'est pas le même climat ni le même froid. » Après son premier séjour en 2008, elle s'accorde un mois de réflexion avant d'envoyer sa demande d'immigration.

KATY HARROUART A DÉCOUVERT LE QUÉBEC en tant que touriste avant de décider de s'y installer. Elle a fait de nombreux voyages et a parcouru toute la Belle Province avant de choisir son endroit idéal. Katy vit désormais dans le nord des Laurentides, à Mont-Laurier. « Je conseillerais à tout le monde de venir au moins une fois pour goûter le pays, le rythme, la différence, dit-elle. Et puis, il faut faire le déplacement une ou deux fois pour expérimenter les – 30 et se faire à l'idée des six mois d'hiver ! »

POUR SA PART, CHRISTOPHE HUMBERT trouve le voyage de repérage très trompeur, il faut s'en méfier. « On vient sur place découvrir un pays, se renseigner, etc., mais on peut se laisser impressionner par l'environnement, affirme-t-il. Idéalement on devrait en faire plusieurs pour prendre du recul une fois passé l'émerveillement, le manque de repère qu'on peut avoir. On est en fait en décalage complet par rapport au but idéal du repérage. Deux semaines ce n'est pas assez. » Lors de son séjour de repérage à Montréal, sa conjointe Séverine a tout rejeté les deux premiers jours, remettant en question son immigration, mais tout est rentré dans l'ordre. « Je crois qu'elle était un peu surmenée par le voyage, le décalage et par le fait de laisser les enfants pour la première fois à la maison, si loin, affirme Christophe. Séverine est finalement tombée amoureuse du Québec comme elle le pensait au départ. »

pour rien qu'il donne des points dans le questionnaire de sélection) : il vous prépare un peu mieux à une éventuelle installation. Le Québec a une belle image à travers le monde francophone, les touristes y sont souvent choyés, mais il est important de vérifier par vous-même si le courant passe bien entre vous et cette terre d'accueil. On n'est jamais mieux servi que par soi-même ! L'idéal est d'y venir pendant l'hiver afin de vraiment tâter la saison hivernale en décembre, janvier et février. Vous verrez le Québec enseveli sous la neige et aux prises avec ses pires grands froids. Ne faites pas l'erreur de venir au mois de juillet lors des nombreux festivals qui bercent Montréal et le Québec en haute saison estivale. Vous risquez de vous faire une image déformée du pays. La vie se passe alors à l'extérieur et vous tomberez probablement sous le charme. Mais le Québec ce n'est pas que cela, et le paysage change du tout au tout en quelques mois.

Un tel voyage de prospection se prépare bien également : il sera peut-être déterminant pour votre approche du Québec. Souvent, les futurs immigrants font ce voyage après avoir envoyé leur demande préliminaire pour l'immigration, pour confirmer des impressions avant d'être totalement engagés. Contactez des entreprises proches de votre champ d'activité, provoquez des rencontres, même informelles, avec des employeurs potentiels. Vous pouvez commencer à identifier ces sociétés sur Internet, et après une sélection, prendre des rendez-vous. En plus de votre entourage personnel et des sites Internet, pensez aussi à nouer des contacts par le biais d'associations et d'ordres professionnels.

L'ANNONCE AUX PROCHES

Lorsque le candidat au départ est convaincu de son choix et qu'il a entamé ses démarches de visa, il ne cesse de penser à son immigration. Son projet devient toute sa vie, il entretient l'espoir d'un futur meilleur ou d'une expérience extraordinaire à l'étranger. Le futur immigrant se prépare, il lit abondamment sur le sujet, achète quelques ouvrages sur le Québec, surfe sur Internet à la recherche de témoignages, rencontre d'autres immigrants et connaissances ayant fait un séjour à l'étranger, il découvre une autre culture. Mais il craint parfois de présenter le projet à la famille, ayant peur des réactions et des prises de position de certains. Il ne faut pas minimiser cette étape car elle peut être déterminante. L'annonce aux proches et à la famille peut parfois être une étape difficile bien que nécessaire car leur réaction détermine parfois la suite des événements.

Il est difficile de décider du meilleur moment pour en parler à son entourage. Certains le feront après avoir évalué leur chance d'être sélectionné ou dès les premiers balbutiements de réflexion, d'autres attendront de faire le séjour de prospection, certains le feront à la toute dernière minute par peur souvent d'une réaction négative de la famille. Chaque histoire est personnelle et beaucoup de candidats connaissent d'avance la réaction de leur famille. Si les membres de votre famille ont voyagé et même séjourné à l'étranger, ils seront plus ouverts. Par contre, s'ils n'ont jamais quitté leur ville en quarante ans, une telle annonce pourrait les déstabiliser. Tous les parents ne vivent pas bien que leur progéniture souhaite vivre très loin d'eux. Après, les réactions peuvent être variées allant de la surprise à l'encouragement, en passant par le déni, la colère, le sentiment d'être abandonné, etc. Les amis sont généralement plus compréhensifs. Certains vous encourageront dans cette voie, même si cela les prive de votre présence au quotidien. Ils seront peut-être les premiers au fait de votre projet.

Pour Emmanuelle Arth qui est installée à Chicoutimi, au Saguenay, depuis 2001, l'éloignement reste toujours difficile. « Certains proches peuvent mal le prendre, ils ne comprennent pas, avoue-t-elle. Or, le départ n'a rien à voir avec les liens amicaux et familiaux. C'est une expérience personnelle avant tout. »

Dans le cas d'Annabel Maussionette, arrivée en 2009 au Québec, les parents n'ont pas compris tout de suite. Cette mère de trois enfants est elle-même enfant unique. « Ils pensaient qu'ils avaient fait quelque chose pour que nous partions, ce qui n'était pas le cas, affirme-t-elle. Il a fallu mettre cela au clair avec ma mère surtout. Elle faisait même partie du problème que je devais régler avant d'immigrer. Elle ne croyait pas à notre projet. Mon père était plus tolérant, c'était plus facile avec lui. Cela a été un peu compliqué, mais nous sommes parvenus à dépasser les difficultés, généralement dans la douceur, parfois dans la violence verbale. »

Pour Isabelle Crouzet, psychologue d'origine française installée à Montréal, le candidat à l'immigration devrait mieux préparer son annonce aux proches. « L'immigrant est dans la découverte, le renouveau, l'excitation ; partir est une évidence, affirme-t-elle. Mais pour la famille, c'est une mauvaise nouvelle qu'on leur apprend. Ils le vivent souvent comme un rejet. On quitte ce qu'ils nous ont offert : la culture française. Pour certains, c'est comme un abandon, comme si on les laissait mourir seuls, ce qui génère de l'incompréhension de la part de la famille. Ils vont alors dire que la France est un beau pays, pourquoi chercher ailleurs du travail alors que vous en avez ici, vous avez une famille ici. » Selon elle, l'immigrant prend rarement le temps de préparer la famille et de l'écouter. « L'immigrant est absorbé par son projet, confie-t-elle. Je conseille d'en parler avec les familles. Il faut se demander ce que chacun peut ressentir face à cette annonce. Il vaut mieux dialoguer ouvertement avec les parents car la culpabilité fait souvent revenir les immigrants. Il faut essayer de les comprendre, de les écouter et de leur dire que leur réaction est normale. »

Toujours selon Isabelle Crouzet, même si les parents voient souvent le départ sous un angle négatif, ils y trouveront tout de même des éléments positifs. « Quand ils viendront au Québec, ils passeront deux-trois semaines tout le temps avec vous, affirme-t-elle. Les parents voient leurs enfants d'une façon plus intense. Pendant ces périodes, vous vivrez de vraies choses au quotidien. On ne se voit pas que le dimanche autour d'un rôti, on vit ensemble pendant quelques semaines. Aussi, certains parents vivent leur séjour comme des vacances, et commencent même à avoir leurs habitudes. »

☛ **Bonus Web.** Pour lire d'autres témoignages : www.immigrer.com/112

QUAND PARTIR ?

Chaque période a ses avantages et ses inconvénients pour s'installer. En général, il est conseillé aux immigrants de s'installer au printemps afin de prendre le temps de s'acclimater aux saisons avant l'arrivée de l'hiver. Certains vont débarquer au printemps ou pendant l'été pour se préparer à la rentrée de septembre. « Nous sommes arrivés en juin 2007. Les enfants sont allés dans un camp de vacances pendant l'été, relate Christophe Humbert. Cela leur a permis de prendre le pouls, de se socialiser et de découvrir de façon détendue le Québec. »

Si vous avez des enfants, il est peut-être plus simple d'arriver en été après la fin de l'année scolaire et ainsi être prêt en septembre pour la rentrée des classes. La saison hivernale est plus porteuse du point de vue de l'emploi parce qu'à partir du mois de septembre l'activité économique bat son plein. Mais en revanche, si vous êtes seul, vous risquez de vous retrouver un peu plus désemparé face aux premières embûches. Il est plus facile de se remonter le moral lorsqu'il fait 20 degrés à l'extérieur car vous pouvez profiter facilement des terrasses et du soleil. L'hiver amène aussi son lot d'activités, mais les gens ont tendance à hiverner, à moins sortir, ainsi vous risquez peut-être de vous sentir un peu isolé.

Billets d'avion : où se renseigner et comparer ?

VOICI QUELQUES SITES qui vous permettront de procéder rapidement à des comparaisons :

- **www.anyway.com**
- **www.lastminute.com**
- **www.ebookers.com**
- **www.expedia.ca**
- **www.govoyages.com**
- **www.opodo.fr**
- **http://voyages.kelkoo.fr**
- **www.corsairfly.com**

ACHETER SON BILLET D'AVION

De nombreuses compagnies aériennes françaises et canadiennes comme Air France, Corsair, Nouvelles Frontières, Air Canada, Air Transat proposent des vols réguliers pour faire le voyage transatlantique. Vous pouvez aussi vous adresser à certaines agences de voyages françaises et canadiennes. En général, il faut compter 715 euros (1 000 $ CAN) pour un billet d'avion aller-retour Paris Montréal, même si vous pouvez aussi trouver des vols charters moins chers ou des vols soldés sur Internet.

Attention à l'achat d'un billet ouvert (communément appelé *open*) c'est-à-dire sans date fixe de retour dont les douaniers se méfient lorsque vous arrivez pour un séjour temporaire au Québec. Pire encore, le billet aller simple. Il faut avoir un billet retour tant que vous n'immigrez pas. Sans la preuve de votre retour en France, vous risquez d'éveiller les soupçons des douaniers. Un billet retour est la preuve que vous ne tentez pas de vous installer illégalement au pays.

Déménagement : où se renseigner ?

VOICI QUELQUES COORDONNÉES DE DÉMÉNAGEURS auprès desquels vous pourrez vous renseigner et demander des devis :

- **AGS déménagement ➢ www.ags-demenagement.com**
- **Bagages du monde ➢ www.bagagesdumonde.com**
- **Biard ➢ www.biard-demenagements.fr**
- **Demeco ➢ www.demeco.com**
- **Europack.fr ➢ www.europack.fr**
- **Géodis Calberson ➢ www.calberson.com**
- **Gallieni ➢ www.gallieni-demenagements.com**
- **Les déménageurs bretons ➢ www.demenageurs-bretons.fr**
- **Schmid & Kahlert France ➢ www.schmid-kahlert.fr**

Le déménagement

De nombreux immigrants ou visiteurs temporaires font appel à un service professionnel pour transporter leur matériel lourd. En général, ils emportent avec eux des articles pratiques dans leurs bagages et font suivre le reste de leurs effets personnels par bateau. Vous devez dresser une liste précise de ces objets qui vous sera demandée par votre déménageur et par la douane canadienne. Vous pouvez bien sûr déménager votre maison, mais n'oubliez pas qu'il est parfois moins onéreux de racheter sur place. Rappelez-vous également que le voltage n'est pas le même en Amérique du Nord, les appareils de 220 volts ne fonctionnent pas sans adaptateur. Si vous voulez apporter des articles électroniques de valeur, achetez des transformateurs.

Listez précisément ce que vous emportez

Si vous faites appel à un déménageur, il faut avant toute chose dresser un inventaire précis de ce que vous voulez apporter avec vous. Ce

calcul se fait en mètres cubes. Avec cette information, vous pouvez commencer à choisir un déménageur, demander un devis et comparer les différentes offres. Si vous en avez la possibilité, le partage d'un container peut s'avérer une solution fort intéressante au niveau économique. Un container standard mesure habituellement 20 pieds (environ 6 mètres). Il est conseillé de prendre une assurance lors du déménagement. Afin de compléter cette section sur le déménagement et le dédouanement de vos articles personnels, reportez-vous à la partie 4, « Les démarches à l'arrivée », au paragraphe sur les douanes.

Rejoindre le Québec par bateau

Il est possible et pittoresque de voyager avec ses bagages… en prenant le même bateau qu'eux. La traversée entre l'Europe de l'Ouest et Montréal dure une dizaine de jours. De nombreux départs français se font à partir du Havre et de Fos-sur-Mer, en France, et d'Anvers, en Belgique. Un gros avantage : le poids des bagages n'est pas limité comme en avion.

Peggy avait déjà vécu et étudié à Montréal pendant un an au cours des années 1990. Ainsi, lorsqu'elle a décidé de venir s'y installer définitivement en 2001, elle a voulu marquer le coup d'une façon différente : comme des milliers d'immigrants avant elle à une autre époque, elle a décidé de rejoindre le Nouveau Monde par bateau. « Une personne sur le forum d'Immigrer.com avait parlé d'un voyage par bateau pour débarquer au Québec. Je n'ai pas pu m'enlever cette idée de la tête. C'était symbolique. J'étais venue plusieurs fois au Québec, mais cette fois-ci je voulais une transition spéciale à l'occasion de mon immigration. » Le 28 novembre 2001, Peggy embarque sur un cargo de la compagnie anglaise Canada Maritime dans le port du Havre. La traversée de dix jours la mène des côtes françaises au port de Montréal, le 6 décembre suivant. « Je faisais un parcours historique, beau, avec un

Traversées maritimes : où se renseigner ?

QUELQUES AGENCES PROPOSENT DES DÉPARTS plusieurs fois par mois qui coûtent environ 1 500 €. Elles offrent le choix d'un voyage en cabine simple ou double. Voici, à titre indicatif, les adresses Internet de quelques agences maritimes pour la destination de Montréal, généralement en anglais :

- **Mer & Voyages ➢ www.mer-et-voyages.info**
- **Strand Travel ➢ www.strandtravel.co.uk**
- **The Cruise People Ltd ➢ www.freighters.ca**
- **Nsb freighter cruises ➢ www.nsb-reisebuero.de**

décalage horaire continuel et graduel et j'ai eu le temps de m'adapter, de réfléchir, et en plus j'ai pu prendre pas mal de bagages. »

Peggy avait réservé une cabine individuelle où elle était en pension complète. Elle a pu emporter 130 kg de bagages, il suffisait que tout entre dans sa cabine sans présenter de danger. « En revanche, on a mangé tous les jours de la cuisine indienne puisque l'équipage venait d'Inde. Même les petits déjeuners étaient indiens, avoue Peggy. J'avais un petit frigo dans ma cabine et j'y avais mis un pot de rillettes et un Chaussée aux Moines. » Au début, elle avait peur de se lasser de la nourriture indienne, mais finalement tout s'est bien déroulé. « Je prenais mes repas avec les officiers et même si j'étais une femme seule, les rapports avec l'équipage étaient très professionnels. Je me sentais en toute sécurité pendant les sept jours de la traversée. » « On avait la possibilité de se servir de tous les équipements utilisés par l'équipage, c'est-à-dire de la piscine, du gymnase, de la télévision, des machines à laver, etc. », précise Peggy. En revanche, il faut savoir qu'il n'y a pas de médecin à bord.

☛ **Bonus Web.** Pour lire d'autres témoignages :
www.immigrer.com/113

Importation d'un véhicule : où se renseigner ?

Direction de la sécurité routière et de la réglementation automobile, Transports Canada, 330, rue Sparks, Place de Ville, Tour C, 8e étage, Ottawa (Ontario) K1A 0N5

☎ 1-800-333-0371 (numéro sans frais du Canada et des États-Unis) ; 1-613-998-8616 (si vous appelez de France ou d'ailleurs) ; fax : 1-613-998-4831 ➢ www.tc.gc.ca

Apporter sa cave à vins, son véhicule ou son animal

Importer sa voiture, son vin ou son animal domestique au Canada est possible sous certaines conditions.

L'importation d'un véhicule au Canada

Vous pourrez importer votre véhicule au Québec, s'il est conforme à toutes les lois d'importation canadiennes. Un véhicule fabriqué selon les normes de sécurité de pays autres que les États-Unis ou le Canada ne peut être importé sauf s'il a 15 ans ou plus, s'il s'agit d'un autobus qui a été fabriqué avant le 1er janvier 1971 ou si le véhicule n'est importé que temporairement. Ceci inclut aussi les motos et les véhicules 4x4. Avant d'importer un véhicule, assurez-vous donc d'abord auprès des autorités canadiennes qu'il est admissible. S'il ne répond pas aux normes canadiennes, il devra être exporté ou détruit sur place sous la supervision des douaniers canadiens.

Taxes à l'arrivée. Si vous pouvez faire entrer votre voiture au Canada, vous devrez payer des cotisations qui comprennent les

droits, la taxe d'accise et la taxe canadienne TPS (Taxe sur les produits et services) de 7 %. La valeur du véhicule est évaluée en douanes et s'appuie généralement sur le prix d'achat. De nombreux éléments peuvent aussi être pris en considération lors du calcul de l'évaluation du véhicule. Au chapitre des frais, n'oubliez pas que si votre véhicule tombe en panne au Québec, les réparations et le remplacement des pièces pourront vous coûter assez cher.

L'importation d'un animal

Les chats et les chiens importés au Canada n'ont pas besoin d'être mis en quarantaine lors de leur arrivée au pays. Cependant, s'ils sont importés de France ou de tout autre pays européen (sauf le Royaume-Uni), ils doivent être accompagnés d'un certificat de vaccination antirabique valide délivré par un vétérinaire agréé par le pays d'origine. Le certificat doit clairement indiquer que l'animal a été vacciné contre la rage et doit aussi comprendre le signalement de l'animal (race, couleur, poids, etc.), le nom du vaccin, son numéro de série et sa durée de validité.

Vaccins à jour. Il est possible de faire vacciner son chat ou son chien à son arrivée au Canada au tarif de 55 $ CAN (avant taxes) et 30 $ CAN pour chaque animal supplémentaire. À votre arrivée au Canada, votre compagnon sera inspecté (comptez 30 $ CAN pour le premier animal – avant les taxes – et 5 $ CAN pour chaque animal en plus). Les chats de moins de 3 mois n'ont pas besoin d'être vaccinés. Les chiens âgés de 3 à 8 mois doivent également avoir un certificat de vaccination.

En avion. Les compagnies aériennes exigent des frais de transport pour votre animal. Lors de l'achat du billet, assurez-vous de bien réserver une place en soute car elles sont souvent limitées. Il est préférable pour

MÉMO : LES DOCUMENTS À EMPORTER

AVEC AUTANT DE CHOSES auxquelles il faut penser, vous serez sûrement débordé au dernier moment. Voici une liste pour vous aider à vous y retrouver. Ces documents vous seront utiles lors de votre installation, que ce soit à la douane canadienne, à Immigration-Québec ou pour votre installation en général, lors de l'inscription des enfants à l'école, de la recherche de logement ou d'emploi :

- **Billet d'avion**
- **Visa canadien**
- **CSQ (Certificat de sélection du Québec)**
- **Passeport ou autre document de voyage**
- **Autres pièces d'identité**
- **Acte de naissance**
- **Livret de famille**
- **Permis de conduire valide**
- **Dossier médical**
- **Dossier dentaire**
- **Argent canadien en espèces et chèques de voyage**
- **Relevé d'informations de votre assureur automobile**
- **Carnet de vaccination**
- **Diplômes, certificats d'études et autres attestations de scolarité**
- **Documents relatifs à votre reconnaissance auprès d'un ordre ou d'une profession**
- **Relevés de notes de cours**
- **Description des cours et des stages suivis**
- **Attestations d'emploi (ou d'expériences professionnelles, de stage de formation ou de perfectionnement, ou d'activités de formation continue)**
- **Lettres de recommandation d'anciens employeurs et d'employeurs actuels**
- **Liste de vos effets personnels pour la douane (alcool, etc.)**
- **Permis d'exercice d'une profession ou d'un métier**
- **Certificats de qualification professionnelle**
- ***Curriculum vitæ* à jour**

☛ **Bonus Web. Pour ne rien oublier : www.immigrer.com/checklist**

un animal de prendre un vol direct et d'éviter les correspondances. De nombreux propriétaires donnent un somnifère à leur animal afin de faciliter le voyage. Dans les aéroports nord-américains, les animaux doivent rester dans leur cage. N'oubliez pas que votre animal vivra un décalage horaire, ainsi ne soyez pas surpris si votre chien aboie la nuit.

Où se renseigner. Si vous comptez importer des animaux d'autres types, reportez-vous au site de l'Agence canadienne de l'inspection des aliments : www.inspection.gc.ca
☛ **Bonus Web.** Pour lire des témoignages : www.immigrer.com/114

L'IMPORTATION DE VINS

Comme le vin est un produit généralement importé au Québec, il est beaucoup plus cher qu'en France : ce n'est donc pas une mauvaise idée d'emporter votre cave à vins ou quelques bouteilles. Vous devez le décider lorsque vous immigrez. Lorsque vous serez installé, vous ne pourrez plus rapporter ensuite que quelques bouteilles lors de vos voyages. En effet, seuls les immigrants, les résidents temporaires et les Canadiens ayant séjourné plus d'un an à l'étranger peuvent rapatrier une cave à vins, mais à condition d'avoir au moins 18 ans, de devenir résident du Québec à leur arrivée au pays et de payer une contrepartie en taxes à la SAQ (Société des alcools du Québec).

Les conditions. Toutes les bouteilles de votre cave à vins doivent vous appartenir depuis au moins trois mois avant votre arrivée. N'est acceptée qu'une seule cave à vins par famille et la quantité totale ne peut dépasser 540 litres incluant bières, vins et spiritueux. Les caves à vins des résidents temporaires sont limitées à 90 litres d'alcool par année de séjour autorisée.

Votre cave à vins doit accompagner vos effets personnels en un seul envoi. Lors de ce dernier, la cave à vins ne peut constituer la majeure partie de vos effets personnels, ni en valeur ni en quantité.

IMPORTATION DE VINS : SOYEZ EN RÈGLE

LORS DE L'ARRIVÉE de vos effets personnels et du dédouanage de votre alcool, assurez-vous d'avoir avec vous votre visa de résident ou de séjour, la liste de vos effets personnels, une liste succincte des boissons alcoolisées de la cave et aussi une liste détaillée des bouteilles qui n'en font pas partie. Les douanes canadiennes exigeront aussi l'autorisation de la Société des alcools du Québec (www.saq.com). Pour l'obtenir, présentez-vous au bureau de la Société des alcools à Québec ou à Montréal.

Pour tout autre renseignement, contactez la Société des alcools du Québec, Service douanes et accises, 7500, rue Tellier, Montréal (Québec)
☎ 1-514-254-6000, poste 5563, fax : 1-514-873-4236
✉ douanes.accise@saq.qc.ca

Taxes à l'arrivée. Pour la cave à vins, la contrepartie est de 3 $ CAN par litre de vin, 5 $ CAN pour les spiritueux et 3 $ CAN par caisse de 24 bouteilles de bière. Il faut aussi compter la taxe spécifique du Québec sur les boissons alcooliques de 0,89 $ CAN par litre de vin et spiritueux, et de 0,40 $ CAN par litre de bière. Comptez aussi la taxe sur les produits et services de 5 % et la taxe de vente de 7,5 %. Vous devrez aussi acquitter des droits et taxes fédéraux lors du dédouanement à Revenu Canada.

Les produits exclus de la cave à vins. Toutes les boissons acquises hors délai ou dépassant le nombre autorisé peuvent être importées, mais sous d'autres conditions que la cave à vins. Vous devez payer une contrepartie équivalant à la marge bénéficiaire habituelle de la SAQ. Cette majoration est établie selon le type et la valeur des bouteilles d'alcool ainsi que des taxes provinciales. Par exemple, pour une bouteille de vin de 750 ml au coût de 10 $ CAN, Douanes Canada percevra un montant de 11,03 $ CAN. Pour une bouteille de spiritueux de 750 ml de même valeur, les douanes percevront 42,26 $ CAN. Ces bouteilles doivent figurer sur une liste distincte de celle de la cave à vins, que vous présenterez aux douanes canadiennes lors de votre arrivée.

☛ **Bonus Web.** Pour lire des témoignages : www.immigrer.com/115

S'IMPRÉGNER DE LA CULTURE QUÉBÉCOISE

Vous connaissez certainement les grands noms de la chanson québécoise, mais savez-vous qu'à Paris ou en province, vous pouvez en découvrir davantage sur la culture du Québec ? En 2012, la France et le Québec soulignaient le cinquantième anniversaire de leurs relations privilégiées, depuis l'ouverture de la Délégation du Québec à Paris. Ainsi eurent lieu de multiples activités pour souligner cet anniversaire, comme à la Délégation du Québec à Paris. Les échanges culturels, sociaux et commerciaux ne cessent de s'accroître entre les deux régions. En 2008, la ville de Québec a fêté ses 400 ans en présence de la France, la mère patrie qui fonda cette métropole francophone en Amérique du Nord.

ATMOSPHÈRE QUÉBÉCOISE À PARIS

Participez aux activités sociales et culturelles à Paris de la communauté québécoise. Fêtez la Saint-Jean-Baptiste le 24 juin à la Délégation du Québec rue Pergolèse, assistez à des conférences au Centre culturel canadien, courez les soirées d'auteurs québécois à la Librairie du Québec rue Gay-Lussac ou à l'Abbey Bookshop dans le Quartier latin, flânez dans les bars québécois et canadiens de Paris. Au mois de décembre, un organisme du gouvernement québécois (Sodec) organise des projections de films québécois à Paris, Liège,

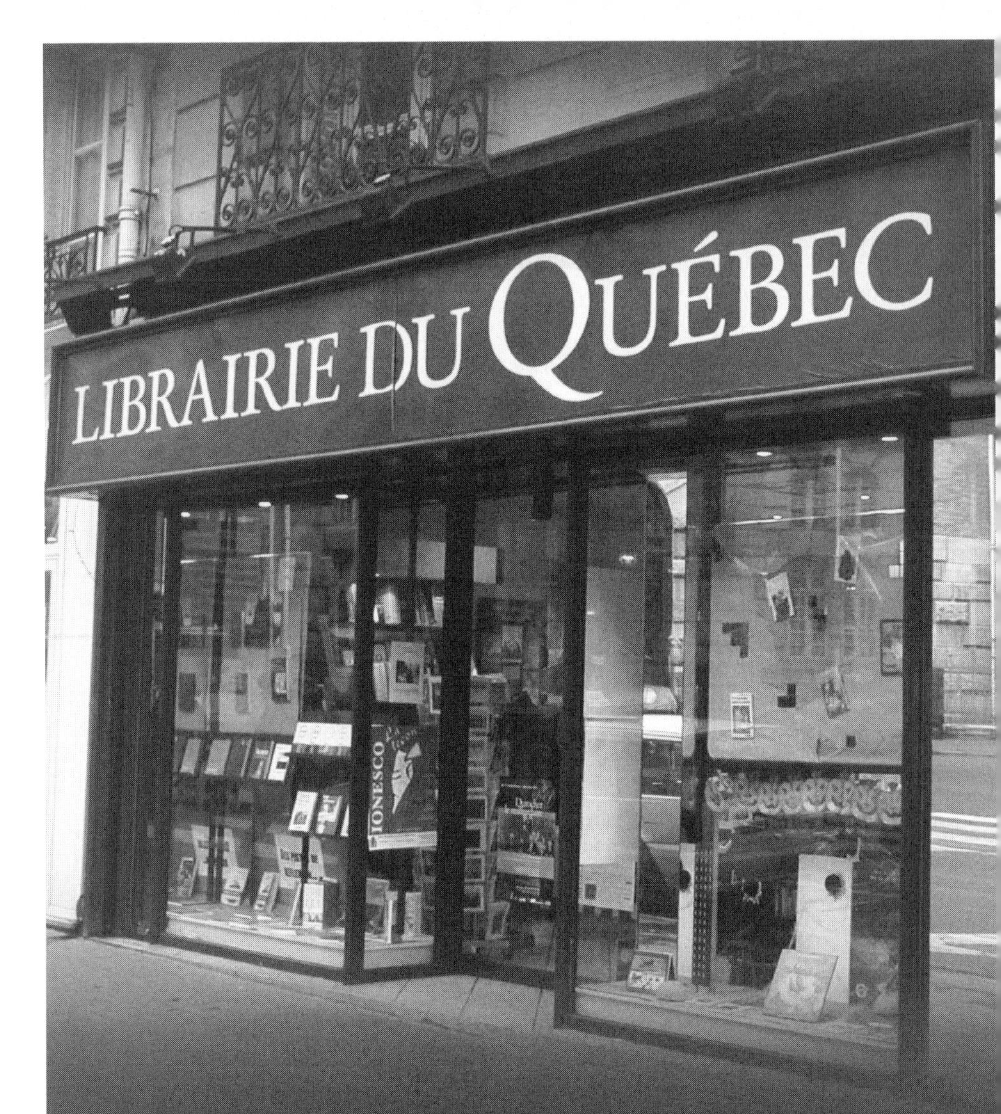
LIBRAIRIE DU QUÉBEC
IONESCO

Quelques adresses à Paris

- **The Abbey Bookshop, 29, rue de la Parcheminerie, 75005 Paris ☎ 01.46.33.16.24 ➢ www.alevdesign.com/abbey (librairie canadienne).**
- **Librairie du Québec, 30, rue Gay-Lussac, 75005 Paris ☎ 01.43.54.49.02 ➢ www.librairieduquebec.fr**
- **Centre culturel canadien, 5, rue de Constantine, 75007 Paris ☎ 01.44.43.21.90 ➢ www.canada-culture.org**
- **Délégation générale du Québec, 66, rue Pergolèse, 75116 Paris ☎ 01.40.67.85.00 . Vous trouverez à cette adresse tous les renseignements culturels, le service d'immigration se trouvant rue de La Boétie ➢ www.quebec.fr**
- **L'Envol, 30, rue Lacépède, 75005 Paris ☎ 01.45.35.53.93, (bar québécois).**
- **The Moose Canadian Bar, 16, rue des Quatre-Vents, 75006 Paris ☎ 01.46.33.77.00 ➢ www.mooseparis.com**

Sites sur la culture et l'actualité québécoises :

- **Chemin des érables ➢ www.chemin-des-erables.com**
- **Ouellette, art de vivre ➢ www.ouellette001.com**
- **Radio-Canada ➢ www.radio-canada.ca**
- **Le journal *La Presse* ➢ www.cyberpresse.ca**
- **Le Devoir ➢ www.ledevoir.com**
- **Canöe Infos ➢ http://fr.canoe.ca/infos/**
- **Grand Québec ➢ http://grandquebec.com**

Nîmes et Cannes. Les films à Paris sont présentés au Forum des images (www.sodec.gouv.qc.ca). Devenez membre de l'association France-Québec dans votre région, abonnez-vous à la lettre d'information de la Délégation du Québec, accueillez un jeune Québécois en stage dans votre entreprise *via* l'OFQJ, allez voir un spectacle de chanteurs ou d'humoristes québécois... une ribambelle d'activités sont possibles pour vous imprégner de la culture québécoise. Afin de ne rien manquer des artistes québécois sur les scènes françaises, rien de mieux que les réseaux sociaux et certaines applications. *Via* les pages Facebook et Twitter de la Délégation du Québec à Paris, et des applications pour iPhone comme QuebeCulture (voir encadré ci-après pour des suggestions), vous pouvez suivre les diverses manifestations québécoises en France (http://twitter.com/Quebec_Fr ; facebook.com/QuebecFrance).

Des applications pratiques pour les nouveaux arrivants : à télécharger sur smartphones

En plus des lectures, Internet et des rencontres, pourquoi ne pas utiliser votre smartphone pour vous accompagner.

Voici une liste d'applications mobiles (Iphone, Android et Ipad) intéressantes et disponibles pour les nouveaux arrivants. En glissant votre téléphone sur le QR Code ci-contre vous obtiendrez le lien direct vers ces applications, en plus des mises à jour.

Tourisme et orientation :
Montreal Offline Street Map, Guide Vieux-Montréal, STM (métro / bus Montréal), Montreal Map and Walking Tours, Navfree GPS Canada, Québec 511 (routes), RTC Mobile (transport Ville de Québec)

Information :
Journal de Montréal, Journal de Québec, 24H Montréal, Canoë, TVA nouvelles, Radio-Canada

Installation :
Pages jaunes, Kijiji (petites annonces), Canadian Tire (achats divers), Île sans fil - WiFi Montréal, Météomedia

Culture et loisirs :
QuébeCulture (infos culturelles québécoises en France), Cinoche.com, ARTVRAMA, Les films de l'ONF (ipad seulement), *(...)*

(...) **BixMe, Montréal Bixi, Musées de Montréal, Tou.tv (télé de Radio-Canada), Sélection Radio du Québec, Presses de l'Université du Québec, Les Presses de l'Université de Montréal**

☛ **Pour y accéder et pour les nouveautés : http://www.immigrer.com/142**

Approchez le Québec de la province française

En dehors de Paris, il existe aussi de nombreux lieux ouverts au public pendant la belle saison qui soulignent les liens privilégiés entre les deux pays : la Maison du Québec et la maison de Jacques-Cartier à Saint-Malo, le musée de l'émigration percheronne au Canada à Tourouvre, le site commémoratif des soldats canadiens morts en 1917 à la bataille de la crête de Vimy, non loin d'Arras, le Centre Juno Beach en Normandie sur les Canadiens et le débarquement de la deuxième guerre mondiale.

Dans un autre registre, il est aussi possible de découvrir quelques restaurants et pubs québécois un peu partout sur le territoire français : à Enghien-les-Bains en région parisienne, à Compiègne, à Mortagne dans le Perche, à La Chaussée-Saint-Victor non loin de Blois et dans la région Midi-Pyrénées à Clarac et Labège (les restaurants O-Québec).
☛ **Bonus Web.** Pour en savoir plus : www.immigrer.com/116

Pour s'imprégner de la culture, rien ne vaut un bain sur place. Une fois installé n'hésitez pas à lire des ouvrages sur l'histoire locale, découvrir les auteurs et chanteurs québécois, vous documenter sur le Québec d'aujourd'hui, emprunter des livres à la bibliothèque municipale ou à la Grande bibliothèque du Québec, vous abonner aux magazines et journaux locaux, fréquenter les cinémathèques pour découvrir des réalisateurs de films québécois, regarder TOU.TV du Québec, découvrir la musique locale avec espace.mu, devenir membre d'un club de lecture, de plein air, de jeux, assister à des conférences, faire du bénévolat, etc.

Trouver un emploi depuis la France

Il n'est pas simple de trouver un emploi au Québec depuis la France. « Je ne dis pas que c'est impossible, affirme Yann Hairaud, directeur de la CITI (Clef pour l'intégration au travail des immigrants) à Montréal, mais ce n'est pas évident à cause de l'éloignement géographique. »

À moins d'avoir des contacts au Québec qui peuvent vous ouvrir des portes ou d'avoir un profil très demandé. En dehors de ces possibilités, il faudra un peu compter sur votre bonne étoile. Les trois principaux problèmes se résument à la distance, au visa de travail et à la nature du marché du travail.

L'importance de l'entretien au Québec

Les employeurs québécois ont besoin de vous rencontrer, cet élément est crucial au Québec et certainement plus important encore qu'en France. Un très beau CV avec de belles lettres de référence ne constituent qu'une partie de votre candidature, les employeurs du Québec veulent connaître votre personnalité. Pour cela, ils ne procéderont pas à des examens graphologiques mais voudront tout simplement vous voir pour déterminer si vous pouvez vous fondre dans l'équipe et si vous correspondez à la personne qu'ils cherchent pour un poste. Ainsi, à moins de rencontrer des employeurs potentiels lors d'un séjour de prospection, il est à peu près impossible de se faire connaître personnellement à 7 000 kilomètres de distance.

Obtenir un visa de travail

Vous devez avoir un visa de travail pour pouvoir travailler au Québec, qu'il soit temporaire et établi dans le cadre de programmes d'échanges ou bien permanent, si vous faites les démarches d'immigration. Aucun employeur québécois ne pourra vous embaucher si vous n'avez pas de permis de travail. Au mieux, ils vous diront de les recontacter une fois le visa en poche. Yann Hairaud le confirme : « Sans autorisation de travail c'est peine perdue. Au Québec, l'embauche se fait rapidement, ce qui n'est pas le cas en France. On peut très bien passer un entretien et commencer son travail quelques jours plus tard. » Ainsi, l'employeur québécois ne peut se permettre d'attendre des mois pour que vous puissiez régulariser votre situation et travailler pour lui. Il veut qu'un employé soit rapidement fonctionnel et productif pour le bien de sa compagnie. Le marché du travail est tel qu'il trouvera plus facilement sur place des gens aptes à travailler immédiatement pour lui. Si vous voulez travailler temporairement au Québec, reportez-vous aussi au chapitre « Séjourner au Québec » dans lequel vous trouverez des renseignements sur l'obtention du visa de séjour temporaire.

Un marché très réactif : disponibilité demandée

Le marché du travail nord-américain et québécois est en constante évolution. Des entreprises se créent en quelques heures, les employés sont licenciés ou quittent d'eux-mêmes leurs fonctions en quelques jours ou quelques semaines, les employeurs n'ont pas aussi peur qu'ailleurs d'embaucher car ils ont moins de charges et surtout l'embauche représente un engagement moins lourd. C'est un marché dynamique et très attractif, mais lorsqu'un employeur québécois veut

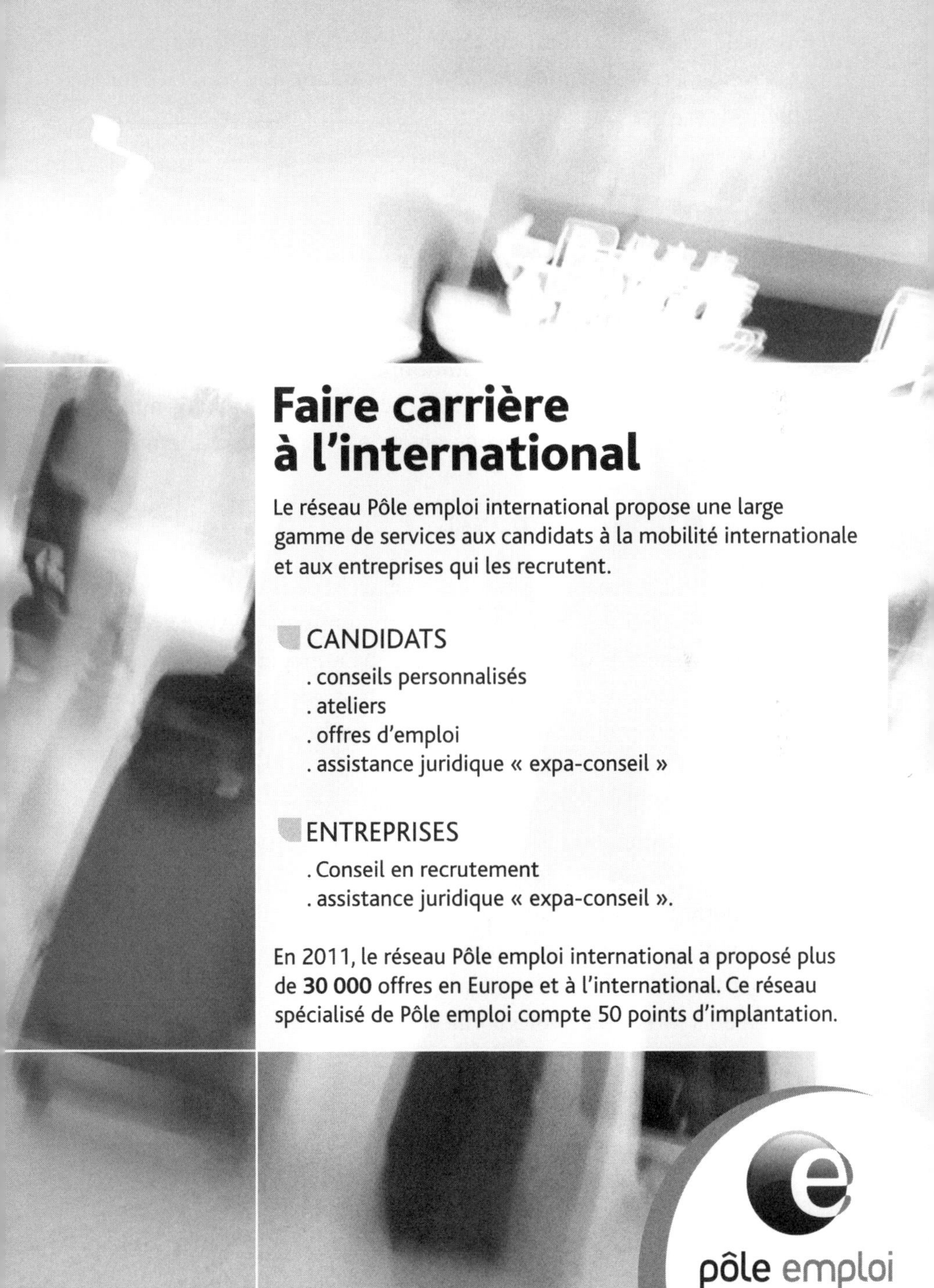

Faire carrière
à l'international
Le réseau Pôle emploi international propose une large gamme de services aux candidats à la mobilité internationale et aux entreprises qui les recrutent.
CANDIDATS
. conseils personnalisés
. ateliers
. offres d'emploi
. assistance juridique « expa-conseil »
ENTREPRISES
. Conseil en recrutement
. assistance juridique « expa-conseil ».
En 2011, le réseau Pôle emploi international a proposé plus de 30 000 offres en Europe et à l'international. Ce réseau spécialisé de Pôle emploi compte 50 points d'implantation.
pôle emploi

embaucher c'est généralement tout de suite. « La meilleure chose reste de cibler, puis de contacter des entreprises lorsque vous êtes sur le point de partir, conseille Fabien. Vous les recontacterez de nouveau, une fois sur place. »

Les organismes d'aide en France

En plus des programmes d'échanges que nous avons abordés précédemment, vous trouverez ici les coordonnées d'organismes qui viennent en aide aux travailleurs qui s'apprêtent à partir à l'étranger. Certaines de ces organisations proposent même des postes à l'étranger.

Pôle emploi international

Depuis 1999, cet espace regroupe des services de l'ANPE (Agence nationale pour l'emploi) et de l'OFII (anciennement ANAEM et OMI, Office français de l'immigration et de l'intégration), dans les domaines de l'emploi et de la mobilité internationale afin de faciliter l'emploi à l'international pour les entreprises et les candidats. Il existe dans ces locaux un service de placement à l'étranger pour les travailleurs diplômés et qualifiés. Les services mettent aussi à disposition une documentation relative à l'expatriation. L'espace offre parfois des ateliers sur le travail au Québec *via* des opérations de promotion. Le site Internet offre un éventail d'informations et des offres d'emploi. Le réseau a par ailleurs des antennes en région, des délégations à l'étranger (comme à Montréal) ainsi que des comités consulaires pour l'emploi et la formation professionnelle (ministère des Affaires étrangères) implantés à l'étranger auprès des consulats de France ou des chambres de commerce et d'industrie. Depuis 2010, grâce à une entente entre le Québec et la France, le site de Pôle Emploi diffuse désormais des offres d'emploi d'employeurs québécois.

DESTINATION CANADA : LES JOURNÉES À NE PAS MANQUER

SI VOUS VOUS INTÉRRESSEZ aux provinces canadiennes (hors Québec), ne manquez pas le rendez-vous annuel des journées Destination Canada. Chaque année, au mois de novembre à Paris et à Bruxelles, un forum emploi organisé par Pôle Emploi international (PEI) et l'ambassade du Canada en France vous offre la possibilité de vous informer sur différentes destinations canadiennes mais aussi de rencontrer de potentiels employeurs. Inaugurées en 2003, ces journées sont devenues un incontournable de l'automne pour les candidats qui souhaitent s'installer temporairement ou à plus long terme au Canada. Selon la directrice de Pôle Emploi International, Muriel Fagnoni, des dizaines d'employeurs canadiens participent à ces rencontres à la recherche de la perle rare dans différents secteurs. En 2011, plus de 1 000 postes étaient affichés sur le site pour tout le Canada. En novembre 2011, les journées ont attiré plus de 2 000 personnes à Paris, une centaine de contrats ont été signés.

● www.destination-canada-forum-emploi.ca
Pôle Emploi international, 48, boulevard de la Bastille, 75012 Paris, ☎ 01.53.02.25.50 ➢ www.pole-emploi-international.fr. Du lundi au jeudi de 9 h à 17 h, et le vendredi jusqu'à midi.

La Maison des Français de l'étranger

La Maison des Français de l'Étranger (MFE) est un service du ministère des Affaires étrangères et européennes, rattaché à la Direction des Français à l'étranger et à l'administration consulaire. Depuis de nombreuses années, elle informe les Français qui souhaitent s'expatrier, travailler, étudier ou encore passer leur retraite à l'étranger. Elle sensibilise également les visiteurs aux démarches liées au retour.

L'organisme offre de nombreux services pour les futurs travailleurs, retraités et étudiants partant vers l'étranger. Son site web regorge d'informations sur plus de 80 pays à propos de la protection sociale, la fiscalité, l'emploi, la santé, les démarches administratives, etc. On peut y télécharger gratuitement des guides comme : Le livret du Français à l'étranger, Le retour en France, Être victime à l'étranger, Bien préparer sa retraite à l'étranger. Le site contient également un forum de discussion servant de lieu d'échange avec les expatriés de différents pays.
La MFE propose des consultations gratuites avec des experts en protection sociale, fiscalité, douanes, ainsi que des ateliers de correction de CV et de lettres de motivation. Les visiteurs, qui reçoivent un accueil personnalisé, peuvent consulter sur place de nombreux supports de documentation spécialisés sur l'expatriation.
La Maison participe à de nombreux salons comme « S'expatrier Mode d'Emploi », « Mobilité internationale » Mondissimo, « Destination Canada », « Formations et carrières internationales » Vocatis-Studyrama.
La MFE reçoit de plus en plus de candidats au départ vers le Canada et particulièrement sa Belle Province, le Québec, et ses villes de prédilection, Montréal et Québec.

☛ **Maison des Français de l'étranger**, accueil du public : 48, rue de Javel, 75015 Paris, de 14 h à 17 h, du lundi au vendredi, ☎ 01.43.17.60.79 ➢ www.mfe.org

L'Association française pour les stages techniques à l'étranger

L'AFSTE s'adresse aux étudiants des établissements qui sont membres de l'association (domaine scientifique ou de l'architecture).

ENTREVUE AVEC

BRUNO CLOUTIER
PRÉSIDENT, MOMENTUM TECHNOLOGIES INC.

Travailler à Québec, un choix judicieux!

Si vous êtes un professionnel dynamique et talentueux qui souhaite allier développement de carrière avec qualité de vie, Québec est la ville idéale pour vous! Que vous souhaitiez œuvrer dans des projets au niveau public ou encore dans le privé, vous serez comblés! L'effervescence du marché de l'emploi à Québec, allié à un cadre de vie sécuritaire et un accès à une multitude de services et de loisirs ne peut que vous enchanter. Pour preuve, plus de **90 employés heureux** œuvrant à notre siège social de Québec, **dont près de 50 % de son effectif provient de 19 nationalités différentes**.

Depuis sa fondation en 2003, MOMENTUM TECHNOLOGIES a participé au développement économique de sa région en embauchant bon nombre d'employés talentueux de différentes origines. Son succès dans l'intégration des immigrants a été reconnu par la Chambre de commerce et d'industrie de Québec, en 2006 et en 2011, avec le prix « Entreprise du monde – 30 employés et plus » ainsi que par le ministère de l'Immigration et des Communautés culturelles du Québec qui lui a remis le prix de la citoyenneté « Maurice Pollack » en 2008.

Les principaux facteurs de notre succès dans l'intégration d'employés immigrants sont : l'ouverture, le respect, la communication, l'empathie et la confiance.

Une ville à taille humaine

Divers organismes de la ville de Québec et de sa région métropolitaine ont mis sur pied un guichet unique d'information qui vous supporte dans vos démarches d'installation. Vous pouvez dès maintenant poser toutes vos questions sur l'espace-conseil interactif au

www.quebecentete.ca

JOURNÉES QUÉBEC EN FRANCE

Chaque année en décembre et au printemps, quelques dizaines d'employeurs québécois vont à Paris et Bruxelles afin de rencontrer de potentiels travailleurs pour la Belle Province. À l'automne 2011, vingt-neuf entreprises participaient à cette mission de recrutement pour rencontrer plus de 1 500 candidats. Près de 900 postes étaient offerts dans divers domaines aussi variés que la santé, les finances, l'informatique et le génie.

☛ Pour en savoir plus et s'y inscrire : www.journeesquebec.fr

L'étudiant doit trouver lui-même son stage, et l'AFSTE se charge des démarches administratives.

☛ **AFSTE**, Comité français de l'IAESTE (International Association for Exchange of Students for Technical Experience), INSA de Lyon, Bâtiment Marco Polo, 20, avenue Albert-Einstein, 69621, Villeurbanne Cedex ➢ www.iaeste.fr

L'ASSOCIATION INTERNATIONALE DES ÉTUDIANTS EN SCIENCES ÉCONOMIQUES ET COMMERCIALES

L'AIESEC propose des stages pour tout étudiant en fin de cursus dans les domaines administratif, technologique et de la communication. Pour en bénéficier, l'établissement scolaire du candidat peut être membre ou non de cet organisme. L'AIESEC se charge des formalités administratives et est présente dans 107 pays.

☛ **AIESEC**, 14, rue de Rouen, 75019 Paris, ☎ 01.40.36.22.55 ➢ www.aiesecfrance.org

Vécu

Un Sésame pour une vie agricole

Son bac professionnel à vocation agricole en poche, Thomas Vasche est arrivé au Québec le 22 avril 2008 pour effectuer un stage de six mois dans une ferme laitière des Cantons de l'Est, une région au sud-est de Montréal. Il voulait faire son stage de fin d'études loin de la terre normande.

C'EST LA CHAMBRE D'AGRICULTURE LOCALE de son département qui l'oriente vers l'organisme Sésame. Son premier choix était le Québec parce qu'on y parle le français : « C'est un peu les États-Unis, mais en français », dit-il. Il est arrivé en même temps que 16 autres stagiaires français Sésame, tous accueillis par l'UPA (l'Union des producteurs agricoles du Québec). La plupart des frais sont pris en charge par les organismes français du conseil régional et de la Chambre d'agriculture locale. Logé et nourri dans une famille d'accueil à la ferme Hillrise Holstein de Bedford, il perçoit un salaire de 260 $ CAN toutes les deux semaines. Il travaille avec les mêmes vaches holsteins que sur les terres familiales françaises. « Au Québec, on se lève plus tôt qu'en France, à 5 h 10, pour s'occuper des vaches toute la journée. En revanche, on termine aussi plus tôt, vers 18-19 h, explique-t-il. Je pioche les bonnes idées. Cette expérience m'apporte d'autres façons de voir les choses », constate-t-il. Il a observé que les vaches laitières au Québec donnent plus de lait, elles sont plus encadrées et bougent peu, chacune a sa place dans l'étable, alors qu'en France, elles doivent gambader dans les champs pour trouver leur nourriture.

UNE EXPÉRIENCE QU'IL N'EST PAS PRÈS D'OUBLIER, une opportunité rare de voyage pour un futur agriculteur qui devra rapidement devenir sédentaire et moins mobile. « C'est une expérience à faire. C'est la seule fois de ma vie que je peux partir ainsi, insiste-t-il. Après, on s'installe dans ses terres. » À son retour en France, ce fils d'agriculteur va pouvoir exploiter une parcelle de la terre de ses parents afin de commencer son travail avec les vaches laitières.

L'APEC

L'APEC (Association pour l'emploi des cadres), créée et gérée par des organisations patronales et syndicales, s'occupe du placement et du recrutement des cadres de l'industrie et du commerce en France. Elle dispose d'un service international réservé aux cadres inscrits, ainsi que d'un centre de documentation.

☛ **APEC**, 51, boulevard Brune, 75689 Paris cedex 14, ☎ n° azur 0 810 805 805 ➢ www.apec.asso.fr

Le CIDJ

Le CIDJ (Centre d'information et de documentation jeunesse) qui est une association agréée par le ministère français de la Jeunesse et des Sports dispose de plus de 31 centres dont 4 en Île-de-France. Vous pourrez y consulter des fiches par pays et de nombreuses informations sur l'emploi temporaire à l'étranger.

☛ **CIDJ**, 101, quai Branly, 75740 Paris cedex 15, ☎ 01 44 49 12 00 ➢ www.cidj.com

Le Club Teli

Le Club Teli se fait l'intermédiaire d'offres de stages, d'offres d'emploi temporaires et de séjours linguistiques, essentiellement dans les pays anglo-saxons, dont le Canada et le Québec. Il propose une gamme de publications d'informations générales et de listes d'entreprises. Il faut compter des frais d'adhésion pour devenir membre.

☛ **Club Teli** (Association Teli), 2, chemin de Golemme, BP 88, 74600 Seynod, ☎ 04 50 52 26 58 ➢ www.teli.asso.fr

SESAME

Sesame (Services des échanges et des stages agricoles dans le monde), propose des stages rémunérés pour les étudiants de 18 à 30 ans dans plus de 40 pays, dont le Canada. Les secteurs concernés sont l'agriculture, la viticulture et l'horticulture. Les étudiants doivent déjà suivre un cursus dans un établissement d'enseignement agricole, et avoir au moins six mois d'expérience professionnelle.

☛ **Sesame**, 6, rue de la Rochefoucauld, 75009 Paris, ☎ 01 40 54 07 08 ➢ www.agriplanete.com

☛ **Bonus Web.** Pour plus d'informations et d'adresses : www.immigrer.com/117

PARTIE 2

Travailler au Québec

Le Canada et le Québec sortent mieux leur épingle du jeu que leurs voisins du Sud et que l'Europe face à la crise économique mondiale. Selon l'organisme torontois Conference Board, l'économie du Canada va souffrir en 2012 de la léthargie de l'économie américaine et européenne. Ainsi selon ces derniers, l'économie québécoise ne progressera que de 1,8 % en 2012, une baisse comparativement à 2011. La création d'emplois demeurera modeste. Malgré tout, de nombreux secteurs connaissent de réelles pénuries de main-d'œuvre avec le départ massif des baby-boomers à la retraite et le taux de chômage reste relativement bas, 8,7 % en décembre 2011 pour l'ensemble de la province.

Sommaire

Le travail à la mode québécoise

Les relations entre employés et employeurs ne sont pas établies sur un rapport de force. « L'ambiance au travail est plus décontractée, c'est moins stressant, affirme Sylvie Bernier, employée dans l'administration. Les Québécois sont plus relax dans leur façon d'aborder le travail. Ça m'arrive encore d'avoir des coups de stress, mais quand je regarde autour de moi, je constate que je suis la seule dans ce cas-là. Il faut s'adapter à son nouvel environnement. Moi j'aime ce milieu. Mon plus gros choc a été d'entendre mon patron me dire après 16 heures "Allez on ferme, tu dois rentrer à la maison !". C'est une qualité de vie incroyable. »

Moins de hiérarchie et de stress, mais aussi un marché de l'emploi plus dynamique et plus volatile. Lorsqu'on décide d'aller travailler au Québec, on doit ainsi accepter de vivre avec moins de sécurité d'emploi et de vacances qu'en France, en contrepartie, on trouve plus de possibilités d'avancement et d'occasions de rebondir.

Embauche et débauche minute

Le marché de l'emploi au Québec est en effet bien différent de celui de l'Hexagone. Les travailleurs n'hésitent pas à changer souvent d'emploi et l'employeur a moins de réticences à embaucher puisque les charges et les implications sont moindres par rapport à la situation en France. C'est le royaume de l'embauche et de la débauche minute !

Au Québec, l'employeur et l'employé sont liés par une entente verbale, il n'y a pas de contrat signé. Les CDI (Contrats à durée indéterminée) et les CDD (Contrats à durée déterminée) n'existent pratiquement pas. Ne cherchez pas à en signer un absolument, vous risqueriez de demeurer longtemps sans emploi.

Le chômage dédramatisé

Les employeurs ne s'étonnent pas d'un parcours en zigzag. Il n'est pas rare de voir des candidats qui ont touché à plusieurs domaines ou ne sont pas restés plus d'un an ou deux dans chaque entreprise. Dans ce contexte, la mobilité et l'avancement sont des réalités. « Si vous cherchez la sécurité, ce n'est pas sur le continent nord-américain que vous la trouverez, affirme Yann Hairaud. Mais ce système offre une totale mobilité, ainsi quand on perd un emploi, on en retrouve un autre facilement. »

Katy Harrouart qui habite à Mont-Laurier dans les Laurentides a vécu le licenciement minute à la nord-américaine. « En effet, tu peux perdre rapidement ton travail, constate-t-elle. Par contre, tu en retrouves un autre assez facilement si tu es proactif. Ce n'est donc pas une catastrophe ou la panique totale au Québec de se faire licencier. En France, c'est vécu de façon honteuse. Ce n'est pas le cas ici. Mes amis québécois m'ont juste dit : "Oh la, comment vas-tu faire pour manger la semaine prochaine !". »

Séduire un employeur québécois

Évacuons tout d'abord la question du visa, abordée dans la partie précédente : rappelez-vous, en effet, que tout Français qui veut travailler de façon permanente ou temporaire doit détenir un visa de travail valide. Cette formalité remplie, vous allez pouvoir vous mettre en quête d'un poste. Mais sur un marché de l'emploi très volatil où plus de 80 % des emplois disponibles ne sont pas annoncés dans les journaux, il faut user d'autres stratagèmes. Avant tout, renseignez-vous pour savoir si votre profession est régie par l'un des 46 ordres professionnels québécois (dont vous trouverez les coordonnées page 239).

L'approche de l'employeur québécois est différente sur bien des sujets. « Le candidat doit être capable de répondre à des besoins en termes de compétences. Lors de l'entretien d'embauche, il faut mettre en avant celles qui peuvent répondre aux besoins de l'entreprise. Le plus important au Québec n'est pas nécessairement le diplôme, mais plutôt le savoir-faire. C'est une grande différence culturelle, explique Yann Hairaud, directeur de l'Agence montréalaise pour l'emploi. Il faut avoir un contact direct, ne pas avoir peur de déranger l'employeur. Il est essentiel aussi de faire un suivi de ses démarches d'emploi. »

Initiative, compétences : plus importantes que le diplôme

L'esprit d'initiative est très bien vu au Québec ; il ne faut pas hésiter à insister pour joindre le bon contact, et même à se déplacer pour rencontrer la bonne personne. C'est ce qu'a expérimenté Katy Harrouart qui a occupé de nombreux emplois depuis son arrivée au Québec. « Ce que je constate ici c'est la facilité avec laquelle on peut enfoncer des portes, affirme-t-elle. Mais aussi la facilité avec laquelle on peut trouver du travail, y compris dans des domaines différents de sa formation et de ses expériences antérieures. Dans ma région, dans le nord des Laurentides, on ne m'a pratiquement jamais demandé de CV. On te fait vraiment confiance. Les employeurs cherchent davantage une personnalité, un potentiel qu'un diplôme. »

Vécu

Les premières expériences d'Annabel, adjointe administrative

ORIGINAIRE DE LA RÉGION PARISIENNE, Annabel, 36 ans, et son mari Sébastien sont arrivés le 16 juillet 2009 avec leurs trois enfants dans le quartier du Plateau Mont-Royal à Montréal. « L'idée du Québec datait d'une dizaine d'années, mais nous n'étions pas prêts, se souvient-elle. Aujourd'hui, nous sommes au bout de nos projets en France et nous étions à un carrefour professionnel ; le démon de l'immigration a refait surface. On a fait un travail sur nous et cela a mis en évidence le fait qu'on avait envie de changer d'air. » Le couple a été accompagné par une thérapeute au fait de leur situation et qui, de surcroît, avait vécu au Québec.

ANNABEL A PLUSIEURS CORDES À SON ARC : en France, elle a été maître d'hôtel et adjointe administrative. À son arrivée au Québec, elle se présente dans un restaurant du centre-ville, le Holder. Mais, au bout de quelques jours, elle se brise un doigt de pied et doit trouver un emploi plus sédentaire. Vers la fin août 2009, elle se lance dans la recherche d'emploi. Annabel passe par l'organisme « L'Hirondelle », qui accompagne les nouveaux arrivants, où elle suit des ateliers sur l'intégration, le marché caché du travail, la législation, etc. « À partir du moment où j'ai changé mon CV, j'ai eu plus de retour, c'était flagrant, affirme-t-elle. Pourtant je l'avais déjà modifié en demandant conseil à gauche et à droite. Mais le retravailler avec des professionnels a fait toute la différence. »

PUIS, ELLE FRAPPE AUX PORTES DES AGENCES de placement comme Adecco et Ranstad. Après un mois de démarches, grâce à l'agence OSI Groupe conseil, elle décroche un contrat chez Vidéotron, un groupe important au Québec spécialisé en Télécommunication, câblage et cellulaire. Annabel est désormais adjointe administrative ; elle est l'assistante de cinq personnes, avec un salaire de 30 000 $ CAN et trois semaines de congé, plus quinze jours à Noël. Le contrat est précaire, mais renouvelable.

(...)

(...) **LA PLUS GRANDE DIFFICULTÉ RENCONTRÉE dans sa recherche d'emploi a été son niveau d'anglais. Pourtant considérée comme bilingue en France, son anglais est qualifié de fonctionnel au Québec, mauvais point pour les agences de placement. « J'avais même pensé prendre des cours, si je n'avais pas trouvé, dit-elle. Mais finalement cela n'a pas été nécessaire. »**

ANNABEL EST TRÈS HEUREUSE de son premier travail québécois. « L'ambiance est super dynamique, confie-t-elle. Les Québécois prennent toujours le temps de m'expliquer. Ils sont très généreux de leur temps. » La seule difficulté au travail est le décryptage de certains échanges avec ses collègues. « Ma patronne n'est pas consensuelle, caractéristique assez rare au Québéc, dit-elle. En général, tu ne sais jamais si la personne en face de toi dit vraiment ce qu'elle pense. » Annabel a souvent l'impression de marcher sur des œufs. Une façon de communiquer qu'elle apprendra à connaître et à maîtriser avec le temps.

« Au Québec, les diplômes d'une grande école française, ce n'est pas une référence, affirme Alexandre Guillaume qui a étudié à l'École de la chambre de commerce de Paris. Ce qui est important, c'est ce que tu sais faire ; c'est pourquoi tu as besoin de faire tes preuves. » Même son de cloche chez Sylvie Bernier qui travaille dans l'administration à Montréal. « Lorsque je suis arrivée, je n'avais pas de référence québécoise, affirme-t-elle. Et celles de France ne les intéressaient pas. Les employeurs voulaient surtout savoir comment j'allais m'adapter à une équipe de travail au Québec. Ils m'ont donné ma chance et ils ont été satisfaits ! »

« Cette mentalité m'a permis de faire des choses dans toutes sortes de domaines très différents, affirme Katy Harrouart. Les employeurs donnent leur chance aux gens. C'est à toi de la prendre. Si tu ne fais pas l'affaire, ils le diront aussitôt. Pour quelqu'un qui fait preuve de volonté et qui a des compétences, il y a de réelles opportunités. »

Avant de foncer vers ce Nouveau Monde, soyez conscient que pour y faire sa place, il faut son lot de labeur et de temps. « Il faut compter au moins deux ans pour retrouver le même niveau de vie que dans son pays d'origine », affirme Yann Hairaud.

Le cadre légal du travail

Les lois qui régissent les relations entre le salarié et l'employeur sont également très différentes de celles en vigueur en France. On l'a vu, le marché du travail se caractérise par une plus grande souplesse, un aspect qui ne présente pas que des avantages pour les Français habitués à plus de sécurité.

Les salaires

Les salaires sont toujours annoncés en brut et non en net. Habituellement, la rémunération affichée pour un poste est donnée à l'heure ou à l'année. Lors de la publication d'une offre d'emploi, il est toujours précisé s'il s'agit d'un poste permanent, d'un emploi temporaire ou à temps partiel. Les impôts provinciaux et fédéraux sont directement prélevés sur le salaire de l'employé. Pour en savoir plus sur les impôts, reportez-vous à la page 390.

L'employeur a un mois pour verser une première paie à un employé. Par la suite, il doit verser un salaire à un intervalle maximal de seize jours. Généralement les travailleurs sont payés deux fois par mois, souvent le jeudi, toutes les deux semaines. Les salariés dépendent des contrats collectifs propres à chaque entreprise, régis par les syndicats.

LES SALAIRES AU QUÉBEC

LE SALAIRE MINIMUM auquel les employés ont droit est fixé par le gouvernement du Québec. Au 1er mai 2012, ce salaire est de 9,90 $ CAN l'heure et de 8,55 $ pour les employés à pourboire. Ci-dessous les salaires hebdomadaires de quelques professions.

Administrations publiques	1 083 $
Arts, spectacles et loisirs	545 $
Autres services (hors services d'administration publique)	673 $
Commerce de détail	479 $
Commerce de gros	989 $
Construction	1 032 $
Fabrication	918 $
Finance et assurances	1 060 $
Extraction minière et extraction de pétrole et de gaz	1 539 $
Foresterie, exploitation et soutien	879 $
Gestion de sociétés et d'entreprises	1 154 $
Hébergement et services de restauration	339 $
Industrie de l'information et industrie culturelle	1 099 $
Services administratifs, services de soutien, services de gestion des déchets et services d'assainissement	660 $
Services d'enseignement	902 $
Services immobiliers et services de location et de location à bail	749 $
Services professionnels, scientifiques et techniques	1 114 $
Services publics	1 538 $
Soins de santé et assistance sociale	768 $
Transport et entreposage	861 $

Source : Statistique Canada, 2009 (www.statcan.gc.ca)

Les conditions de licenciement

Les préavis de licenciement sont très courts. Un employeur chez qui vous travaillez depuis moins de trois mois peut vous débaucher du jour au lendemain. Si vous travaillez depuis plus de trois mois mais moins d'un an, le préavis passe à une semaine. De un à cinq ans d'ancienneté, le préavis est de deux semaines. De cinq à dix ans, le préavis est de quatre semaines. « Les employeurs donnent leur chance plus facilement parce qu'ils peuvent débaucher très facilement, constate Sylvie Bernier. C'est un couteau à double tranchant, mais cela rend le marché du travail très dynamique. »

La transition entre deux emplois s'opère aussi de façon plus souple. Après trois ans de bons et loyaux services, Sylvie décide de quitter les HEC (Hautes études commerciales) pour travailler dans le domaine de la santé. « J'ai trouvé mon nouvel emploi avant de démissionner, mais lorsque j'ai pris le risque de changer d'employeur, je savais qu'il y avait une période d'essai. J'avoue que je n'ai pas cherché de poste permanent car je sais que je vais retomber sur mes pattes. Si ce n'est pas cet employeur-là qui me garde, je vais bien en trouver un autre. On vient de sortir d'une période de récession et je ne l'ai pas vu passer. Je n'ai pas senti de réelles craintes de la part des employeurs pour embaucher. »

Les horaires, les congés

La semaine normale de travail est de 40 heures, avec une plage horaire quotidienne qui s'étale généralement de 8 heures à 16 heures ou de 9 heures à 17 heures avec une demi-heure ou une heure de pause-déjeuner. L'employé a droit après une période de travail de cinq heures consécutives à trente minutes sans salaire pour le repas. Les heures supplémentaires travaillées doivent être payées avec une

35 HEURES, MAIS PLUS DE STRESS

DE TOUS LES CANADIENS, les Québécois sont ceux dont la semaine de travail est la plus courte : 35,5 heures hebdomadaires en moyenne. Ceci s'explique par le fort taux de syndicalisation au Québec. Les études font état de 1750 heures de travail en moyenne par an au Québec contre 1820 heures dans l'ensemble du pays. Néanmoins, le fait qu'il y ait dans la province une grande proportion de jeunes de 15 à 24 ans sur le marché du travail, généralement à temps partiel, fausse quelque peu les données au niveau national.

LES FONCTIONNAIRES québécois sont de loin les plus privilégiés : la durée hebdomadaire du travail est de 35 heures alors qu'elle se situe aux alentours de 37,5 heures pour les fonctionnaires dans le reste du pays.

C'EST ÉGALEMENT au Québec qu'on profite du plus grand nombre de jours de vacances par an. En effet, la moyenne canadienne est de 14,4 jours alors qu'elle est en moyenne de 16,2 jours au Québec. Dans l'Ouest canadien, les Albertains, qui ont droit à 12,2 jours de vacances en moyenne, ne se permettent que 8,7 journées de repos. Pourtant étonnamment, selon les données de Statistique Canada, c'est au Québec que l'on est le plus stressé. C'est également l'endroit où l'on mange le plus de fruits et légumes et où l'on souffre le moins de problèmes de santé. Résultat, les habitants du Québec ont moins recours à des chirurgies à la hanche et au genou, en grande partie parce que la population y est un peu moins obèse que la moyenne canadienne.

majoration de 50 % du salaire horaire habituel du salarié. La pause-café n'est pas obligatoire. Si elle est accordée par l'employeur, elle doit être payée et comptée dans les heures de travail. Après un an passé chez le même employeur, les Québécois ont droit à deux semaines de congés payés par an. D'autres semaines de congé peuvent s'ajouter selon le contrat de travail ou l'ancienneté.

LE CHÔMAGE, LE CONGÉ PARENTAL ET LE CONGÉ MALADIE

Pour avoir droit au programme d'« assurance emploi », mis en place par le gouvernement fédéral d'Ottawa anciennement appelé « assurance chômage », vous devez avoir perdu votre travail sans en être responsable et avoir travaillé pendant le nombre requis d'heures assurables. Ce nombre est déterminé en fonction de votre lieu de résidence au Canada et du taux de chômage en vigueur dans votre région économique au moment du dépôt de votre demande de prestations. Si vous perdez votre emploi, il vous faudra avoir cumulé au moins 910 heures d'emploi assurable au cours des 52 dernières semaines. Depuis le 1er janvier 2006, les congés parentaux concernent non seulement les parents salariés mais aussi ceux qui sont à leur compte.

Pour toucher les prestations de maternité, parentales ou de maladie vous devez avoir cumulé 600 heures d'emploi au cours des 52 dernières semaines, ou depuis le début de votre dernière période de prestations. Pour en savoir plus sur ces prestations, lisez l'encadré page 400.

LA RETRAITE

L'âge normal de la retraite au Québec est de 65 ans. Il n'y a pas vraiment de débat comme en France sur l'âge de la retraite. Tous les Canadiens peuvent prétendre à une pension de vieillesse à cet âge, versée par le gouvernement du Canada. Mais, attention, ce montant n'est pas très élevé. En 2012, le montant maximal de la pension

Les jours fériés au Québec et au Canada

- 1er janvier, le jour de l'an
- Vendredi saint ou le lundi de Pâques
- Le lundi qui précède le 25 mai, Fête des Patriotes (1)
- 24 juin, fête nationale du Québec, Saint-Jean-Baptiste
- 1er juillet, fête nationale du Canada
- Premier lundi de septembre, fête du Travail
- Deuxième lundi d'octobre, Action de grâces
- 25 décembre, Noël

(1) Ce même jour, dans le reste du Canada, c'est la fête de la Reine Victoria !

mensuelle s'élevait à 540,12 $. Vous devez avoir résidé au Canada pendant au moins dix ans après l'âge de 18 ans pour y avoir droit.

En plus de cette pension de base, les Québécois peuvent toucher dès l'âge de 60 ans une pension qui tient compte de l'âge du prestataire et des cotisations salariales versées au Régime de rentes du Québec. Le montant est moindre si la rente est réclamée avant l'âge normal de la retraite, c'est-à-dire avant 65 ans. Cette rente équivaut à environ 25 % de la moyenne mensuelle des revenus sur lesquels vous avez cotisé. Selon la Régie des rentes du Québec, le montant maximum de la rente pour les retraités de 65 ans qui commencent à toucher leur retraite en 2012 est de 986,67 $ par mois. En cas de décès, le conjoint de même sexe survivant peut réclamer la pension de son partenaire de vie. En plus de leur épargne personnelle, les Québécois ont souvent recours au REER (Régime enregistré d'épargne-retraite) et à des régimes privés afin de préparer leurs vieux jours.

L'immigrant français qui a aussi travaillé dans l'Hexagone, pourra percevoir, grâce à une entente entre le Québec et la France, une retraite française et québécoise. Pour en savoir plus sur cette entente avec la France et sur les retraites en général, reportez-vous au développement qui leur est consacré dans la partie 4, page 397.

☛ Régie des rentes du Québec ➢ www.rrq.gouv.qc.ca.
Sécurité de la vieillesse et régime de pension du Canada
➢ www.servicecanada.gc.ca/fra/psr/sv/svtabmat.shtml

Trouver du travail sur place

Réseau, petites annonces, clubs de recherche d'emploi, aide aux nouveaux arrivants, sites Internet, agences de placement… lors d'une recherche d'emploi, il ne faut négliger aucune piste pour trouver la perle rare. Nous vous présentons dans ce chapitre tous les outils de votre quête.

Le « réseautage »

Comme plus de 80 % des offres d'emploi ne sont pas publiées, il est impératif de développer d'autres créneaux pour trouver le bon emploi. La plupart des gens trouvent un travail au Québec *via* le « réseautage ». « Pour trouver du travail, il suffit de discuter avec des gens qui te font confiance et qui te présentent d'autres personnes », affirme Alexandre Guillaume, fondateur de Bougex, un réseau social d'activités qui bougent.

Réseau n'est pas piston

« En France, par piston, on peut être placé à un poste qu'on ne mérite pas, affirme Aurélie Dehling qui travaille dans le milieu du marketing montréalais. Au Québec, il y a beaucoup de bouche à oreille sur ce que tu es, ce que tu fais. Un peu comme de la relation publique, tu es une marque et tu dois te vendre. Tu dois bâtir ta réputation au fur et à mesure. Il ne faut pas se faire d'ennemis car les employeurs potentiels téléphonent aux références québécoises mentionnées sur le CV. Ton CV, c'est ta réputation et il faut la soigner. Au Québec, il y a un facteur de performance humaine à ne pas sous-estimer. Si tu es prétentieux et imbu de toi-même, même brillant, cela ne marchera pas. » Il ne s'agit pas de passer devant les autres, mais plutôt de savoir faire jouer son entourage. Les employeurs québécois privilégient l'approche humaine. Le fait d'être recommandé par quelqu'un confirme que vous êtes quelqu'un de confiance. Ainsi, ce n'est pas un CV ou un diplôme qui compte, mais plutôt un individu.

Construire un réseau

Un réseau se travaille dès que l'idée vous vient de partir travailler au Québec. Dès cet instant, toute personne croisée dans la journée peut devenir un contact intéressant, lui ou quelqu'un de son entourage. Fréquentez les lieux québécois en France (voir la première partie). Une fois sur place, le réseau peut se construire à partir des organismes d'aide aux immigrants. D'ailleurs, c'est souvent à l'OFII (Office français de l'immigration et de l'intégration) ou aux sessions d'information du MICC que les nouveaux arrivants se font leurs premiers amis. Même si ces immigrants sont dans la même situation que vous, ils peuvent vous aider à établir des contacts avec des employeurs… d'autant plus qu'ils savent que vous pouvez faire de même pour eux.

Le séjour de repérage sera aussi un moment fort pour prendre le pouls du marché du travail et rencontrer des gens qui travaillent dans votre secteur. Aujourd'hui, Internet constitue un moyen idéal, grâce notamment à de nombreux sites de rencontres et réseaux sociaux, pour créer de nouveaux liens et recueillir de multiples et précieuses informations.

La « RENCONTRE D'INFORMATION »

Peu connue des chercheurs d'emploi, la méthode de la rencontre d'information s'avère très efficace pour rencontrer des employeurs potentiels, s'informer sur une entreprise ou un secteur et se faire connaître des employeurs. Cette méthode est particulièrement conseillée pour construire ce fameux réseau dont les nouveaux arrivants manquent souvent cruellement à leurs débuts. Cette démarche est bien perçue par les employeurs, car elle démontre l'initiative personnelle, une qualité très recherchée sur le marché du travail nord-américain.

Lors de cette rencontre, vous n'avez pas à vous présenter comme un demandeur d'emploi, mais plutôt comme quelqu'un qui cherche de l'information. Le fait d'être un nouvel arrivant favorise cette approche. Après tout, il est tout naturel que vous cherchiez à comprendre votre secteur en terre québécoise. Appelez les employeurs en disant que vous voulez explorer votre secteur d'activité au Québec, que vous voulez rencontrer des gens pour avoir « l'heure juste » sur votre secteur. Lors de cette rencontre informelle, vous en profiterez pour vous renseigner aussi sur l'entreprise, et pourrez ainsi évaluer s'il y a des besoins que vous seriez en mesure de combler à court ou moyen terme. Les employeurs sont assez accessibles au Québec et en Amérique du Nord, ne manquez pas d'en profiter. Cette démarche de la rencontre d'information permet de bien préparer un éventuel entretien d'embauche. Même s'il n'y a pas d'emploi directement en jeu, il est fondamental de bien se préparer à cette rencontre informative car il s'agit d'un investissement. Préparez une série de questions sur le fonctionnement de l'entreprise, ses objectifs, ses développements, les possibilités d'embauche. Lorsqu'un employeur a besoin d'un employé, il consulte d'abord la liste des personnes récemment rencontrées, regarde la pile de CV qu'il a sous la main et ensuite fait une brève recherche dans son entourage. S'il ne trouve pas le candidat idéal, il recourt aux petites annonces dans les journaux. Ainsi, lorsque vous vous présentez spontanément, vous lui évitez une sélection longue et coûteuse. Cette démarche est bénéfique autant pour le candidat que pour l'employeur.

Les petites annonces

On l'a vu, la majorité des offres d'emploi ne passent pas par les petites annonces des journaux, mais plutôt par le bouche à oreille. Cependant, si l'employeur n'a pu trouver le candidat idéal par relation ou en piochant dans le vivier des candidats déjà rencontrés, il a recours aux petites annonces : il est donc toujours possible de dénicher un emploi ainsi. Les journaux du samedi sont traditionnellement ceux qui publient le plus d'offres d'emplois. Ces cahiers sont habituellement identifiés comme les pages « Carrières et professions ». Pour le journal *La Presse* de Montréal, le numéro du mercredi offre aussi son petit lot d'annonces de recrutement.

Ne manquez pas de consulter l'hebdomadaire *Les Affaires*, ainsi que le magazine culturel *Voir* qui renferment tous deux de nombreuses offres. Vous constaterez que la majorité des petites annonces de recrutement québécoises demandent souvent une personne bilingue. Pour faire le point sur le bilinguisme, reportez-vous à la rubrique consacrée à la connaissance de l'anglais page 238.

Inutile de dire qu'il faut réagir rapidement lorsque vous voyez une annonce dans les journaux. Vous pouvez téléphoner pour connaître le nom de la personne à qui envoyer votre CV ou vous présenter en personne.

Les sites Internet des journaux

- ***La Presse*, quotidien de Montréal ➢ www.cyberpresse.com**
- ***Le Soleil*, quotidien de Québec ➢ www.cyberpresse.ca/soleil**
- ***Voir*, hebdomadaire de Montréal et Québec ➢ www.voir.ca**
- ***Le Droit*, quotidien de Gatineau (Ottawa) ➢ www.cyberpresse.ca/droit**
- ***The Gazette*, quotidien anglophone de Montréal ➢ www.montrealgazette.com**

☛ Bonus Web. Pour d'autres liens : www.immigrer.com/118

Il est possible de retrouver en ligne sur Internet les mêmes opportunités : certains journaux permettent de télécharger les pages d'annonces en version PDF, c'est le cas du journal *La Presse* de Montréal. Il vous faudra le plug-in Acrobat Reader pour lire le document PDF, que vous pouvez télécharger gratuitement sur le site francophone de la compagnie Adobe (www.adobe.fr).

Les sites internet

Les sites internet constituent la voie royale pour préparer son arrivée, comme en témoigne l'expérience de cette assistante de direction originaire de Toulouse. « Je me suis inscrite depuis la France à l'agence de placement de Nicole Giguère, se souvient Sylvie Bernier installée à Montréal depuis 2005. Elle m'a contactée le 3 juillet, moins d'une semaine après mon arrivée, pour me proposer un poste. J'étais à peine installée, je n'avais pas encore de meubles et j'avais mes deux filles à la maison. Elle m'a offert un emploi trop rapidement. J'ai donc demandé qu'on me laisse deux, voire trois semaines jusqu'au 20 juillet. Elle m'a en effet recontactée le 18 juillet et, quelques jours plus tard, je commençais un emploi comme agent d'activité à HEC Montréal avec un salaire de 45 000 $ CAN ; j'y suis

LES GRANDS SITES D'OFFRES D'EMPLOI

- Emplois, travailleurs, formations et carrières ➢ www.emploisetc.ca : gouvernement du Canada.
- Jobboom ➢ www.jobboom.com : le site de recrutement électronique le plus important au Québec, avec de nombreux conseils sur le marché du travail.
- Guichet emplois-Ressources humaines et développement des compétences Canada ➢ www.guichetemplois.gc.ca
- Monster ➢ www.monster.ca
- Workopolis.com ➢ www.workopolis.com : le plus grand site d'emploi au Canada.
- Collectif des entreprises d'insertion au Québec ➢ www.collectif.qc.ca
- Ressources humaines et développement des compétences Canada ➢ www.rhdcc.gc.ca
- Emploi-Québec, service de placement ➢ http://placement.emploiquebec.net : portail du gouvernement du Québec.
- Immigrer emploi ➢ www.immigrer.com/emploi
- Réseau Carrefour Jeunesse Emploi (CJE) ➢ www.cjereseau.org : centres d'aide à l'emploi du gouvernement, pour les 16-35 ans.
- Magazine *Voir*, Québec et Montréal ➢ www.cherchetrouve.ca/offres-emplois : voir les offres d'emploi dans les petites annonces.
- Jobmire ➢ www.jobmire.com

Où trouver des conseils pratiques et des informations sur le marché de l'emploi

- CICDI (Centre d'information canadien sur les diplômes internationaux) ➢ www.cicic.ca
- Travail Immigrants (plus de 300 ressources pour immigrants et employeurs) ➢ www.travailimmigrants.com
- La CVthèque ➢ www.cvtheque.com
- L'emploi et le marché du travail expliqué au nouvel arrivant ➢ www.immigrer.com/travailler.html

(...)

(...)

- **Placement en ligne-volet international ➢ www.immigration-quebec.gouv.qc.ca/fr/immigrer-installer/travailleurs-permanents/preparation-depart/placement-international.html**
- **Le journal *Les Affaires* ➢ www.lesaffaires.com : listes des entreprises.**
- **Montréal International ➢ www.residencepermanente.ca : guichet d'accueil pour les travailleurs stratégiques. Accompagnement gratuit et personnalisé pour l'obtention de la résidence permanente.**
- **Infopressejobs ➢ www.infopressejobs.com/jobs : professionnels de la communication.**
- **Qui fait quoi ➢ www.qfq.com : réseau professionnel de l'audiovisuel et du multimédia.**
- **L'entremetteuse ➢ www.lentremetteuse.com**
- **Emploi-Québec, le guide pratique de recherche d'emploi ➢ http://emploi-quebec.net/guide**

Sites et firmes de placement spécialisés

- **Admin Jobs ➢ www.adminjob.ca : emplois en administration.**
- **Groupe conseil OSI ➢ www.gcosi.com : emplois en TI.**
- **Groupe conseil PRI ➢ www.gcpri.com : emplois en TI.**

☛ **Bonus Web. Pour d'autres liens : www.immigrer.com/119**

restée pendant trois ans avant de changer de travail. » Grâce à Internet, vous pouvez obtenir à des kilomètres de distance une information qui peut tout changer. Mais encore faut-il savoir l'utiliser et surfer sur les sites les plus efficaces. L'encadré ci-dessus présente une liste de sites incontournables pour une recherche d'emploi au Québec. Nombre d'entre eux permettent à la fois de consulter des offres et de déposer son CV. Ne manquez pas non plus de vous inscrire sur les listes de discussion ou les forums en lien avec votre propre secteur d'activité.

LES RÉSEAUX SOCIAUX SUR INTERNET

DE PLUS EN PLUS POPULAIRES, les réseaux sociaux qui fleurissent sur Internet peuvent être un bon moyen de se faire connaître et de rentrer en contact avec une personne qui pourra vous communiquer des informations sur l'état du marché dans votre domaine ou vous mettre en rapport avec de potentiels employeurs. De nombreux utilisateurs de ces réseaux sont parfois directement contactés par ces derniers.

ILS N'ONT PAS TOUS LA MÊME PORTÉE et les mêmes spécialités. Alors que Viadeo est surtout fréquenté par des Français, Linkedin est un réseau international axé uniquement sur des contacts professionnels. MySpace est réservé à la mise en valeur de talents artistiques et Facebook, le plus connu de tous, conjugue à la fois les contacts professionnels et personnels. Vous ne perdez rien à vous y inscrire. Sachez bien les utiliser et veillez à ne pas trop divulguer votre vie privée, cela peut avoir des conséquences négatives sur l'image que vous donnez de vous.

Quelques adresses :

- **Facebook ➢ www.facebook.com**
- **Linkedin ➢ www.linkedin.com**
- **MySpace ➢ www.myspace.com**
- **Viadeo ➢ www.viadeo.com**

LES AGENCES DE PLACEMENT

« Un nouvel arrivant ne doit pas hésiter à utiliser les services de placement, affirme Sylvie Bernier. Ils font passer des tests que les employeurs apprécient énormément. Honnêtement, pour un premier emploi, cela peut être une bonne porte d'entrée car ainsi tu peux tester le marché du travail, connaître les employeurs de ton

AGENCES D'INTÉRIM : OÙ LES CONTACTER ?

VOICI UNE LISTE NON EXHAUSTIVE d'agences d'intérim que vous pouvez contacter à Montréal ou à Québec.

- Adecco, siège social, 635, Grande-Allée Est, Québec, Québec, G1R 2K4 ☎ 1-418-522-9922 ➢ www.adecco.qc.ca
- Adecco Québec, 600, bd Maisonneuve Ouest, bureau 101, Montréal, H3A 3J2 ☎ (514) 847-1105.
- Drake International, 1155, rue University, bur. 1212, Montréal, Québec, H3B 3A7 ☎ 1-514-395-9595 ➢ www.drakeintl.com. Il existe également un bureau à Québec : 320 rue St-Joseph Est, bureau 35, Québec, QC, G1K 8G5 ☎ 418-529-9371.
- Groupe Télé-Ressources, 2021, av. Union, bur. 915, Montréal, Québec H3A 2S9 ☎ 1-514-842-0066 ➢ www.teleressources.com
- Kelly scientifique, 1000 rue Sherbrooke Ouest, bureau 2000, Montréal, H3A 3G4 ☎ 1-514-388-9779 ➢ www.kellyscientific.ca
- Les Services Kelly, 1000, rue Sherbrooke Ouest, bur. 2000, Montréal, Québec, H3A 3G4 ☎ 1-514-284-0323 ➢ www.kellyservices.com
- Manpower, 1981 McGill-College Avenue, suite 275, Montreal, H3A 3A8 ☎ 514-848-7142 ➢ www.manpower.ca
- Services de gestion Quantum, 2000, av. McGill-College, bur. 1800, Montréal, Québec, H3A 3H3 ☎ 1-514-842-5555 ➢ www.quantum.ca
- Thomson Tremblay, 2040, rue Peel, suite 2004, Montréal, Québec, H3A 1W5 ☎ 1-514-861-9971 ➢ www.thomson-tremblay.com

domaine d'activité... Et puis, on a tellement de choses en tête lors de l'installation, c'est un moyen de s'alléger. » Les agences de placement et de recrutement peuvent en effet se révéler une bonne piste pour dénicher un premier job et acquérir une première expérience québécoise. De nombreuses agences internationales comme Kelly, Manpower, Adecco sont présentes sur le territoire québécois, mais il est aussi possible de passer par des agences locales. Certaines opèrent sur des créneaux spécialisés, il faut se renseigner *via* les sites web. Même si les services des agences de placement sont gratuits, sachez qu'elles travaillent avant tout pour leurs clients, c'est-à-dire les entreprises pour lesquelles elles recherchent des candidats. En guise de rémunération, elles retiennent un pourcentage de votre salaire lorsqu'elles vous placent auprès d'un employeur. Les agences peuvent proposer des emplois temporaires ou permanents.

DES CONSEILS POUR PRÉRÉSERVER SON IMAGE PROFESSIONNELLE SUR LE NET

De plus en plus, les employeurs consultent Internet pour en connaître davantage sur les potentiels candidats, surtout sur les réseaux sociaux. Ainsi votre identité en ligne doit se soigner, presque comme une entrevue de sélection. Ayez des informations à jour, ainsi qu'une photo professionnelle, si vous partagez votre CV en ligne sur le thème du travail. Abonnez-vous à des groupes ou des communautés professionnelles en rapport avec votre métier ou vos aspirations. Mettez en évidence ce que vous cherchez à accomplir dans de futurs projets ou emplois. Ne négligez pas les mots-clés reliés à votre profession sur votre page, ils pourraient attirer l'attention d'un futur employeur. Configurez votre compte non professionnel, comme le mur sur des pages personnelles Facebook, afin qu'il soit vu seulement par vos amis. Et n'oubliez pas : qu'importe ce que vous dites sur le web, vous devez toujours rester courtois et penser qu'un futur employeur pourrait lire vos propos.

Qui propose quoi ?

L'agence Drake recrute des personnes dans les secteurs de l'administration, la vente et le marketing, la finance et la comptabilité, la gestion, la technologie de l'information, les centres d'appels, le service à la clientèle et le travail journalier et industriel.

Adecco a plus de dix implantations réparties sur tout le territoire québécois : vous trouverez des bureaux à Chicoutimi, Granby, Laval, Longueuil, Montréal, Québec, Saint-Hyacinthe, Saint-Laurent, Sherbrooke et Terrebonne. Elle place du personnel dans les domaines d'activité du secrétariat, de la bureautique, des centres d'appels, du service à la clientèle, de l'administration, de la gestion, de l'industriel, de la technique et du multimédia.

Télé-Ressources est spécialisé dans les secteurs du soutien administratif, des centres d'appels, des services financiers, de la comptabilité, du juridique, du placement de cadres et professionnels, dans le domaine de l'industriel léger et des cols bleus, de l'ingénierie et des techniciens, et des technologies de l'information multimédia.

Kelly Scientifique recrute dans les domaines de l'industrie pharmaceutique et des cosmétiques, des biotechnologies, de la recherche clinique, de la chimie et de l'alimentation.

Manpower, qui propose du travail dans des domaines très variés, a des bureaux à Granby, Montréal, Québec et Sherbrooke.

L'agence Quantum, avec des bureaux au Québec à Montréal, Pointe-Claire, Laval, Longueil et Québec, est spécialisée dans le personnel des secteurs de services de bureau, de la finance, des ventes, mais également dans la main-d'œuvre industrielle et le recrutement de personnels permanents dans le secteur des hautes technologies.

Thomson Tremblay, pour sa part, est une agence québécoise qui a des bureaux à Dorval, Laval, Québec, Longueil et Montréal. Elle est spécialisée dans de nombreux secteurs des ressources humaines comme la finance, la vente, l'informatique, le personnel de bureau, etc.

LES MEILLEURS EMPLOYEURS POUR LES IMMIGRANTS AU QUÉBEC

Chaque année un palmarès des meilleures entreprises canadiennes pour les immigrants est fait en fonction de l'accueil des nouveaux arrivants, favorise leur recrutement, offre des services internes pour favoriser l'adaptation, donne aux cadres des formations pour accueillir les immigrants. De ce classement des 100 entreprises canadiennes, de nombreuses ont des bureaux au Québec :

- **Bombardier, Banque de Montréal, banque CIBC, Deloitte & Touche, Ernst & Young, Centre universitaire de santé McGill, Pitney Bowes, banque Toronto Dominion, la Banque royale du Canada, Telus, Xerox, etc.**

☛ Pour connaître la liste complète : www.canadastop100.com/immigrants

OFII
OFFICE FRANÇAIS DE L'IMMIGRATION
ET DE L'INTÉGRATION
Liberté • Égalité • Fraterni
RÉPUBLIQUE FRANÇAIS

La représentation de l'Office français de l'immigration et de l'intégration* (OFII) au Québec, établissement public français, a pour assise juridique une entente gouvernementale entre la France et le Québec ayant pour but la promotion des mobilités professionnelles.

L'OFII au Canada dispense depuis 1990 ses services aux entreprises et aux particuliers. Ses principales missions :

- informer et accompagner en emploi dans les entreprises québécoises les personnes en provenance de France, résidant au Québec à titre temporaire ou permanent ;

- informer et orienter tant les entreprises canadiennes qui souhaitent détacher des salariés en France, que des Canadiens qui ont un projet professionnel précis, ou encore des jeunes adultes qui souhaitent acquérir une expérience de travail enrichissante en France.

*anciennement ANAEM

Vous venez de France et vous vivez au Québec avec un permis de travail (résidence temporaire ou permanente)

L'OFII Québec vous offre :

- un suivi individuel et personnalisé ;
- une adaptation de votre CV et des informations sur le marché du travail ;
- des mises en relation sur des offres d'emploi recueillies auprès de notre clientèle Entreprises ;
- des ateliers sur les compétences recherchées et le réseautage ;
- des conférences sur les différences culturelles franco-québécoises en milieu professionnel ;
- des ateliers avec des employeurs qui présentent leurs entreprises et leurs offres d'emploi.

Vous êtes canadiens ou résidez régulièrement au Canada et vous souhaitez travailler en France

L'OFII Québec vous propose :

- une information sur les nouveaux dispositifs d'immigration professionnelle ;
- une information et une orientation sur les formalités liées à l'immigration ;
- une information sur l'exercice d'une profession réglementée en France, dans le cadre de l'entente franco-québécoise sur la reconnaissance mutuelle des qualifications professionnelles du 17 octobre 2008 ;
- une information sur les offres d'emploi en France.

Vous êtes entrepreneurs

L'OFII vous offre :

- Des services administratifs relatifs à l'envoi de vos salariés en France
- Une réponse à vos besoins de recrutement au Québec

Vous pouvez nous contacter aux adresses suivantes :

Bureau à Montréal
De 8H30 à 16H30
Cours Mont royal
1550, rue Metcalfe, suite 505
Montréal, Québec H3A 1X6
Tél : 514 987 1756
Courriel : montreal@ofiicanada.ca

Bureau à Québec
de 8H30 à 12H et de 13H à 16H30
(mercredi 10H-12H et 13H - 16H30)
1020 route de l'Église - 4e étage -
Québec G1V 5A7
Tél : 418 682 3275
Courriel : quebec@ofiicanada.ca

www.ofiicanada.ca

CENTRES D'AIDE : OÙ SE RENSEIGNER ?

VOICI UNE LISTE NON EXHAUSTIVE des organismes qui peuvent vous aider au Québec. Plusieurs d'entre eux ont des projets d'immersion professionnelle pour placer les candidats au sein des entreprises.

À Montréal

- Accueil liaison pour arrivants (ALPA), 1490, av. de la Salle, Montréal, Québec ☎ 1-514-255-3900 ➢ www.alpaong.com
- CITIM (Clef pour l'intégration au travail des immigrants), 1595, rue Saint-Hubert, bur. 300, Montréal, Québec, H2L 3Z1 ☎ 1-514-987-1759 ➢ www.citim.org
- CAMO (comité d'adaptation de la main d'œuvre) Personnes immigrantes, 55, avenue Mont-Royal ouest, bureau 740, Montréal, Québec ☎ 1-514-845-3939 ➢ www.camo-pi.qc.ca
- Carrefour de liaison et d'aide multi-ethnique, 7290, rue Hutchinson, bureau 200, Montréal, Québec, H3N 1Z1 ☎ 1-514-271-8207 ➢ leclam.tripod.com
- L'Hirondelle, 4652, rue Jeanne-Mance, 2e et 3e étages, Montréal, Québec, H2V 4J4 ☎ 1-514-281-2038 ➢ www.hirondelle.qc.ca
- Ministère de l'Immigration et des Communautés culturelles, MICC, Direction régionale de Montréal, 415, rue Saint-Roch, Montréal, Québec ☎ 1-514-864-9191 ➢ www.micc.gouv.qc.ca (voir les services d'immigration du Québec).
- OFII (Office français de l'immigration et de l'intégration), 1550, rue Metcalfe, Les Cours Mont-Royal, Suite 505, Montréal, Québec, H3A 1X6 ☎ 1-514-987-1756 ➢ www.ofiicanada.ca
- PROMIS, 3333, ch. de la Côte-des-Neiges, Montréal, Québec, ☎ 1-514-345-1615 ➢ www.promis.qc.ca

(...)

- **Agence Ometz, Service d'assistance aux immigrants juifs, 1 Carré Cummings Square, Montréal (Québec) ☎ 1-514-342-0000 ➢ www.ometz.ca**
  (Agence de services sociaux intégrés, cette organisation sans but lucratif est financée par la communauté juive de Montréal et offre gratuitement aux nouveaux arrivants juifs plusieurs services, des démarches administratives à l'intégration.)
- **La Maisonnée, 6865, av. Christophe Colomb, Montréal (Québec), H2S 2H3 ☎ 1-514-271-3533 ➢ www.lamaisonneeinc.org**

À Québec

- **OFII, CLE Sainte-Foy, 1020 route de l'Église, 4e, Québec, Québec ☎ 1-418-682-3275 ➢ www.ofiicanada.ca**
- **SOIIT (Service d'orientation et d'intégration des immigrants au travail), 275, rue du Parvis, bur. 300, Québec (Québec) ☎ 1-418-648-0822 ➢ www.soiit.qc.ca**
- **Camo, 76, rue Saint-Paul, bureau 100, Québec (Québec) ☎ 1-418-529-9582 ➢ www.camo-pi.qc.ca**
- **Centre multiethnique de Québec, 369, rue de la Couronne, 3e étage, Québec (Québec), G1K 6E9 ☎ 1-418-687-9771. Aide à la recherche de logement ➢ www.centremultiethnique.org**

À Gatineau

- **Service d'intégration du travail Outaouais, 4, rue Tachereau, bur. 400, Hull (Québec), J8Y 2V5 ☎ 1-819-776-2260 ➢ www.sito.qc.ca**

En Estrie

- **Service d'aide aux Néo-Canadiens de Sherbrooke, 530, rue Prospect, Sherbrooke ☎ 1-819-566-5373 ➢ www.sanc-sherbrooke.ca**
- **SERY (Solidarité ethnique régionale de la Yamaska), programme de régionalisation de l'Immigration, 380 rue St-Jacques, Granby (Québec), J2G 3N6 ☎ 1-450-777-7213 ➢ www.sery-granby.org**

Autres

- **Franco Génie (association qui aide les diplômés français à faire reconnaître leur titre au Québec, contacts avec de nouveaux immigrants, réseautage...) ➢ www.francogenie.com**

☛ **Bonus Web.** Pour d'autres liens : www.immigrer.com/120

LE PROGRAMME PRIIME

Afin de faciliter l'obtention d'une première expérience de travail pour les immigrants et les personnes issues des minorités visibles, le gouvernement québécois a mis en place un programme d'aide appelé PRIIME. Grâce à ce programme, une partie du salaire du participant est payée pendant une période maximale de trente semaines par le gouvernement.

☛ Pour plus d'informations, voir le site Internet du programme : http://emploiquebec.net/entreprises/recrutement/diversite/priime.asp

Les centres d'aide et les organismes pour les nouveaux arrivants

De nombreux organismes proposent une aide concrète et immédiate aux nouveaux arrivants en matière de recherche de logement ou d'emploi en proposant des sessions de formation, des rencontres avec un conseiller d'emploi et d'orientation, des conseils pour faire son CV à la québécoise, des services de placement jusqu'au support technique : fax, téléphone, connexion Internet et documentation.

Les Français sont accueillis par tous ces organismes, mais sachez que la CITIM (Clef pour l'intégration au travail des immigrants) et l'OFII (Office français de l'immigration et de l'intégration, anciennement ANAEM) aident aussi chaque année des centaines de résidents de France. Pour sa part, la CITIM a accueilli entre avril 2010 et mars 2011 dans ses bureaux plus de 3 500 candidats. L'organisme a placé plus de 550 personnes pendant la même période. CITIM offre aussi des services à tous les francophones et aux Pvtistes. L'OFII, dont

CLUBS DE RECHERCHE D'EMPLOI

UN SITE INDISPENSABLE : celui de l'ACREQ (Association des clubs de recherche d'emploi du Québec) ➢ www.cre.qc.ca. Vous y trouverez la liste des CRE (Clubs de recherche d'emploi) pour choisir le plus proche de votre domicile. Vous pourrez aussi vous tester en ligne pour savoir si vous êtes « un bon chercheur d'emploi ».

À Montréal

- **Accueil liaison pour arrivants (ALPA) 230, boulevard Pie IX, Bureau 309, Montréal (Québec) H1V 2C8 ☏ 1-514-255-3900 ➢ www.alpaong.com**
- **Club de recherche d'emploi Montréal centre-ville, 550, rue Sherbrooke Ouest, 10e étage, bur. 1000 ☏ 1-514-286-9595 ➢ www.cremcv.com**
- **Centre de recherche d'emploi Côte-des-Neiges, 3600, avenue Barclay, bur. 421, Montréal (Québec) H3S 1K5 ☏ 1-514-733-3026 ➢ www.crecdn.com**

En Outaouais

- **Club de recherche d'emploi La Relance Outaouais, 270 bd des Allumettières, Gatineau (Québec), J8X 1N3 ☏ 1-819-770-6444 ➢ www.larelance.ca**

À Québec

- **Groupe intégration travail, point de service : 2750, ch. Sainte-Foy, bur. 220, Québec (Québec) G1V 1V6 ☏ 1-418-653-3099 ➢ www.git.qc.ca**

À Sherbrooke

- **Centre d'orientation et de recherche d'emploi de l'Estrie, 65, rue Meadow, Sherbrooke (Québec), J1H 6N2 ☏ 1-819-822-3226 ➢ www.orientationemploi.org**
  Ainsi qu'un bureau à Magog en Estrie

En Lanaudière

- **Action RH Lanaudière, 640, rue Langlois, bureau 4 Terrebonne (Québec) J6W 4P3 ☏ 1-450-492-4104 ➢ www.actionrhlanaudiere.org**

le mandat se limite aux personnes arrivant de France et qui a agrandi ses bureaux de 70 % en 2010, a aidé plus de 1 500 nouveaux inscrits en 2011. Aussi, cette même année, plus de 1 000 personnes ont été placées chez des employeurs. Ces organismes offrent gratuitement la possibilité de rencontrer un conseiller qui saura vous orienter dans vos démarches d'emploi. Vous pouvez également utiliser leurs centres de documentation et leurs ordinateurs. Ils organisent, par ailleurs, des rencontres entre employeurs et candidats. Leur avantage ? Une très bonne connaissance des immigrants arrivant, français et francophones dans le cas de la CITIM. Ils peuvent aussi vous aider si vous êtes en voyage de repérage ou doté d'un visa temporaire de travail ou encore si vous êtes un étudiant français en recherche de travail à temps partiel.

La CITIM (anciennement AMPE, Agence montréalaise pour l'emploi) qui fête ses 25 ans en 2011 offre quelques services spécifiques comme l'atelier de recherche d'emploi d'une durée de trois semaines à temps plein. On y retrouve également des ateliers pour

PROGRAMME MONTRÉALAIS INTERCONNEXION

En partenariat avec Emploi-Québec, le programme Interconnexion de la Chambre de commerce du Montréal métropolitain a permis à plus de 500 stages d'avoir lieu entre 2008 et 2010. En 2011, près de 300 stages ont été réalisés avec un taux de placement de 60 %. En 2011, 450 nouveaux arrivants issus de 48 pays différents ont participé à Interconnexion. Des activités de jumelage, des rencontres professionnelles et du réseautage sont également inclus dans le programme.

☛ Pour en savoir plus et s'y inscrire :
www.ccmm.qc.ca/fr/lachambre-Je_m_implique-Interconnexion

CENTRES D'EMPLOI : OÙ SE RENSEIGNER ?

VOICI UNE LISTE NON EXHAUSTIVE des centres d'emploi classés par ville ; pour la liste complète, voir les liens internet.

À Montréal

- Centre local d'emploi, CLE Plateau Mont-Royal, 5105, avenue de Gaspé, 3e étage, Montréal (Québec) H2T 0A1 ☎ 1-514-872-4922.
- Centre local d'emploi, CLE Côte-des-Neiges, 6655, ch. de la Côte-des-Neiges, 3e étage, Montréal, (Québec) H3S 2B4 ☎ 1-514-872-6530.
- Carrefour jeunesse-emploi de Côte-des-Neiges, 6555, ch. Côte-des-Neiges, bur. 240, Montréal, (Québec) H3S 2A6 ☎ 1-514-342-5678 ➢ www.cjecdn.qc.ca
- Carrefour jeunesse-emploi Centre-Sud/Plateau Mont-Royal/Mile-End, 1035, rue Rachel Est, 3e étage, Montréal, (Québec) H2J 2J5 ☎ 1-514-528-6838 ➢ www.cjeplateau.org
- Carrefour jeunesse-emploi Montréal Centre-Ville, 1184, rue Sainte-Catherine Ouest, bur. 300, Montréal, (Québec) H3B 1K1, ☎ 1-514-875-9770 ➢ http://cjemontreal.org
- Service Canada Centre-Est de Montréal, 5455, rue Chauveau, 1er étage, Montréal, (Québec) H1N 1G8 ☎ 1-514-335-3330.
- Service Canada Centre-ville/Sud-Ouest de Montréal, 1001, bd de Maisonneuve Est, 2e étage, Montréal, Québec, H2L 5A1 ☎ 1-514-522-4444.

À Laval

- Centre local d'emploi, CLE Chomedey-Sainte-Dorothée, 1438, bd Daniel-Johnson, Laval, (Québec) H7V 4B5 ☎ 1-450-680-6400.
- Centre local d'emploi, CLE de Laval-des-Rapides, 3, place Laval, bureau 430, Laval (Québec) H7N 1A2 ☎ 1-450-972-3050
- Carrefour jeunesse-emploi de Laval, 1, Place Laval, bureau 110, Laval, H7N 1A1 ☎ 1-450-967-2535.
- Service Canada Laval, 1041, bd des Laurentides, rez-de-chaussée, Laval, (Québec) H7V 2X2 ☎ 1-450-682-8950.

(...)

À Québec

- Centre local d'emploi, CLE des Quartiers-Historiques, 400, bd Jean-Lesage, hall ouest, bur. 40, Québec, (Québec) G1K 8W1 ☎ 1-418-643-3300.
- Centre local d'emploi, CLE Sainte-Foy, 1020, route de l'Église, 4e étage, Sainte-Foy, (Québec) G1V 5A7 ☎ 1-418-646-8066.
- Carrefour jeunesse-emploi de la Capitale nationale, 265-A rue de la Couronne, Québec, (Québec) G1K 6E1 ☎ 1-418-524-2345 ➢ www.cjecn.qc.ca
- Carrefour jeunesse-emploi Jean-Talon/La Peltrie/Louis-Hébert, (centre de formation option travail Sainte-Foy), 2750, ch. Sainte-Foy, bur. 295, Sainte-Foy, (Québec) GIV 1V6 ☎ 1-418-651-6415 ➢ www.trouveunemploi.com
- Service Canada Québec pour les jeunes, 330, rue de la Gare-du-Palais, rdc, Québec, (Québec) G1K 7L5 ☎ 1-866-754-2700, poste 5550.
- Service Canada Sainte-Foy, 3175, ch. des Quatre-Bourgeois, bur. 200, Sainte-Foy, (Québec) G1W 5A9 ☎ 1-418-681-2599.

À Sherbrooke

- Centre local d'emploi de Sherbrooke, 70, rue King Ouest, bureau 100, Sherbrooke, J1H 0G6 ☎ 1-819-820-3411 ou 1 800 268-3411 (sans frais)
- Carrefour jeunesse-emploi de Sherbrooke, 20, rue Wellington Nord, Sherbrooke, J1H 5B7 ☎ 1-819-565-2722 ➢ www.cje-sherbrooke.qc.ca
- Service Canada Sherbrooke, 124, rue Wellington Nord, Sherbrooke, (Québec) J1H 5X8 ☎ 1-819-564-5864.

À Gatineau

- Centre local d'emploi, CLE Hull, 170, rue Hôtel-de-Ville, 9e étage, Hull, (Québec) J8X 4C2 ☎ 1-819-772-3502.
- Centre local d'emploi, CLE Gatineau, 456, bd de l'Hôpital, bur. 300, Gatineau, Québec, J8T 8P1 ☎ 1-819-568-6500.

(...)

- **Carrefour jeunesse-emploi de l'Outaouais, 350, bd de la Gappe, Gatineau, (Québec) J8T 7T9 ☎ 1-819-561-7712 ➢ www.cjeo.qc.ca**
- **Service Canada Outaouais, 920, bd Saint-Joseph, Gatineau, Québec, J8Z 1S9 ☎ 1-819-953-2830.**

les Pvtistes (les utilisateurs du Programme Vacances travail), et des sessions sur « S'adapter au monde du travail québécois » et « Vivre ensemble au Québec ».

L'OFII vous permet de participer à des cours d'anglais dans ses locaux au tarif de 190 $ CAN pour vingt heures de cours. Il est aussi possible de suivre des modules interculturels avec un spécialiste de la culture et du social au travail comme Pierre Olivier Saire, professeur à HEC Montréal. L'organisme donne aussi des conférences sur le système bancaire et fiscal, sur le marché caché du travail, le réseautage, les normes de travail, etc. Il reçoit également la visite d'employeurs en quête de candidatures. Nadir Sidhoum, directeur de l'OFII depuis 2009, affirme que de plus en plus de candidats sollicitent son organisme avec des visas temporaires, souvent des Pvtistes. « L'immigrant c'est un entrepreneur ; n'immigre pas qui veut, affirme-t-il. Tout le monde n'est pas fait pour quitter son pays, c'est un arrachement. Il faut avoir une grande soif d'aventure et d'énergie pour affronter ce nouveau défi. »

Depuis novembre 2006, l'OFII a ouvert un bureau à la ville de Québec. En 2010, celui-ci a accueilli un conseiller en immigration professionnelle. Les services sont identiques à ceux de Montréal sauf pour les cours d'anglais.

À Québec, les personnes immigrantes nouvellement installées dans la région peuvent également bénéficier de l'aide du SOIIT (Service d'Orientation et d'Intégration des Immigrants au Travail). Créé en

1985, cet organisme a accueilli 606 personnes en 2009 avec un taux de réussite de 70 %. Le SOIIT offre les services suivants : l'entretien individuel, des ateliers de groupe (de 1, 3 et 6 semaines), un service de documentation, d'orientation professionnelle et de jumelage professionnel (12 semaines avec une personne issue du même domaine). Sans oublier un service de placement direct lié aux entreprises. Selon le directeur général de l'organisme, Babakar-Pierre Touré, le besoin de main d'œuvre est important dans la région de Québec.

Les clubs de recherche d'emploi

Les clubs de recherche d'emploi ou les ateliers des organismes d'aide aux immigrants peuvent vous informer, vous orienter et vous soutenir lors de vos démarches. Les services des clubs de recherche d'emploi sont gratuits puisque financés par Emploi-Québec, le ministère du Travail québécois. Vous y trouverez des conseils mais également un accès gratuit à Internet, des téléphones, des ordinateurs, des photocopieurs, du matériel audiovisuel, des services de traitement de texte, des centres de documentation et des quotidiens. Ces clubs ne sont pas spécialisés dans l'accueil aux nouveaux arrivants : si vous souhaitez une aide plus adaptée, consultez la rubrique sur les organismes d'aide aux immigrants (page 144).

Les centres de recherche d'emploi

Des organismes gouvernementaux pourront vous assister sur place dans votre quête de travail. Nous vous présentons ici trois catégories d'organismes : les centres locaux d'emploi, les centres de ressources humaines du Canada et les carrefours jeunesse-emploi. Même si ces centres ne sont pas spécialisés dans l'accueil des immigrants, vous y trouverez cependant des offres d'emploi, des listes d'entreprises, des conseillers. En consultant les sites Web de ces organismes, vous découvrirez une foule d'informations, d'offres et leurs coordonnées.

Les CLE (Centres locaux d'emploi) du ministère de l'Emploi et de la Solidarité du Québec sont répartis en 154 centres dans les 17 régions administratives de la province (www.mess.gouv.qc.ca). Tous les CLE d'Emploi-Québec comprennent un service d'accueil, d'emploi et d'aide financière, ainsi qu'une salle multiservice.

Les centres de ressources humaines du gouvernement du Canada (Service Canada) se trouvent sur tout le territoire (www.rhdcc.gc.ca et www.servicecanada.gc.ca). Ils gèrent les offres d'emploi et proposent, par ailleurs, plusieurs services d'accompagnement. Ainsi, c'est dans ces centres que les travailleurs étrangers, sans visa de résident permanent, doivent valider leur travail.

Les carrefours jeunesse-emploi du Québec s'adressent aux jeunes de 18 à 35 ans de la province (www.cjereseau.org).

LES ENTREPRISES FRANÇAISES AU QUÉBEC

Sur les dix premiers mois de 2011, les échanges de biens entre la France et le Canada ont atteint plus de 7 milliards d'euros, en croissance de 13 % par rapport à l'année précédente. La France est l'un des plus importants investisseurs au Canada, avec plus de 24 milliards de dollars canadiens, dont 8 milliards pour le Québec. Et au Québec, la France est le deuxième investisseur étranger après les États-Unis. Au cours des années 90, les investisseurs français ont augmenté leur mise d'année en année, même si le premier investisseur dans l'économie canadienne reste, et de loin, les États-Unis. Plus de 80 000 employés se retrouvent maintenant dans les filiales françaises en terre canadienne. La Belle Province accueille plus de 330 sièges sociaux de filiales françaises sur son territoire et plus des trois quarts sont des émanations de PME (Petites et moyennes entreprises). Des entreprises établies qui sont présentes dans tous les domaines : la haute technologie, la construction automobile, le textile, la distribution alimentaire, les produits pharmaceutiques, l'édition, etc. Dans les relations économiques franco-canadiennes de ces dernières années, l'aéronautique constitue 25 % des échanges autant au niveau de l'importation que de

Vécu

Une expat à Ubisoft Montréal

ORIGINAIRE DE LA DRÔME, CLAIRE CHABERT a fait sciences politiques à Grenoble et l'école de management de Lyon. Après son dernier diplôme, elle s'installe à Paris pour travailler au département marketing de Nestlé. Elle y travaille pendant six ans, et termine chef de marque senior. Mais en 2008, elle décide de prendre une année sabbatique avec son conjoint afin de faire un tour du monde. « À mon retour, j'avais une impression de déjà-vu dans mon boulot, affirme-t-elle. Et j'ai appris qu'à Ubisoft Paris, ils cherchaient des gens connaissant le marketing. »

CLAIRE DÉCIDE ALORS DE QUITTER L'AGROALIMENTAIRE pour travailler dans la branche des jeux vidéos. Pendant deux ans, elle est chef de marque senior dans les jeux de musique chez Ubisoft. Et dans le cadre de son travail elle doit venir quelquefois à Montréal, une ville qui l'a séduite tout de suite. Charmée par la métropole, elle demande donc à Ubisoft un transfert. « Au Québec, c'est facile de communiquer et, en même temps, stimulant et énergisant. J'ai à la fois le sentiment de confort et de découverte, constate-t-elle. Il y a des bases linguistiques communes qui nous permettent de passer outre la barrière de la langue. Et Montréal est une ville où on peut se sentir rapidement à l'aise. » *(...)*

(...) **Claire s'installe à Montréal en octobre 2010 avec un visa temporaire qui la lie à son employeur en France pour un contrat de trois ans. Directrice de marque casual et de produit de jeux de danses et de fitness, elle dirige une équipe internationale formée principalement de Québécois. « Au niveau des rapports avec les collègues, j'ai trouvé le consensus très agréable. J'ai pu ainsi mieux comprendre les objectifs de mes collègues, souligne-t-elle. Les gens pourraient se taire mais ils s'expriment au contraire et, quoi qu'il arrive, ils exposent leur vue et on en discute. »**

ELLE EST TOUJOURS SÉDUITE par Montréal. « C'est une des rares villes qui me permet à la fois de vivre à mon rythme et de profiter facilement d'une offre culturelle dynamique, constate-t-elle. Ce n'est pas la ville qui s'impose à toi comme à Paris ou New York. J'adore l'hiver et qu'il fasse très froid, ceci nous oblige à ralentir. » Par ailleurs, selon elle, le Québec est l'un des seuls endroits pour les Français ou l'on peut s'expatrier sans prendre beaucoup de risques. « Si on n'est pas bien et que ça ne marche pas, on peut rentrer, alors pourquoi ne pas tenter ? » lance-t-elle.

Claire et son conjoint ont fait la demande de résidence permanente. « C'est un moyen de prolonger notre expérience québécoise, affirme-t-elle. Nous verrons bien où cela nous mènera... »

l'exportation. Le Québec occupe une large place dans les rapports entre les deux pays puisqu'il absorbe à lui seul 50 % des exportations françaises au Canada. En fait, la part de marché de la France au Québec a augmenté de 18 % depuis l'an 2000. Les produits pharmaceutiques français ont, pour leur part, vu leurs ventes quadrupler durant cette période. Saviez-vous que le Québec est l'un des seuls marchés au monde où les ventes de vins français continuent de progresser ? La Société des alcools du Québec (SAQ) est le premier acheteur mondial de vins français. Le Québec et la France ne font pas que partager une langue et une histoire, ils sont aussi liés par des relations économiques importantes.

Faible ouverture pour les Français

Il est faux de croire qu'il est plus facile d'approcher les entreprises françaises installées au Québec plutôt que les autres. Selon Yann Hairaud de la CITIM (Clef pour l'intégration au travail des immigrants), ceci est même fortement déconseillé aux Français. « Les entreprises françaises qui se sont implantées au Québec se sont installées là pour développer leur part de marché. Elles fonctionnent donc avec une équipe très restreinte et cherchent plutôt des gens du cru. Lorsqu'un Français débarque, il a peu de chance de les intéresser. D'un point de vue stratégique, ces entreprises n'ont pas intérêt à n'embaucher que des Français. » Selon lui, si ces entreprises veulent s'adapter aux marchés québécois et nord-américains, elles ont tout intérêt à s'attacher les services de personnel impliqué dans le milieu. « Seuls les candidats plus expérimentés qui connaissent le marché québécois pourraient avoir des ouvertures. Après quelques années, leur connaissance du marché peut jouer en leur faveur », affirme-t-il.

Entreprises françaises au Québec : qui contacter ?

Nous vous proposons ici une liste non exhaustive des entreprises françaises installées au Québec, classées par secteurs d'activité.

Assurances et banques

- Axa, 2020, rue Université, bureau 700, Montréal, Québec, H3A 2A5 ☎ 1-800-361-4330 ➢ www.axa.ca
- BNP Paribas, 1981, Avenue McGill College, bur. 515, Montréal, Québec, H3A 2W8 ☎ 1-514-285-6000 ➢ www.bnpparibas.ca
- Société générale, 1501, McGill College, bur. 1800, Montréal, Québec, H3A 3M8 ☎ 1- 514-841-6000 ➢ www.sgcib.com/canada

Industries

- Air liquide, 1250, bd René-Lévesque Ouest, suite 1700, Montréal, (Québec) H3B 5E6 ☎ 1-514-933-0303 ➢ www.airliquide.ca
- Lectra Systèmes, 110 Bd Cremazie ouest, suite 900, Montréal, H2P 1B9, Québec ☎ 1-514-383-4613 ➢ www.lectra.com
- Alcatel-Lucent, 600 de Maisonneuve Bd ouest, suite 750, Montréal, Québec, Canada H3A 3J2 ☎ 1-514-935-7750 ➢ www.alcatel-lucent.ca
- Safran (ancien Messier-Dowty), 13000, Du Parc, Mirabel, Québec, J7J 1P3 ☎ 1-450-434-3400 ➢ www.safranmbd.com
- Alstom Canada, 7-B, place du Commerce, Brossard, Québec, J4W 3K3 ☎ 450 923-7070 ➢ www.alstom.com
- Lafarge, 4000, Hickmore, Saint-Laurent, (Montréal), Québec, H4T 1K2 ☎ 1-514-344-9482 ➢ www.lafargenorthamerica.com
- Danone, 100, rue de Lauzon, Boucherville, Québec, J4B 1E6 ☎ 1-450-655-7331 ➢ www.danone.ca
- Michelin, 2500, bd Daniel-Johnson, suite 500, Laval, Québec, H7T 2P6 ☎ 1-450-978-4700 ➢ www.michelin.ca
- Essilor Canada, 295, rue Deslauriers, Saint-Laurent, Québec H4N 1W2 ☎ 1-514-337-2211 ➢ www.essilor.ca
- Thalès Canada, 2800 avenue Marie-Curie, Saint-Laurent, H4S 2C2 ☎ 1-514-832-0900 ➢ www.thalesgroup.ca
- Sodexho Canada, 930, rue Wellington, bur. 100, Montréal, Québec, H3C 1T8 ☎ 1-514-866-7070 ➢ www.sodexhoca.com

Informatique

- Matra Datavision, 7575, route Transcanadienne, bur. 500, Saint-Laurent, Québec, H4T 1V6 ☎ 1-514-332-4544 ➢ www.matra-datavision.com
- Ubi Soft, 5505, bd Saint-Laurent, bur. 5000 Montréal, Québec, H2T 1S6 ☎ 1-514-490-2000 ➢ www.ubi.com

Loisirs, transports, services

- Air France, 2000, rue Mansfield, 15e étage, suite 1510, Montréal, Québec, H3A 2Z6 ☎ 1-514-847-5020 ➤ www.airfrance.ca

Vécu

Travailler dans une province anglophone

DE NOMBREUX IMMIGRANTS ***décident de mettre le cap sur une province anglophone du Canada, parfois après un séjour plus ou moins long au Québec. C'est le cas de Laurence Dupin qui a quitté la Belle Province après quatre ans et demi à Montréal. Cette journaliste n'a jamais pu trouver un travail à sa mesure au Québec. En mai 2001, elle débarque à Toronto, la capitale cosmopolite et économique du Canada.***

« L'ADAPTATION À TORONTO a été très dure. Lorsque l'on arrive de France à Montréal c'est très facile, ça se ressemble beaucoup, même si on peut commettre quelques erreurs au début. Toronto : c'est le choc culturel ! On est vraiment à l'étranger cette fois. Passer par Montréal m'a permis de savoir comment fonctionnait le système canadien et ce n'est pas plus mal. Je ne suis pas sûre que j'aurais pu aussi bien m'adapter à Toronto en arrivant directement de France. Car je me serais retrouvée confrontée en même temps à la langue et au système, et rien que la langue c'est déjà beaucoup ! » Laurence a trouvé un emploi à sa mesure, mais elle paie son logement trois fois plus cher qu'à Montréal. « Par contre, les Ontariens ont moins d'*a priori* vis-à-vis des Européens que les Québécois », affirme-t-elle.

TOUS LES IMMIGRANTS résidant au Québec peuvent ensuite s'installer dans une autre province, puisqu'ils ont déjà leur visa pour le Canada et un numéro d'assurance sociale. Les démarches d'immigration sont *grosso modo* identiques, le marché du travail fonctionne de la même façon qu'au Québec, la même attitude nord-américaine est présente au niveau des relations de travail et dans les rapports entre les individus. La seule réelle différence : il faut vivre dans un cadre anglophone et s'exprimer en anglais au travail.

- Publicis Canada, 3530, bd Saint-Laurent, suite 400, Montréal, H2X 2V1 ☎ 1-514-285-1414 ➢ www.publicis.ca
- L'Oréal Paris, 1500, rue University, suite 600, Montréal, Québec, H3A 3S7 ☎ 1-514-287-4800 ➢ www.lorealparis.ca
- Salomon, 4600 bd Cousens, suite 100, St-Laurent, H4S 1X3 ☎ 1-514-331-5622 ➢ www.salomonsports.com
- Rossignol, 955, rue André-Liné, Granby, Québec, J2J 1J6 ☎ 1-450-378-9971 ➢ www.rossignolcanada.com
- Librairie Gallimard, 3700, bd Saint-Laurent, Montréal, Québec, H2X 2V4 ☎ 1-514-499-2012 ➢ www.gallimardmontreal.com

Pharmacie, laboratoires, recherche biotechnologique

- Aventis Technologies, 2150, bd St-Elzéar Ouest, Laval, Québec, H7L 4A8 ☎ 1-514-331-9220 ➢ www.sanofi.ca
- Boiron Canada, 1300, rue René-Descartes, Saint-Bruno-de-Montarville, Québec, J3V 0B7 ☎ 1-450-442-2066 ➢ www.boiron.ca
- Mérial Canada, 20 000, rue Clark-Graham, Baie d'Urfé, Québec, H9X 3R8 ☎ 1-514-457-1555 ➢ www.merial.ca
- Servier, 235, bd Armand-Frappier, Laval, Québec, H7V 4A7 ☎ 1-450-978-9700 ➢ www.servier.ca

Les secteurs porteurs

L'économie du Québec s'est largement diversifiée ces dernières années. Longtemps assise sur les ressources naturelles, elle s'est tournée vers les nouvelles technologies, tout en demeurant fidèle à d'autres secteurs florissants. Selon Yann Hairaud de la CITIM (Clef pour l'intégration au travail des immigrants), de nombreux secteurs sont porteurs tels que la santé, les services professionnels (ingénieurs, génie mécanique et génie électrique, etc.), la fabrication et la production manufacturière, la construction, les métiers techniques dans la construction industrielle.

Malgré le ralentissement économique, l'état de la démographie québécoise cumulé aux nombreux départs à la retraite a pour conséquence un fort besoin de main-d'œuvre au Québec et ce dans de nombreux domaines. En effet, d'ici à 2019, la Belle Province devra attirer 1,4 million de nouvelles personnes de plus sur le marché du travail afin de combler les besoins. D'ici à 2014, selon Nadir Sidhoum de l'OFII, 732 000 postes seront à pourvoir. L'équivalent à l'échelle française serait 6 millions d'emplois, affirme-t-il. Vous imaginez la perspective ! On peut comprendre que le Québec est en plein bouleversement, et ce déficit s'accroît. Pire, selon Emploi-Québec, l'année 2013 représente un tournant majeur ; à cette date, la population du Québec en âge de travailler amorcera son déclin. Ainsi, il y aura davantage de travailleurs qui quitteront le marché de l'emploi que de nouveaux employés. D'ici à 2018, c'est 27 % de la main-d'œuvre aujourd'hui en poste au Québec qui devrait quitter son travail. Ces données menacent tout l'équilibre économique, la diminution de la population active pouvant engendrer une décroissance de l'économie. Rappelons qu'un Québécois sur trois aura plus de 65 ans en 2050.

Le nombre de chantiers de construction étant encore en hausse dans la province, ce secteur a besoin de toutes sortes de corps de métier allant des briqueteurs-maçons aux carreleurs, en passant par les mécaniciens industriels. La géomatique (science des données géographiques), dont le Canada est le leader mondial, a besoin de techniciens, d'ingénieurs et d'autres spécialistes (voir témoignage de Mickaël Leferfort, p. 162).

Le secteur de la chimie connaîtra aussi bientôt une pénurie de personnel liée au vieillissement de la population. La demande s'accroît pour les techniciens de production tels les mécaniciens de machine fixe, les soudeurs, les techniciens de laboratoire et de production.

Témoignage
Un cadre diplômé en France dans la construction

DIPLÔMÉ D'UNE MAÎTRISE EN DROIT PRIVÉ À PARIS et d'une grande école de gestion de Lyon, Pierre Berté a travaillé quatre ans comme cadre commercial grand compte pour le groupe français Colas, spécialisé en construction routière. En mai 2007, il assiste à une conférence organisée par son ancienne école de management et l'Association France-Québec à la Délégation du Québec à Paris. Interpellé par les grands espaces et la qualité de vie vantée par la Délégation, il envoie son dossier d'immigration et il obtient en quelques mois le visa. Lorsqu'il présente sa démission à son employeur, ce dernier le met en contact avec la filiale montréalaise de la compagnie française, Sintra. *(...)*

(...) **PIERRE DÉBARQUE AU QUÉBEC EN AOÛT 2008** à l'âge de 31 ans et commence quelques jours plus tard à travailler comme coordinateur commercial et marketing chez Sintra. « Je connaissais le fonctionnement de l'entreprise, affirme-t-il. Et ils m'ont proposé la même chose qu'à Paris donc j'étais aussi à l'aise qu'en France. » À l'été 2011, il devient directeur du développement des affaires. Il touche le même salaire mais obtient de meilleures conditions de travail. « À Paris, je travaillais dans un petit Versailles, constate-t-il. À Montréal, l'accès aux collègues est plus facile, les portes sont toujours ouvertes, c'est plus chaleureux. L'été on se fait un BBQ (barbecue). » Selon lui, il y a peu de demandes dans la construction au Québec parce que la population est moins importante comparativement à la France. Mais tout de même, le domaine de la construction est en plein essor au Québec puisqu'il faut refaire de nombreuses infrastructures « vieillottes ».

RÉTROSPECTIVEMENT, PIERRE NE REGRETTE PAS sa vie parisienne. « Avec le recul, je trouve que j'étais assez courageux de vivre dans un espace si restreint, affirme-t-il. Avec des embouteillages sans fin, des conditions de travail pas toujours faciles… ça permet de relativiser les hivers québécois. » Autre point positif : il apprécie de pouvoir profiter de ses soirées puisqu'il termine son travail à 18 heures. « Je peux faire d'autres choses que mon travail au Québec, clame-t-il. J'ai le temps d'aller faire le pitre ou de gratter des accords de guitare en soirée. » D'ailleurs Pierre en profite pour jouer dans une troupe de théâtre amateur, Les exclamateurs.

MAIS IL MET EN GARDE CEUX QUI PARTIRAIENT SANS RÉFLÉCHIR. « Par exemple si vous ne trouvez pas la ville de Montréal belle parce que c'est une ville moderne, souligne-t-il, et que vous cherchez une ville avec 2 000 ans d'histoire, il ne faut pas venir ici. » Il apprécie la ville pour ses espaces verts, ses parcs, ses espaces. « La seule chose qui me manque, c'est ma famille en France, qui se trouve à sept heures d'avion », constate-t-il.

Géomatique

Une profession d'avenir au Québec

MICKAËL LEFERFORT ET SA CONJOINTE NADINE *ont longuement préparé leur immigration au Québec. Ils découvrent au Salon du Livre de Paris en 2000, avec le Québec comme invité d'honneur, qu'il est possible d'immigrer dans la Belle Province francophone. Originaires de la région parisienne, ils feront deux enfants et plusieurs voyages de reconnaissance avant de débarquer à Montréal au printemps 2008.*

« **NOUS N'ÉTIONS PAS DU TOUT MALHEUREUX** en France, affirme ce diplômé d'un DESS (master) en géomatique, mais je travaillais chez Michelin et à 35 ans j'avais déjà atteint la limite en tant que cadre dans ce domaine avec un salaire ayant atteint 43 000 euros. » Il savait que l'Amérique du Nord offrait plus d'opportunités en géomatique. « Le Canada est le deuxième pays au monde dans ce secteur. C'est plus développé qu'en France. J'ai vite compris qu'il était en manque de personnel et qu'il y aurait des opportunités pour moi », se souvient Mickaël.

ARRIVÉ AU QUÉBEC, il participe à des séances spéciales du MICC (ministère de l'Immigration) dans le domaine de l'informatique. La société DMR reçoit avec grand intérêt son CV et le fait circuler pour revenir vers lui avec deux offres d'emploi en géomatique, une à Montréal et l'autre à Québec. Il accepte la deuxième proposition qui nécessite une présence trois jours par semaine dans la vieille capitale. « C'était un emploi comme indépendant de DMR pour une mission au ministère des Transports du Québec, explique-t-il. Un contrat de quelques mois, mais ça s'est très bien passé avec le client. » Par la suite il obtient un autre emploi mais comme analyste senior en géomatique pour 70 000 $ CAN chez Atvent Solutions. Cette entreprise offre de nombreux services en géomatique à des compagnies de réseaux de câble comme Vidéotron et Rogers.

DEPUIS JANVIER 2011, IL EST ARCHITECTE EN GÉOMATIQUE avec un salaire de 77 000 $ CAN (avantages sociaux inclus) au pôle de géomatique de DMR. « La hiérarchie est vraiment moins élevée au Québec (...)

(...) **et les gens plus faciles d'accès, dit-il. Par rapport à d'autres immigrants, le fait d'être français est un avantage. Pas tant en raison de notre nationalité mais parce que nous sommes des francophones alors que la majorité des autres immigrants québécois sont moins à l'aise en français. » Après plus de deux ans de vie au Québec, la famille Leferfort ne regrette pas son immigration et garde le contact avec la famille en France grâce à Internet et au logiciel Skype.**

Selon la firme de recrutement Manpower, il y a en 2011 des perspectives d'embauche dans l'industrie minière, la finance, le transport, le commerce de gros et de détail, l'administration publique ainsi que la construction et l'enseignement.

Et d'ici à 2015, le domaine de l'assurance aura besoin de 4000 nouveaux venus.

L'éducation est aussi très touchée par les départs imminents à la retraite. Au Québec, 95 % des enseignants des cégeps ont entre 45 et 55 ans. Ces collèges d'enseignement général et professionnel forment en général les étudiants âgés de 17 à 19 ans.

Les biotechnologies

L'essor du secteur des biotechnologies a été spectaculaire. Il s'agit de l'un des fleurons de l'économie québécoise. Mais le Québec a perdu 42 % des entreprises du secteur passant de 158 à 92 entreprises en cinq ans. La perte de vitesse qui touche tous les biotechs au Canada vient surtout du manque d'investissement du capital de risque depuis la récession. En effet, en 2000, les investissements dans le secteur totalisaient 811 millions de dollars canadiens alors qu'ils n'étaient que de 112 millions de dollars canadiens en 2009.

Ces dernières années, afin de contrer les coups durs, les compagnies biotechnologiques se sont associées avec des groupes pharmaceutiques en devenant leurs pourvoyeurs de projets de recherche.

Principalement installées à Montréal, les biotechnologies (ou biopharmaceutiques) comptent 90 entreprises. 80 % de leur activité dans la recherche et le développement se concentrent sur les soins de santé. Un domaine complémentaire aux biotechnologies, celui de la pharmaceutique, a développé la commercialisation des médicaments et vu ses ventes multipliées par sept au niveau mondial pendant la dernière décennie. En 2009, la pharmaceutique au Québec emploie près de 30 000 travailleurs. Mais les acteurs de ce secteur font face à l'accélération de la perte de brevets de médicaments vedettes, les forçant à réduire leurs coûts. Ainsi de nombreuses compagnies ont réduit leurs effectifs. Merck et Schering ont fusionné, tout comme Pfizer et Wyeth. Le plus important centre de recherche spécialisé en biotechnologies au monde, l'Institut de recherche en biotechnologies, est installé à Montréal. Mais il existe d'autres centres un peu partout au Québec, par exemple, la Cité de la biotech à Laval, le centre de développement des biotechnologies Angus à l'est de Montréal, ainsi que le centre de biotechnologies à Saint-Augustin-de-Desmaures, non loin de Québec. L'âge moyen du salarié des entreprises en biotechologies est de 30 ans, la question de la relève inquiète donc moins les employeurs que dans d'autres secteurs.

Les entreprises leaders du secteur

Les biotechnologies regroupent des entreprises dans trois secteurs distincts : la santé humaine et animale ; l'agriculture, le bioalimentaire et la foresterie ; l'environnement. Les entreprises de biotechnologies spécialisées en santé humaine et animale représentent plus de 60 % des entreprises québécoises du secteur.

Le secteur de la santé humaine et animale compte des entreprises comme AstraZeneca, Boehringer Ingelheim, Bristol-Myers Squibb, DiagnoCure, Laboratoires Aeterna, Merck, QBiogene et BioSignal, Gene Signal, Technologies IBEX et Theratechnologies.

Le secteur de l'agriculture, du bioalimentaire et de la foresterie pour sa part se divise en deux catégories : la transformation des aliments et la production primaire. Les recherches portent sur les biopesticides, la production de plantes plus résistantes aux bactéries pathogènes et aux virus, le développement de vecteurs pour la manipulation génétique des récoltes et la production de graines hybrides exemptes de maladies. Agropur, Lactel, Danone, Boviteq, Lallemand, Aliments Burns Philp, Nexia Biotechnologies et Premier Tech font des recherches dans ces différents secteurs.

Dans le secteur de l'environnement, les entreprises des bio-industries traitent principalement de l'assainissement des eaux potables et industrielles et de la réhabilitation des sites contaminés. Les travaux portent, entre autres, sur la biofertilisation, les biopesticides et le traitement des sols contaminés. Sont concernées les entreprises suivantes : Biogénie, Serrener, Premier Tech, SNC-Lavalin et Sodexen. Pour les quinze prochaines années, certaines entreprises sont orientées vers la génomique, c'est-à-dire l'étude de la fonction des gènes. Les deux principaux secteurs de cette spécialité sont, pour les premiers, le génie génétique, l'ingénierie peptidique et protéinique, les antigènes, les vaccins et l'immunologie, la biorestauration, les biopuces et les biocapteurs. La deuxième spécialité est le développement des infrastructures. Ces développements requièrent des techniciens de contrôle de la qualité, des opérateurs de fabrication et aussi des représentants des ventes.

LES CONTACTS UTILES DANS LE SECTEUR

LES ENTREPRISES QUI EMBAUCHENT

- Aptalis Pharma Inc., 597, bd Laurier, Mont-Saint-Hilaire, Québec, J3H 6C4 ☎ 1-450-467-5138 ➢ www.aptalispharma.com ✉ ijob@axcan.com
- CTBR, Laboratoires Charles River, 87, ch. Senneville, Senneville, Québec, H9X 3R3 ☎ 1-514-630-8209 ➢ www.criver.com
- Astra Zeneca, 7171, Frederick-banting, Saint-Laurent, Québec, H4S 1Z9, Montréal ☎ 1-514-832-3200 ➢ www.astrazeneca.ca
- Site d'emploi spécialisé dans la pharmaceutique ➢ www.pharmaceutical.com
- Laboratoires Abbott Ltée, 8401, route Transcanadienne, Saint-Laurent, Québec, H4S 1Z1 ☎ 1-514-832-7000 ➢ www.abbott.ca
- Rio Tinto Alcan, 1188, rue Sherbrooke ouest Montréal, Québec, H3A 3G2 ☎ 1-514-848-8000 ➢ www.riotintoalcan.com
- Merck Frosst, 16711, route Transcanadienne, Kirkland, Québec, H9H 3L1 ☎ 1-514-428-8600 ➢ www.merck.ca
- Pfizer Canada, 17300, route Transcanadienne, Kirkland, Québec, H9J 2M5 ☎ 1-514-695-0500 ➢ www.pfizer.ca
- Schering-Plough Canada, 16750 route Transcanadienne, Kirkland, Québec, H9H 4M7 ☎ 1-514-426-7300 ➢ www.schering-plough.ca
- Recrus sciences (agence de recrutement), 360, rue Notre-Dame Ouest, bureau 102, Montréal, Québec, Canada, H2Y 1T9 ☎ 1-514-990-5026 ➢ www.recruscience.com

LIENS INTERNET POUR EN SAVOIR PLUS SUR CES SECTEURS

- BioQuébec ➢ www.bioquebec.com
- Biotech Canada ➢ www.biotech.ca
- Compagnies de recherche pharmaceutique du Canada ➢ www.canadapharma.org
- Conseils des ressources humaines en biotechnologie ➢ www.biotalent.ca

(...)

(...)

- **Bioportail ➢ bioportail.gc.ca**
- **Institut de recherche en biotechnologie ➢ www.bri.nrc.ca**
- **Centre québécois d'innovation en biotechnologie ➢ www.cqib.org**
- **Pharma bio ➢ www.pharmabio.qc.ca**
- **Montréal In Vivo ➢ www.montreal-invivo.com**

LES EMPLOIS PROPOSÉS DANS CES SECTEURS

Voici les principaux postes proposés dans les biotechnologies et la pharmaceutique : agent de brevets, agent de marketing, bio-informaticien, biologiste moléculaire, chimiste, gestionnaire de projet, infirmière, nanotechnologue, opérateur de fabrication, pharmacologue, représentant des ventes, représentant pharmaceutique, spécialiste en génomique et en protéomique, statisticien, technicien de laboratoire, technicien de production, technicien en contrôle de la qualité, toxicologue.

LES SERVICES DE SANTÉ

Le système de santé québécois regroupe plus de 480 établissements publics et privés parmi lesquels des centres hospitaliers, des CHSLD (Centres d'hébergement et de soins de longue durée), des centres locaux de services communautaires, des centres de réadaptation et des centres de protection de l'enfance et de la jeunesse. Il existe de nombreux cabinets de médecins et des cliniques offrant différents soins. La grave pénurie de personnel dans ce secteur a déjà commencé à se faire sentir dans le système de santé québécois.

Pénurie de médecins et d'infirmiers

D'ici à 2015, un travailleur sur deux du secteur de la santé quittera la profession. Les autorités devront embaucher 110 000 personnes afin de répondre à la demande grandissante... Les départs à la retraite du personnel, le vieillissement de la population et son corollaire une plus forte demande en soins de santé, le développement des soins à domicile, génèrent une pression accrue sur le système de santé. Certaines professions sont plus touchées que d'autres. Les infirmières et les médecins manquent grandement. 60 % des médecins de famille du Canada ne peuvent plus répondre aux besoins et accepter de nouveaux patients. En 2009, le Collège des médecins affirmait que le Québec ne pourra pas endiguer cette pénurie de médecins avant dix ans. Il manquerait au moins 2 000 médecins pour combler les besoins dont 950 omnipraticiens et 825 médecins spécialistes. « Même si 500 nouveaux médecins sont entrés dans le système de santé québécois en 2009, affirme le Dr Yves Lamontagne, président du Collège, 300 sont partis à la retraite, cela nous fait juste 200 médecins de plus. » Certaines régions du Québec ont de plus grands manques en médecins que d'autres, comme celles de l'Outaouais, des Laurentides (au nord de Montréal) et dans Lanaudière (au nord-est de Montréal). Du côté des infirmières, l'Ordre des infirmières et infirmiers du Québec considère qu'il faudrait 2 500 embauches chaque année pour combler les départs à la retraite. Toujours selon l'Ordre, la province pourrait perdre 26 000 infirmières d'ici à 2014 à cause de ces départs en retraite, une situation qui ne fait qu'aggraver la pénurie. En effet, l'organisme rapporte que 15 000 infirmières québécoises sont âgées de 55 ans et plus, soit 21 % de l'effectif. Mais le système a aussi besoin d'autres renforts tels que des préposés aux bénéficiaires, des infirmières auxiliaires, des techniciens de laboratoire en radiologie et en radio-oncologie.

LIENS INTERNET SUR LE SECTEUR DE LA SANTÉ

VOICI QUELQUES SITES INTERNET qui vous permettront de compléter vos informations sur le secteur de la santé au Québec.

- **Collège des médecins du Québec ➢ www.cmq.org**
- **L'univers santé ➢ www.sante.qc.ca**
- **Ministère de la Santé et des Services sociaux ➢ www.msss.gouv.qc.ca**
- **Ordre des infirmières et infirmiers du Québec ➢ www.oiiq.org**
- **Avenir en santé ➢ www.avenirensante.com**
- **Emploi en santé ➢ www.emploisante.com**

De nombreux médecins ont plus de 65 ans, c'est le cas de plus d'environ 20 % des spécialistes de l'endocrinologie, des chirurgiens généraux et des neurochirurgiens. Une pénurie d'urologues est aussi à craindre puisque 25 % de ces professionnels auront l'âge de la retraite dans cinq ans. Ces besoins ne sont pas prêts de diminuer et ceci dans toutes les régions du Québec. Les autorités sont même allées chercher une main-d'œuvre en France en renouvelant, par exemple, leur présence au Salon Infirmier de Paris. Depuis 2000, des centaines d'infirmières françaises ont été recrutées lors de ces missions (voir le témoignage de Delphine Cros page 170) avec un visa de travail temporaire.

FAIRE RECONNAÎTRE SON DIPLÔME FRANÇAIS

Les médecins, les infirmières et les autres travailleurs du système de santé peuvent déposer une demande d'immigration pour le Québec. Si vous voulez immigrer, sachez que vous devrez faire homologuer votre titre auprès de l'ordre professionnel concerné. Il est très important de se renseigner au préalable auprès de ce dernier sur les

Vécu

Delphine Cros, une infirmière française au Québec

DELPHINE CROS, infirmière d'une trentaine d'années, est installée depuis 17 ans à Marseille quand elle décide d'immigrer avec son mari cuisinier et leurs trois enfants. « Je viens d'une famille de voyageurs, mes parents nous ont toujours encouragés à partir », confie-t-elle.

APRÈS UNE PREMIÈRE RENCONTRE avec les représentants du Québec au Salon Infirmier de Paris en 2004, elle retarde son départ afin de s'occuper de son père mourant. Mais, après le décès de ce dernier, son projet reprend son cours. « La mentalité du Québec nous convient davantage. Nous avions du mal à supporter les Français en France », avoue Delphine qui travaille alors comme libérale à son compte. « Au Québec, le travail ne manque pas ; il y a plus d'opportunités. On peut refaire des études plus facilement par exemple, constate-t-elle. C'est davantage un pays d'avenir pour mes enfants que la France. »

AYANT SIGNÉ POUR 2 ANS AVEC LE CHUM (Centre Hospitalier de l'Université de Montréal), elle débarque en juin 2008 avec la conviction de venir s'y installer pour de bon. Elle débute le 25 septembre 2008 en même temps que 17 autres infirmières françaises, avec 10 jours de théorie et 45 jours de stage d'intégration pratique. Delphine prend ses fonctions dans le service néphro-endocrinologie-vasculaire du CHUM. Elle travaille le jour et la nuit même si c'est difficile à gérer avec trois enfants. Par la suite, elle est affectée aux urgences de l'hôpital Saint-Luc de Montréal. « C'était très dur mais c'est un super service. C'est stimulant », affirme-t-elle.

MAIS LES HORAIRES DE NUIT ET LES VACANCES inexistantes pour les débutantes l'amènent à changer pour une agence privée en octobre 2009. « Le plus grand problème c'est celui des horaires, affirme-t-elle. Lorsqu'on est immigrante, on repart du bas de l'échelle ; le salaire, en revanche, est évalué en fonction de l'expérience. » Avec cette agence, elle est mandatée pour divers hôpitaux, payée au minimum *(...)*

(...) **12 $ de l'heure de plus que dans le public. Cette mère de trois enfants connaît désormais ses horaires deux mois à l'avance. Elle peut donc planifier ses fins de semaine (week-end), exiger de travailler la journée seulement et avoir des vacances en été avec les enfants.**

POUR SE REMETTRE À NIVEAU, elle a rempli toutes les exigences de l'Ordre des infirmières du Québec. « J'ai passé mon examen en mars 2009, relate-t-elle. Deux jours d'examen pratique et théorique. Mais avec la reconnaissance des diplômes (voir page 232), les infirmières françaises n'auront plus à passer par le même circuit. » Même si le Québec doit faire face à une pénurie de personnel dans le domaine de la santé, Delphine considère que les soins promulgués, lorsque les gens y ont accès, sont de qualité. « Ici au Québec on "autonomise" les gens, on ne les rend pas dépendants. En France, on les assiste trop », affirme-t-elle.

ET SI C'ÉTAIT À REFAIRE ? Delphine ne signerait pas avec un hôpital. « Au départ, j'étais intéressée par la région de Trois-Rivières mais comme au Salon de l'infirmier de Paris on m'a orienté vers des hôpitaux montréalais, j'ai signé avec l'un d'entre eux. Je conseille aux futurs infirmières de ne pas contractualiser tout de suite, cela ne vaut pas la peine, elles n'ont qu'à postuler et choisir une fois sur place. Je comprends qu'on veuille signer rapidement parce qu'on est anxieuse et qu'on veut s'assurer une sécurité. J'ai fait la même chose. Mais on peut aller au congrès de Paris, pas nécessairement s'engager et choisir indépendamment son lieu de destination », conseille-t-elle. Pour sa part, Delphine souhaite désormais s'installer vers Gatineau dans la région de l'Outaouais où le manque de personnel infirmier est très important.

modalités, les délais et les frais de cette démarche. Pour en savoir plus sur les ordres, reportez-vous à la page 239. Infirmières et médecins peuvent aussi travailler temporairement au Québec. Nous vous suggérons de contacter plusieurs institutions québécoises, surtout celles en région. Ensuite, vous devrez accomplir les démarches indiquées sur le site d'Immigration-Québec (www.immigration-quebec.gouv.qc.ca).

Les profils recherchés

De nombreuses spécialités médicales sont les bienvenues. Peuvent ainsi postuler les professionnels suivants : anatomopathologistes, anesthésistes, audiologistes, cardiologues, chirurgiens, ergothérapeutes, gestionnaires, gestionnaires de soins infirmiers, infirmières, infirmières auxiliaires, infirmières cliniciennes spécialisées, médecins généralistes, néphrologues, orthophonistes, pharmaciens, physiciens médicaux, physiothérapeutes, aides-infirmiers, psychiatres, radio-oncologues, techniciens ambulanciers, techniciens en inhalothérapie, techniciens en médecine nucléaire, techniciens en radio-oncologie, urgentistes.

L'aérospatiale

Simulateurs de vol, satellites de communication, composants d'aéronefs, moteurs, hélicoptères, avions d'affaires et de transport régional, tous ces produits sont issus du secteur de l'aérospatiale. En dépit des turbulences de l'économie, l'industrie québécoise de l'aérospatiale est en plein essor. Selon le Comité sectoriel de main-d'œuvre en aérospatiale du Québec, ce secteur a besoin de 3 600 personnes en 2012. Le secteur canadien de l'aérospatiale enregistre un chiffre d'affaires annuel de plus de 23 milliards de dollars canadiens (11 milliards au Québec), ce qui représente le troisième secteur d'importance au Québec. Il emploie quelque 80 000 personnes partout au Canada, dont 40 000 emplois pour le seul Québec. Un habitant sur 185 de la province travaille dans ce secteur. Le Québec compte 70 % de la recherche et développement dans ce secteur au Canada.

Un secteur en crise

En 2009, le secteur a connu une suite de licenciements dans les différentes installations basées dans la région de Montréal. De Bell

Helicopter à Bombardier, en passant par Pratt & Whitney et CAE, tous ont dû licencier des centaines de personnes. Parfois des employés sont rappelés, comme ce fut le cas à Bell Helicopter en mai 2009. Les mises à pied annoncées chez Bombardier Aéronautique en novembre 2009 portent à plus de 2 450 le nombre de salariés renvoyés depuis le début de l'année dans ses seules usines de la région de Montréal. Pratt & Whitney ferme une usine à Longueil, au sud de Montréal, et réorganise sa fabrication d'avions de la CSeries à Mirabel, tout au nord de la métropole. Le fabricant de simulateurs CAE met à pied 600 personnes à Montréal. Et la situation n'est pas meilleure chez les sous-traitants de cette industrie qui s'appuie sur 215 PME.

Mais comme la crise est mondiale, ce ne sont pas que les entreprises québécoises du secteur qui sont affectées par les soubresauts de l'économie. Dépendante du transport aérien, l'industrie aérospatiale tout entière vient de toucher le fond. Selon Giovanni Bisignani, directeur général de l'Association internationale du transport aérien (IATA), la crise est encore plus grave qu'après les attentats du 11 septembre 2001. « La situation nous permet de faire le point, mais surtout d'investir dans le développement de nouveaux programmes d'avions, affirme Suzanne Benoît, présidente de Aéro Montréal. Une activité que les entreprises ont moins le temps d'investir lorsqu'elles sont débordées pour répondre aux carnets de commandes. »

Montréal, grand centre de l'aéronautique

Avant les événements du 11 septembre 2001, ce secteur avait connu une période de croissance continue débutant au milieu des années 90. Après la croissance, l'heure de la consolidation dans le secteur de l'aérospatiale est venue. Les emplois se situent à 80 % sur l'île de Montréal, à Saint-Laurent et dans l'ouest de l'île, non loin de Dorval. Malgré le ralentissement, Montréal reste un centre

Vécu

L'ascension d'Aurélie, une spécialiste du marketing à Montréal

AURÉLIE DEHLING EST ARRIVÉE AVEC CYRIL en août 2004 en tant que résidente permanente à Montréal. Cette étudiante parisienne en histoire médiévale et en marketing a obtenu un DESS en études et stratégie marketing et a travaillé quatre ans à Paris dans le domaine du marketing avant de débarquer au Québec à l'âge de 26 ans. « J'en avais assez de vivre dans un 160 pieds carrés (soit 15 m^2 environ), se rappelle-t-elle. Et puis d'un point de vue professionnel, en France, les processus sont très lents, il faut être patient, suivre la hiéarchie. Nous avions besoin d'être récompensés rapidement donc on s'est dit, partons au Québec ! ».

TROIS MOIS APRÈS SON ARRIVÉE, Aurélie décroche un emploi d'analyste en recherche marketing chez Cossette, l'une des plus importantes et influentes boîtes de pub du Québec. Après un contrat d'un mois, elle est embauchée comme permanente dans l'entreprise. Elle débute à 35 000 $ et en trois ans et demi, change quatre fois de poste, augmentant considérablement son salaire. « À sept mois de grossesse, ils m'ont accordé 20 % d'augmentation de salaire, un truc inimaginable en France », dit-elle.

À SON RETOUR DE CONGÉ DE MATERNITÉ, Aurélie se lance dans un nouveau projet, mais c'est un échec et son entreprise refuse de lui payer son dû. Elle quitte alors son emploi et après quinze jours de recherche, elle est contactée par une entreprise *via* Linkedin, site de réseautage professionnel. L'agence de publicité Palm Havas lui propose un poste de planificatrice stratégique (planner en France). Elle passe trois entretiens, et l'entreprise contacte toutes ses références, même celles non citées dans son CV. Elle est finalement embauchée pour un salaire annuel de 135 000 dollars canadiens ; elle est responsable de la recherche et de la mise en place du message publicitaire de différentes marques.

AURÉLIE N'A PAS ÉTÉ DÉÇUE par son immigration au Québec. « En dehors du contexte de la crise, vu la progression de carrière que j'ai eu en cinq ans, je ne peux qu'en dire du bien, affirme-t-elle. Lorsqu'au Québec, on est *(...)*

(...) **content de toi, on fait tout pour te garder. Ce n'est pas plus facile ici. Mais nous sommes mieux récompensés. Et les gens sont plus faciles à vivre. C'est plus agréable, plus ouvert avec une qualité de vie supérieure.»**

EN PLUS DE SES ACTIVITÉS PROFESSIONNELLES, Aurélie a eu un enfant et a créé avec son conjoint une entreprise de photographie qui fonctionne bien. Ils ont également investi dans l'immobilier. À 30 ans, ils sont déjà propriétaires de quatre condos (appartements) et d'une maison à trois niveaux de 1900 pieds carrés – 167 m² (avec 2000 pieds de cour, soit 185,8 m²) au centre-ville de Montréal. «J'ai l'impression qu'ici au Québec, la seule limite, c'est toi-même», conclue-t-elle.

mondial de l'aéronautique avec plus de 40 000 travailleurs. 57 % d'entre eux sont employés chez les quatre grandes compagnies dans ce secteur. En fait, la région accueille plus de la moitié de la production en aérospatiale au Canada. La grappe aérospatiale du Québec compte quatre maîtres d'œuvre qui sont les véritables leaders de l'industrie : Bombardier Aéronautique, Pratee & Whitney Canada, CAE et Bell Helicopter Textron. En plus, on peut compter 14 équipementiers, 128 fournisseurs de produits et services spécialisés et 88 sous-traitants. Le chiffre annuel de ce secteur est de 12 milliards de dollars avec un taux de croissance moyen de 8,5 % depuis 25 ans.

C'est à Montréal encore qu'ont choisi de s'établir de nombreuses organisations internationales liées à l'aviation : l'OACI (Organisation de l'aviation civile internationale), l'AITA (Association internationale du transport aérien), la Société internationale de télécommunications aéronautiques, l'Institut de formation et de perfectionnement en aviation et le Conseil international de l'aviation d'affaires.

AÉROSPATIALE : OÙ POSTULER, OÙ SE RENSEIGNER ?

VOICI LA LISTE DES ENTREPRISES qui embauchent dans la région de Montréal

- Bombardier Aéronautique, 400, ch. de la Côte-Vertu Ouest, Dorval, Québec, H4S 1Y9 ☎ 1-514-855-9379 ➢ www.bombardier.com
- CAE, 8585, ch. de la Côte-de-Liesse, Saint-Laurent, Québec, H4L 4X4 ☎ 1-514-341-6780 ➢ www.cae.com ✉ carrieres@cae.ca
- Héroux Devtek Inc., 755, rue Thurber, Longueuil, Québec, J4H 3N2 ☎ 1-450-679-5450 ➢ www.herouxdevtek.com ✉ rh@herouxdevtek.com
- Pratt & Whitney Canada, 1000, bd Marie-Victorin, Longueuil, Québec, J4G 1A1 ☎ 1-450-677-9411 ➢ www.pwc.ca ✉ human.resources@pwc.ca
- Rolls Royce Canada Ltée, 9500, ch. Côte-de-Liesse, Lachine, Québec, H8T 1A2 ☎ 1-514-636-0964 ➢ www.rolls-royce.com ✉ cv@rolls-royce.ca
- Recrutement spécialisé en ingénierie et technique du génie ➢ www.recrutech.ca

LISTE DES SITES INTERNET EN AÉROSPATIALE

- Consortium de recherche et d'innovation en aérospatiale du Québec (CRIAQ) ➢ www.criaq.aero
- Association des industries aérospatiales du Canada (AIAC) ➢ www.aiac.ca
- Centre d'adaptation de la main-d'œuvre en aérospatiale au Québec (CAMAQ) ➢ www.camaq.org
- Conseil canadien de l'entretien des aéronefs ➢ www.camc.ca
- L'Aérospatiale, ministère de l'Industrie et du Commerce ➢ www.mdeie.gouv.qc.ca/aerospatiale
- Musée national de l'aviation du Canada ➢ www.aviation.technomuses.ca
- Aéro Montréal ➢ www.aeromontreal.ca

CONSTRUCTEURS, ÉQUIPEMENTIERS ET SOUS-TRAITANTS

L'industrie de l'aérospatiale regroupe trois types d'entreprises : les constructeurs, les équipementiers et les sous-traitants. Les constructeurs emploient plus de 26 000 personnes. Ils commercialisent des produits complets sous leurs propres marques comme Bell Helicopter Textron (premier fabricant mondial des hélicoptères civils légers et intermédiaires), Bombardier Aéronautique (troisième constructeur mondial d'avions civils, premier constructeur mondial pour l'aviation régionale et d'affaires), CAE Électronique (premier constructeur mondial de simulateurs de vol), Pratt & Whitney Canada (premier au monde pour la construction de moteurs à turbine de petite et moyenne puissance), Rolls Royce Canada (leader dans l'entretien et la réparation d'une gamme de moteurs). Bombardier a su développer des valeurs sûres, à la base de ses succès, avec ses avions régionaux Regional Jet et ses avions d'affaires Challenger. Grâce au développement d'une gamme étendue d'avions d'affaires de luxe ou transcontinentaux, la compagnie a maintenu sa position de pointe sur le marché. Une autre grande réussite, les simulateurs de vols de CAE qui détiennent maintenant 75 % du marché mondial.

Après les maîtres d'œuvre, les constructeurs, il y a les équipementiers, ces fournisseurs spécialisés dans les composants et les services. Citons parmi ceux-ci : CMC Électronique (BAE Systems, équipements électroniques et avioniques), Lockheed Martin Canada (intégrateur de systèmes électroniques), Messier-Dowty et Héroux-Devtek (60 % du marché mondial des trains d'atterrissage), Thales Avionique Canada (intégrateur de commandes de vol), Honeywell Aérospatiale (composants de moteur) et EMS Technologies Canada (sous-systèmes et composants de satellites).

Vient enfin le réseau des sous-traitants prêts à répondre aux besoins des maîtres d'œuvre et des grands équipementiers. Ces petites et moyennes entreprises ont un solide savoir-faire dans diverses activités de sous-traitance : composites et thermoplastiques, découpe, essais et contrôle, grenaillage, métal en feuille et soudure, prototypage rapide, traitement de surface et peinture, traitement thermique, usinage et programmation. Selon les prédictions, la croissance de l'emploi sera plus soutenue chez les sous-traitants et les fournisseurs de pièces que chez les maîtres d'œuvre.

LES EMPLOIS PROPOSÉS DANS L'AÉROSPATIALE

Sont recherchés des agents de méthodes, assembleurs, ingénieurs en génie électrique, ingénieurs informaticiens, ingénieurs mécaniciens, machinistes, monteurs-câbleurs, monteurs de circuits imprimés, monteurs de structures, opérateurs de machines à commande numérique, outilleurs, plaqueurs, soudeurs, techniciens d'aéronefs, techniciens en génie mécanique, électrique et informatique, techniciens en informatique, gestionnaires de contrats préposés au service après-vente.

LES TECHNOLOGIES DE L'INFORMATION

Les TI ont traversé la récession sans trop de dommages car la main-d'œuvre se fait rare dans ce domaine. Au Québec, les technologies de l'information et des télécommunications emploient plus de 185 000 personnes réparties dans plus de 5 000 entreprises. Le secteur génère des revenus de 22 milliards de dollars canadiens dont 75 % dans le domaine des services et du développement de logiciels. Selon le Conseil des technologies de l'information et des télécommunications, le secteur est en plein essor et le nombre d'employeurs IT ne cesse d'augmenter d'année en année partout au Canada. À Montréal, un emploi sur dix est créé dans le secteur des TIC, soit un niveau comparable à la ville de Seattle, siège social de Microsoft. Selon un sondage Sapphire/IBM, réalisé auprès de 300 décideurs à travers le Canada, 87 % des employeurs de ce secteur comptent garder leurs employés ou embaucher de nouvelles personnes au cours des trois prochaines années.

Selon l'enquête de rémunération 2010 de TECHNOCompétences, le salaire moyen d'un architecte informatique s'élève à 80 700 $ CAN, celui d'un programmeur à 59 100 $ et celui d'un intégrateur web à 54 500 $.

☛ **Pour en savoir plus sur les grilles de salaires :**
www.technocompetences.qc.ca/gestionrh/remuneration/

Ce secteur qui génère des revenus de 31 milliards de dollars est concentré pour les trois quarts dans la région de Montréal. On dénombre aussi plusieurs centres de recherche comme le CRIM (Centre de recherche informatique de Montréal), l'INO (Institut national d'optique), le CESAM (Centre d'expertise et de services en applications multimédias), le CEFRIO (Centre francophone d'informatisation des organisations). Dans ce secteur d'activité un travailleur sur quatre est un travailleur indépendant, selon le Comité sectoriel de la main-d'œuvre en technologie de l'information. Les six grands secteurs d'activité des technologies de l'information sont : les télécommunications, le multimédia, les services informatiques et les logiciels, le commerce électronique et les médias électroniques, la microélectronique et les composants, l'équipement informatique. « En ce moment, le secteur se porte bien de manière générale même s'il ne figure pas parmi les emplois les plus en demande, affirme Yann Hairaud de la CITIM. Les emplois les plus en vue dans les technologies de l'information sont ceux d'analystes et consultants en informatique et surtout les développeurs de médias interactifs (applications Internet, didacticiels, jeux pour ordinateurs, films, vidéos et autres médias interactifs). »

Le secteur connaît une pénurie de main-d'œuvre. Selon TECHNO Compétences, les différents programmes collégiaux et universitaires forment 5 000 à 6 000 jeunes diplômés chaque année dans le secteur des TIC, ce n'est pas assez pour répondre à la demande. En effet, le directeur général de l'École de technologie supérieure (ÉTS) de Montréal, Yves Beauchamp, affirme que l'institution reçoit 8 demandes d'emploi pour chaque diplômé en génie logiciel. Certains collèges ont tenté de résoudre le problème en nouant des partenariats originaux avec des entreprises privées.

Les télécommunications

L'industrie québécoise des télécommunications représente plus de 40 % des activités de télécommunications au Canada et regroupe 600 entreprises employant 45 000 travailleurs. C'est assurément le secteur des TIC qui a été le plus affecté par la crise économique. Le géant canadien des télécommunications Nortel a déclaré forfait en 2009. L'industrie des télécommunications, ultra compétitive, doit s'adapter continuellement aux nouveautés technologiques ; les décideurs du secteur affirment qu'ils n'ont pas d'autre choix que de débaucher afin de réduire les coûts.

Les ingénieurs expérimentés en télécommunications et issus du génie électrique sont recherchés. Les entreprises du secteur sont principalement des sociétés de télécommunications telles que Bell Canada, Rogers, AT&T, Sprint Canada, Vidéotron et Cogeco. Il faut aussi

EMPLOI : PLUS D'OPPORTUNITÉS HORS DES GRANDS CENTRES

SI MONTRÉAL ATTIRE de nombreuses compagnies et des centres technologiques comme celui du multimédia dans le Vieux-Montréal ou la Cité du commerce électronique, la situation est différente en région où il est parfois plus difficile de recruter du personnel qualifié. La firme Numérique à Thetford Mines en constitue un bel exemple.

En région, le manque de travailleurs qualifiés est souvent problématique pour les entreprises. Ainsi, le nouvel arrivant prêt à quitter la métropole québécoise pourrait avoir plus de chance de trouver un emploi dans sa spécialité.

La ville de Québec offre également de nombreux débouchés dans ce secteur.

compter les entreprises fabriquant des équipements de télécommunications telles que Nortel Networks, Ericsson Communications, Motorola, Harris Corporation et SR Telecom.

Les jeux

Après dix ans de croissance soutenue, le marché mondial des jeux vidéo connaît sa première récession. En 2010, les ventes mondiales de jeux ont encore décliné de 6 %. Les consommateurs ont dépensé 18,6 millions de dollars pour ces jeux. Mais, les grands studios montréalais maintiennent leurs projets afin d'être prêts pour la reprise de la croissance. Selon le cabinet de consultants en ressources humaines TECHNOCompétences, en octobre 2010, ce secteur employait 6 602 emplois dans 49 entreprises, surtout regroupées dans la grande région de Montréal. Près de 50 % des emplois créés par les développeurs de jeux exigent un profil artistique. Les six plus importantes compagnies de jeux électroniques comptent 75 % de l'effectif dans ce domaine : Artifical Mind and Movement (A2M), Electronic Arts (EA), Gameloft, Softimage, Strategy First et Ubisoft.

Croissance maintenue pour les services informatiques et les logiciels

L'industrie québécoise de l'informatique et des logiciels emploie 26 200 travailleurs dans plus de 3 300 entreprises. Le service-conseil informatique et le domaine des logiciels, comme d'autres secteurs, ont été touchés par un ralentissement. Autrefois aux prises avec une pénurie de main-d'œuvre, le secteur connaît aujourd'hui l'équilibre plus que le chômage. Les entreprises offrant du « service-conseil » ont pour leur part maintenu leur rythme de croissance. Plusieurs entreprises installées au Québec sont des chefs de file mondiaux dans le domaine des systèmes informatiques (CGI, DMR, IBM et Cognicase), dans la conception de logiciels (SAP Labs, Oracle et J.D. Edwards), dans l'animation et la simulation multimédia (Toonboom, Softimage, Discreet et Virtual Prototypes), la navigation multilingue (Alis Technologies) et la conception d'applications Internet et Intranet (Eicon Technology et Locus Dialogue).

Commerce et médias électroniques

Chaque année, le commerce électronique, par le biais des ventes et des transactions en ligne, gagne du terrain au Québec. Pour les trois premiers mois de 2010, les adultes québécois ont acheté pour près d'un milliard de dollars de produits et services sur Internet. 21 % des adultes québécois ont fait des achats en ligne sur cette même période. Depuis 2009, les achats en ligne ont ainsi augmenté dans une proportion de 30 %. Ainsi les emplois dans ce secteur du

Vécu

Christophe, un informaticien à Montréal

CHRISTOPHE HUMBERT et son épouse Séverine sont arrivés à Montréal en juin 2007 avec leurs deux enfants de 8 et 13 ans. Ils avaient pourtant tout pour être heureux en France : travail, maison et vie de famille. Originaire de Nancy, cet informaticien dans la trentaine songeait depuis longtemps à ce grand saut. « On ne voulait pas le faire sur un coup de tête, dit-il. On s'est donné quelques années pour se construire, et avoir des enfants. » Leur immigration est avant tout un projet commun. Ils se sont donné du temps afin de vérifier si l'envie était toujours là. « Nous avions envie de découvrir une autre culture mais aussi de se doter d'une meilleure qualité de vie », affirme-t-il.

LES PREMIERS TEMPS, Christophe a tenté d'être *free lance* en travaillant avec d'anciens contacts noués en France. Mais, avec le temps, il constate la difficile conciliation entre le fait d'élever des enfants et d'être indépendant. D'autant plus que sa femme, infographiste, est également à son compte.

IL DÉBUTE ALORS LES RECHERCHES D'EMPLOI. « J'ai envoyé six CV et j'ai été convoqué à quatre entretiens, dit-il. J'ai mis mon CV sur Monster ; c'est par ce biais que j'ai été contacté par mon employeur actuel. » Il est embauché comme *webmaster* en février 2008 dans une entreprise installée à Laval qui publie plusieurs revues automobiles et réalise des sites web pour les concessionnaires automobiles du Québec. Aujourd'hui, il est coordonateur web et gère une équipe de cinq personnes.

AYANT TRAVAILLÉ DIX ANS EN FRANCE dans la même compagnie et deux ans au Québec, Christophe peut maintenant comparer les deux systèmes. « En France, il y a beaucoup de procédures, beaucoup de « parlote ». Pour voir mon *boss*, il fallait prendre un rendez-vous, se souvient-il. Ici, au Québec, je n'ai qu'à frapper à la porte, il est toujours disponible. La façon de faire est très simple. » Et d'ajouter, heureux : « C'est très sain ici, moins stressant qu'en France. »

(...)

(...) **SELON CHRISTOPHE, LE QUÉBEC REGORGE de nombreux emplois dans les technologies de l'information, surtout dans le développement web et logiciel. Preuve en est. « En ce moment, nous sommes en phase de recrutement dans mon entreprise. Rien que dans mon service, on recherche trois personnes, un "Search Engine Optimization", un webmestre et un intégrateur web », conclut Christophe.**

commerce électronique sont en plein essor. Pour leur part, les médias électroniques proposent de plus en plus de contenu en ligne et peuvent offrir quelques possibilités à des travailleurs flexibles et polyvalents. Plusieurs sociétés se sont spécialisées dans le cybercommerce telles que BCE Emergis, SAP Labs, CGI, DMR, Cognicase et IBM.

Microélectronique et composants

Le secteur de la microélectronique et des composants emploie environ 13 000 travailleurs et compte une centaine d'entreprises, dont Zarlink (Mitel) et IBM qui produisent des semi-conducteurs (tous deux à Bromont près de Montréal), Viasystems, Sanmina et Solectron, et de nombreuses entreprises en instrumentation telles Exfo, Bomem, et Lab-Volt. L'industrie électronique a connu de grandes pertes ces dernières années. Mais les déboires des sous-traitants du secteur de la microélectronique tirent à leur fin grâce au développement continu d'Internet.

Équipement informatique

Le domaine de l'équipement informatique compte 144 entreprises disposant d'une main-d'œuvre de 7 500 personnes. Il comprend les manufacturiers d'ordinateurs et de périphériques tels que CAE Electronics, Matrox et SCI Systems.

LES LIENS SUR LES TECHNOLOGIES DE L'INFORMATION

VOICI QUELQUES SITES INTERNET pour en connaître davantage sur les secteurs des technologies de l'information, des communications et du multimédia.

- **Comité sectoriel de la main-d'œuvre en technologies de l'information et de la communication ➣ www.technocompetences.qc.ca**
- **Conseil des ressources humaines du logiciel ➣ www.shrc.ca**
- **Action TI ➣ www.actionti.com**
- **La Cité du multimédia ➣ www.citemultimedia.com**
- **Alliance numérique – Réseau de l'industrie numérique du Québec ➣ www.alliancenumerique.com**
- **Canoë Techno, cybermag quotidien des nouvelles technologies de l'information ➣ www.canoe.com/techno**
- **Bulletin d'information sur le multimédia et les nouveaux médias ➣ www.lienmultimedia.com**
- **Technoparc Saint-Laurent ➣ www.technoparc.com**
- **Parc technologique de la ville de Québec ➣ www.parctechno.qc.ca**
- **Sommet du jeu de Montréal ➣ www.sijm.ca**
- **Technaute ➣ http://technaute.cyberpresse.ca**
- **IT Jobs ➣ www.itjobs.ca**
- **Conseil des technologies de l'information et des télécommunications, infos sur les TI ➣ www.ictc-ctic.ca**

LES PROFILS RECHERCHÉS

Notez avant tout qu'au Québec on ne parle pas d'ingénieur informaticien mais plutôt d'informaticien, tout court. Sont donc particulièrement recrutés les administrateurs de base de données, analystes, chargés de projet, concepteurs et programmeurs expérimentés, gestionnaires de projet, ingénieurs logiciels, programmeurs-analystes orientés objet, préposés au soutien à l'usager, responsables de la sécurité informatique, ainsi que les profils dans l'*e-learning* (infographistes, intégrateurs multimédias, rédacteurs techniques, technologues éducationnels jeux électroniques, techniciens en informatique, animateurs 3D, dessinateurs en dessin animé).

Le secteur recrute également pour des fonctions plus transversales : des professionnels de la vente de produits et services, spécialistes de la finance, du marketing, des ressources humaines, de la gestion de réseau étendu.

Le Top 10 des profils techno (décembre 2011) Prog.Internet (c), Soutien technique, Programmation (autres), Gestion de projets, Architecture système/application, Prog. Orienté Objet (C++, Smalltalk, Java, Delphi), Admin. système (Unix, Mainframe, NT, Novell), Analyse fonctionnelle, Coordination, Analyse d'affaires.

Le Top 9 des emplois dans la programmation (octobre 2011) Prog. internet (HTML, Perl, Java, VC++, ASP), Programmation (autres), Prog. Orienté Objet (C++, Smalltalk, Java, Delphi), Prog. 4GL (Oracle, Progress, PB), Prog. Progiciels (SAP, PeopleSoft, JDEdwards), Prob. Micro et Groupware (VB, Access, Notes), Prog. Mainframe (Cbol, Assembler), Prog. Mini (AS/400, Vax, HP 3000), Prog. Hardware (Téléphonie, Robotique).
Source : TECHNOCompétences

Le commerce

Une grande partie de la croissance économique du Québec est attribuable à ce secteur, selon Statistique Canada. La récession est bel et bien terminée dans le commerce de détail. En octobre 2011, les

COMMERCE : QUI CONTACTER ?

Voici quelques grands noms du commerce au détail installés au Québec qui connaissent une forte expansion : Archambault (livres et musique), L'Aubainerie, Bureau en gros, Canadian Tire, Future Shop, Home Depot, IKEA, Pharmaprix, SAQ, Sears, Yves Rocher, Wal-Mart, Zellers, Alimentation Couche-Tard (dépanneur), Groupe Dynamite (vêtements), Réno-Dépôt (rénovation) et Rona (rénovation).

DES LIENS SUR LE COMMERCE

- **Comité sectoriel de main-d'œuvre du commerce de détail ➢ www.detailquebec.com**
- **Comité sectoriel de main-d'œuvre du commerce de l'alimentation ➢ www.csmoca.org**
- **CQCD – Conseil québécois du commerce de détail ➢ www.cqcd.org**
- **Produits fabriqués et distribués au Québec ➢ www.icriq.com**

ventes au détail étaient en hausse de 1 % au Canada pour s'établir à 39 milliards de dollars CAN. En effet, il faut savoir que le commerce touche plus d'un demi-million de travailleurs au Québec, principalement dans le commerce de détail. Ces dernières années, les magasins de meubles et accessoires, de matériaux de construction et de rénovation, de soins de santé et personnels ainsi que les vêtements et autres accessoires ont connu de fortes progressions.

Le commerce de détail, malgré l'implantation de grandes surfaces, est dominé par les petites entreprises, ainsi 72 % des entreprises de ce secteur comptent moins de cinq employés. On retrouve dans ce secteur des concessionnaires automobiles, des magasins d'alimentation, de meubles, de vêtements, des pharmacies et autres établissements commerciaux. De nombreuses grandes surfaces continuent de s'installer sur tout le territoire québécois, les franchises se multiplient de même que le nombre de centres d'appels afin de répondre aux besoins pressants de la clientèle.

Il n'y a pas de pénurie de personnel en vue, mais les employés qualifiés manquent dans ce secteur qui a dû s'adapter au virage technologique. Il est important que ces travailleurs puissent intégrer facilement les outils informatisés. Le roulement du personnel est très élevé et certains employeurs se plaignent d'avoir des difficultés à retenir un personnel compétent.

Chaque année au mois de mars, le Salon de l'emploi du commerce de détail de Montréal offre aux intéressés environ 2 000 emplois à temps plein, à temps partiel ou saisonniers. Les principaux profils recherchés sont les agents de centres d'appels, les commis-vendeurs, les conseillers-vendeurs et les gérants. Comme ce travail est intimement lié au public, il est souhaitable de maîtriser l'anglais au moins à l'oral, pour exercer ces fonctions. Si vous cherchez des postes avec plus de possibilités, visez les compagnies québécoises et non les américaines, car ces dernières ont conservé leurs sièges sociaux aux États-Unis.

Les dix professions les plus recherchées dans le commerce de détail en juin 2010 selon Emploi-Québec sont : bouchers et coupeurs de viande, boulangers pâtissiers, caissiers, commis aux services à la clientèle, commis d'épicerie, cuisiniers, débosseleurs et réparateurs de carrosserie, directeurs de commerce de détail, magasiniers et commis aux pièces, mécaniciens et réparateurs de véhicules automobiles, de camions et d'autobus.

Et une dernière chose, n'oubliez pas qu'en Amérique du Nord, le client est roi !

OPTIQUE-PHOTONIQUE : QUI CONTACTER ?

LES ENTREPRISES SUIVANTES font appel à des personnels spécialisés dans l'optique-photonique: Nortel Networks, Marconi Communications, Exfo, MPB Technologies, ABB-Bomem, Corvis Canada, ITF Technologies, Lasiris, Lumenon Innovative Lightwave Technology Inc.

LIENS INTERNET EN OPTIQUE-PHOTONIQUE

- **Parc techno du Québec métropolitain > www.parctechno.qc.ca**
- **Institut national d'optique > www.ino.ca**
- **Institut canadien pour les innovations en photonique > www.icip.ulaval.ca**
- **Orientation photonique > http://orientationphotonique.qc.ca/**

L'OPTIQUE-PHOTONIQUE

Au Québec, ce secteur qui touche la photonique, les télécommunications, l'informatique, le biophonique et même le militaire, regroupe une centaine d'entreprises dans la grande région de Montréal et les autres dans la région de Québec. Cette technologie issue de la lumière est en pleine phase de développement au Québec. Les revenus annuels des entreprises sont de 600 millions de dollars. Au Québec, 5 000 personnes travaillent dans cette activité qui exporte 85 % de ses produits à l'étranger comme l'imagerie, la télésurveillance, des appareils médicaux, etc. La plus importante entreprise québécoise de l'optique-photonique, EXFO, est installée à Québec et travaille sur la fibre optique.

L'optique-photonique a besoin de personnel tels des chercheurs en optique. Afin de répondre à la demande, le ministère de l'Immigration du Québec a même organisé des missions de recrutement en France. Le gouvernement québécois a ainsi mis sur pied un « guichet unique » afin de recevoir les candidatures de personnels spécialisés dans ce domaine pointu.

Vous trouverez tous les détails sur le site d'Immigration-Québec (www.immigration-quebec.gouv.qc.ca/fr/employeurs/embaucher-temporaire/), mais vous devez d'abord contacter leur bureau de Québec.

Vécu

Yann au Novotel de l'aéroport de Montréal

DÈS SA NAISSANCE, YANN A ÉTÉ ADOPTÉ en Corée du Sud par ses futurs parents parisiens. Diplômé en 2003 de l'École des métiers de la table de Paris, il a eu la chance de beaucoup voyager avec ses parents. Adolescent, il part trois mois au Minnesota dans un camp de vacances. Il y reviendra au début de la vingtaine avec un visa de travail. Mais les problèmes de visa et la récession américaine le font rentrer en France. En 2007, il travaille dans les Alpes françaises, puis un an à Copenhague au Danemark dans un restaurant français, mais il rêve toujours d'Amérique du Nord. « J'avais le Québec en tête depuis mon séjour dans les Alpes puisque j'avais déjà commencé les démarches d'immigration, soutient-il. Pour moi c'est un bon compromis entre l'héritage français et le dynamisme nord-américain. » De retour à Paris, pendant un an il continue ses démarches et travaille au service clientèle à l'hôtel Marriott. En mai 2010, il demande un transfert vers Montréal.

IL N'A QUE 25 ANS LORSQU'IL ARRIVE À MONTRÉAL en juin 2010. Il travaille comme superviseur de nuit au service clientèle à l'hôtel Marriott de l'aéroport de Montréal. Mais finalement le travail ne (...)

(...) lui convient pas, il est moins bien payé qu'à Paris et doit payer très cher un stationnement public. Pour s'en sortir financièrement, il prend une place de serveur pendant trois semaines dans un restaurant italien tenu par des Français.

FIN JUILLET 2010, IL DÉBUTE AU NOVOTEL (de la chaîne française Accord) de l'aéroport. « J'avais lancé une première candidature spontanée, mais il n'y avait pas d'ouverture, rapporte-t-il. J'ai insisté en rappelant chaque semaine et finalement j'ai commencé par du temps partiel qui s'est rapidement transformé en temps plein. » L'équipe de travail est composée de nombreux Québécois surtout anglophones. « Ce n'est pas particulièrement un avantage d'être Français dans cette entreprise française car la clientèle est principalement américaine ou canadienne-anglaise, affirme-t-il. J'adore mon travail, je m'y sens bien. L'équipe est dynamique avec une bonne ambiance. » En effet, Novotel fait partie des cinquante employeurs de choix au Canada en 2010. « Il y a des opportunités dans l'hôtellerie à Montréal, affirme-t-il. Par exemple, je crois que les gens qui travaillent dans un restaurant de grandes chaînes d'hôtel sont des rois avec de bonnes conditions de travail. »

YANN A EMMÉNAGÉ DANS SON « CONDO » EN AOÛT 2011 à Saint-Eustache, au nord de Montréal. « Je ne voulais plus vivre en ville, affirme-t-il. J'habite près du fleuve Saint-Laurent (une branche), à dix minutes de la plage d'Oka, et vingt minutes de l'aéroport. Pour moi c'est le meilleur des deux mondes. »

LE TOURISME

Depuis dix ans, le Québec a énormément investi, multiplié ses atouts et développé son infrastructure afin d'accueillir des touristes d'Europe et des États-Unis. Plus de 26 000 entreprises se partagent cette activité entre les hébergements, les restaurants, les attractions touristiques d'aventure et de loisirs de plein air, les agences de voyages, les transports, les services touristiques divers et les congrès.

TOURISME : OÙ SE RENSEIGNER ?

LIENS VERS LE TOURISME

- **Commission canadienne du tourisme ➢ www.canadatourism.com**
- **Ministère du Tourisme ➢ www.tourisme.gouv.qc.ca ; www.bonjourquebec.com**
- **Corporation de l'industrie du Québec (CITQ) ➢ www.citq.qc.ca**
- **Réseau de veille en tourisme ➢ http://veilletourisme.ca**
- **Société des établissements de plein air du Québec (SEPAQ) ➢ www.sepaq.com**
- **Conseil canadien des ressources humaines en tourisme ➢ www.cthrc.ca**
- **Conseil québécois des ressources humaines en tourisme (CQRHT) ➢ www.cqrht.qc.ca**
- **Tourisme Montréal ➢ www.tourisme-montreal.org**
- **Tourisme Ville de Québec ➢ www.quebecregion.com**

Le Québec est plus visité que jamais. Sa première clientèle après les Canadiens reste les Américains. En 2011, Montréal a eu sa meilleure saison touristique en trente ans avec 7,6 millions de visiteurs, soit 2,5 % de plus qu'en 2010.

Montréal et Québec séduisent de nombreux voyageurs. Les Laurentides, au nord de Montréal, attirent les touristes grâce au développement de la station de ski du Mont-Tremblant. La région de Charlevoix, quant à elle, est attractive avec le Manoir Richelieu. Plus de la moitié des établissements touristiques sont en fait des restaurants. Selon un sondage de l'Association des restaurants du Québec, ses membres ont besoin de cuisiniers, aides-cuisiniers et « préposés au service des mets et boissons » (c'est-à-dire des serveurs).

Vécu

Un ingénieur dans l'éolien

EN JUILLET 2005, ROMAIN NANTA, ***23 ans, immigre au Québec pour vivre avec son amie québécoise rencontrée via Internet. Ingénieur électrique, formé à Belfort dans l'Est de la France, il travaille un an dans une entreprise éolienne française, Nordex, et retrouve un travail dans cette industrie à Montréal, chez Helimax.***

IL EST MALHEUREUSEMENT LICENCIÉ trois mois plus tard et ne peut reprendre un emploi dans le domaine avant un an, en raison du secret professionnel. En juillet 2006, il déménage avec sa compagne à Rimouski dans le Bas Saint-Laurent où il enchaîne les petits boulots pendant quelques mois. Ce n'est qu'en avril 2007 qu'il décroche un poste permanent chez Ekua, une entreprise fabriquant des éoliennes. Une petite *start-up* liée à des chercheurs de l'université du Québec à Rimouski.

« AU QUÉBEC, LES PARCS D'ÉOLIENNES sont beaucoup plus gros qu'en France. C'est un secteur encore en balbutiement mais qui va se développer », raconte-t-il. Son travail l'amène à rencontrer des agriculteurs de la région afin de mettre en place des parcs éoliens. Il touche un salaire de 17 $ de l'heure alors qu'en France, celui-ci était de 23 $ de l'heure chez Nordex. « Au Québec, il y a du boulot dans la maintenance des éoliennes et aussi dans l'ingénierie, mais c'est surtout dans des entreprises à Montréal ou à Toronto. J'ai eu de la chance de trouver quelque chose à Rimouski », affirme-t-il.

« J'AIME BIEN CETTE PETITE VILLE DE PROVINCE avec son ambiance universitaire. Le coucher de soleil sur le fleuve est magnifique et on peut sentir l'odeur de la mer et des algues, confie-t-il. Je ne regrette pas d'avoir immigré même si mes débuts professionnels ont été difficiles. J'ai finalement trouvé un emploi à mon niveau un an et demi après mon installation. » Il suggère aux futurs immigrants de chercher un emploi à l'avance et, une fois sur place, de discuter avec tout le monde de leur recherche d'emploi.

Vécu
Johann, un grand voyageur, atterrit à Montréal

Diplômé d'une École de Management à Lyon en 2001, Johann a travaillé à Paris comme chef de groupe marketing à la Twenty Century Fox. Puis en 2007, il vit un important tournant professionnel et décide de faire un tour du monde avec sa compagne. Ils visitent quinze pays et restent six mois en Asie. « Au retour je n'avais plus du tout envie de faire la même chose, se souvient-il. Je désirais m'orienter vers le tourisme donc j'ai commencé à travailler pour le Petit Futé, sur le Maroc en particulier. Ce périple fut un déclencheur pour repartir à l'étranger sur une expérience plus longue mais au même endroit. » Parlant l'espagnol et l'allemand, il travaille à son retour à Paris dans une agence de voyages et conseille les gens sur les pays dans lesquels il a travaillé pour un salaire deux fois moindre qu'en marketing.

Arrivé au Québec en janvier 2011, alors âgé de 34 ans, Johann vient rejoindre sa compagne déjà installée depuis quelques mois (voir le témoignage, Une expat à Ubisoft p. 53). « Montréal est une ville que Claire a visitée plusieurs fois pour son travail, et elle faisait partie des villes qui nous attiraient », se souvient-il. Johann débarque donc avec un visa de conjoint de travailleur qualifié.

Johann décroche un premier emploi dans une agence de voyages basée à Montréal, Nanuq, qui vend des séjours au Canada à des agences françaises. Mais la compagnie fait faillite et il est remercié en août 2011. Alors, il décide de poursuivre son rêve de monter sa propre boîte : « Le monde est mon village ». « Avec 38 $ CAN, il est très facile de créer sa propre entreprise, affirme-t-il. Véritable coach, j'aide les voyageurs à organiser un voyage qui leur ressemble, quelle que soit leur manière de voyager. C'est mon expérience de voyageur que je vends avant tout à travers mes conseils ». Une expérience qu'il raconte sur son site Internet : http://lemondeestmonvillage.com

Puis, depuis novembre 2011, lui et sa compagne ont déposé une demande de RP (résident permanent). « La qualité de vie de (...)

(...) **Montréal tant vantée est bien là, affirme-t-il. Nous sommes sur le Plateau dans un appartement deux fois plus grand qu'à Paris devant le parc Lafontaine. Pour l'instant on est bien, mais on a la bougeotte. Si nous partons du Québec un jour, ce n'est pas pour revenir en France à court terme.** »

L'AGROALIMENTAIRE

L'agroalimentaire, avec la transformation des aliments et les commerces, est en plein essor. Au Québec, il existe près de 10 000 commerces de détail et 1 500 magasins de gros. Quelques grandes chaînes d'alimentation sont présentes sur le marché comme Loblaws, Provigo, Métro, Marché Richelieu et IGA. Malgré tout, les établissements indépendants (affiliés ou non affiliés) représentent 70 % du secteur. La transformation des aliments, pour sa part, emploie 60 000 salariés répartis dans 1 300 entreprises, à 90 % des PME. Ces dernières œuvrent dans des secteurs aussi différents que les produits laitiers, les boissons, les viandes et les volailles, les fruits et légumes, la boulangerie et la pâtisserie. Un grand nombre de marques sont présentes sur le territoire québécois. Voici la liste de quelques-unes d'entre elles : Exceldor, Groupe Brochu-Lafleur, Olymel, Aliments Breton, Agropur, Danone, Lactel, Parmalat Canada, Saputo, Barry Callebaut Canada, Biscuits Leclerc Ltée, Multi-Marques, Maple Leaf, Kraft Canada, McCain Foods, Nestlé et Pillsbury.

Le manque de main-d'œuvre se fait surtout sentir dans les emplois saisonniers, en rapport avec la transformation des fruits et légumes. Dans les magasins, on recherche des commis et des caissiers. Même le nombre des bouchers, des boulangers et des pâtissiers est insuffisant.

☛ Union des producteurs agricoles du Québec : www.upa.qc.ca
☛ Aliments du Québec : www.alimentsduquebec.com

Vécu
Un jeune Français formé en cuisine au Québec

DAVID AGHAPEKIAN A TOUJOURS RÊVÉ d'être cuisinier mais, au lieu de cela, il suit des études de sociologie sur la Côte d'Azur. Puis, en mai 2004, il rend visite à un ami inscrit à l'université du Québec à Montréal. « J'ai bien aimé ce séjour, se souvient-il. Ça m'a convaincu de franchir le pas, j'avais envie de voyager et de voir du pays. Et puis, j'ai été séduit par l'accueil et la générosité des Québécois. » En rentrant, il entame ses démarches de résident.

ET C'EST ÂGÉ DE 23 ANS que David débarque à Montréal à l'été 2005. Il fait des petits boulots, principalement dans le commerce de détail. Il travaille pendant un an comme assistant-gérant dans la boutique Azur au coin Rachel et Saint-Hubert sur le Plateau Mont-Royal pour 15 $ de l'heure. « J'ai mis de l'argent de côté, dit-il. L'immigration me perturbait, il fallait d'abord que je me pose la première année, un travail alimentaire me suffisait. Je me disais que j'aurai tout le temps pour mener à bien ma reconversion professionnelle. »

EN JANVIER 2007, il débute une formation pour adultes à l'École Calixa-Lavallée de Montréal-Nord, un centre de formation professionnelle au nord de la métropole. Sa formation d'une durée d'un an mène à un DEP, un diplôme d'Études professionnelles (voir l'encadré sur la reconversion professionnelle page 305). En parallèle, David travaille dans des petits restaurants afin de payer ses études. Au sortir de l'école, il entre comme stagiaire au Pied de cochon, un restaurant de Montréal réputé pour sa cuisine du terroir québécois. L'intégration commence là pour David, car il tombe amoureux des aliments et du terroir québécois. « Le salaire est assez médiocre dans la restauration au Québec, avoue-t-il. Je travaillais autour de 80 heures par semaine pour percevoir 500 $ par semaine. Si on est passionné par le métier, ce sont des choses qu'on oublie. Par rapport à la France, c'est de l'ordre de 30 à 40 % en moins. Mais je vis bien avec cela. Je ne me prive pas. »

(...)

(...) **APRÈS DEUX ANNÉES AU PIED DE COCHON, David souhaitait relever de nouveaux défis. « Lorsqu'on est passé par un restaurant comme le Pied de cochon, de nombreuses portes s'ouvrent, c'est une excellente carte de visite », explique-t-il. Il est désormais pâtissier au restaurant gastronomique de Montréal, Toqué !, une autre référence. Il y perçoit le même salaire. « Ça se passe très bien, l'équipe est exceptionnelle », dit-il.**

DAVID EST DEVENU UN FERVENT DÉFENSEUR de la cuisine du Québec. « Elle risque de surprendre ceux qui viennent de la haute cuisine gastronomique française qui est très hiéarchisée, presque militaire, poussiéreuse et plutôt coincée, avertit-il. Au Québec, on réalise de très belles choses mais plus humblement. À Montréal, je suis certain qu'on arrive à rivaliser avec les grandes villes du monde mais avec le côté pompeux en moins. » Selon lui, la cuisine est en train de grandir et de s'émanciper au Québec. « Les jeunes chefs qui exercent depuis quinze ou vingt ans créent du dynamisme. On n'a rien à envier aux cuisines françaises », conclut le jeune français qui s'est totalement approprié la culture locale.

La touche française

Le fait d'être français présente un net avantage dans certains métiers, surtout ceux liés à la gastronomie et la restauration. « C'est sûr que tous les métiers de bouche sont des domaines de savoir-faire français », affirme Yann Hairaud de la CITIM. Pâtissiers, boulangers et cuisiniers originaires de l'Hexagone ont de nombreuses possibilités au Québec. Depuis plus de dix ans, les Québécois redécouvrent maints plaisirs dont ceux de la table et de la bonne chère. Les goûts se raffinent et s'ouvrent sur le monde. Ainsi de nombreuses boulangeries ont vu le jour à Montréal ou ailleurs et proposent du pain de qualité. « Je ne sais pas si c'est une mode ou une découverte, mais les pains à la française ont la cote, constate Pascal, boulanger à Montréal. C'est un atout d'être français dans ce domaine-là ! » Dans les cuisines des restaurants, les Français ont aussi la préférence. Même constat dans d'autres domaines comme ceux de la beauté et des soins. « Il est clair que le fait d'être française aide dans ma profession en raison de l'aura des produits de beauté et de cosmétiques français. », reconnaît Isabelle, esthéticienne dans la ville de Québec.

René Sicard, propriétaire de la boulangerie artisanale De Froment et de Sève installée rue Beaubien à Montréal, a eu bien des difficultés à trouver de bons boulangers. Sur 35 employés, le tiers est d'origine française. « Il y a un manque de formation au Québec dans notre domaine, ainsi j'ai décidé d'aller chercher des gens formés et qualifiés », explique-t-il. Ce propriétaire québécois est même passé par l'OFII, Office français de l'immigration et de l'intégration (anciennement ANAEM, ex OMI) pour trouver, il y a quelques années, du personnel à l'étranger. Et l'unique travailleur qu'il avait trouvé n'était finalement jamais venu au Québec. « Depuis deux ans, ça va mieux. Il y a plus de gens qui sont prêts à travailler. » Il a constaté que la façon de travailler n'était pas toujours la même, qu'il est moins paternaliste dans ses rapports avec ses employés. « Au Québec, les patrons laissent la responsabilité à l'employé. Les Européens ont du mal parfois à gérer cette autonomie. »

Arrivé en 1997 à Québec pour suivre son amie québécoise, Gilles Dupouj est chef cuisinier au restaurant Paris-Brest de la Grande-Allée de la capitale depuis quelques années. « En cinq ans, cela a beaucoup changé, constate-t-il. Des fromages, il y en a partout et la SAQ (Société des alcools du Québec) a aussi explosé. C'est le meilleur marchand de vin au monde car il est hétéroclite. » Il remarque que les chefs cuisiniers gagnent à peu près la même chose qu'en France. Mais pour les simples cuisiniers, c'est plus difficile. « Le cuisinier est plus important en France. La restauration n'est pas toujours un métier reconnu au

Québec. Le chef gagne bien sa vie, mais pas les cuisiniers qui sont souvent des étudiants ou des gens de passage. Les cuisiniers sont moins payés que les serveurs, alors qu'en France c'est le contraire. »

Bien qu'il soit originaire du sud-ouest de la France et qu'il ait travaillé en Nouvelle-Calédonie, il s'est bien adapté au climat québécois. « En hiver, il suffit d'avoir de grosses mitaines et un manteau. Tout est fonctionnel, tout est déneigé. » L'adaptation culinaire a tout de même été plus facile pour Gilles. « Au Québec, ce sont les mêmes produits qui marchent : thon, sole, porc. » Il caresse le rêve d'ouvrir un jour son propre restaurant. « C'est plus facile de monter sa propre entreprise ici, peut-être que je vais le faire un jour. »

L'emploi selon les régions

C'est à Montréal que s'installent 88 % des immigrants du Québec. Pourtant, votre profil sera parfois plus recherché à Québec ou dans d'autres régions de la province où la main-d'œuvre se fait plus rare. En effet, en région, 38 % des entreprises éprouvent des difficultés à recruter le personnel idéal, alors que cette proportion est de 19 % pour la région de Québec et 14 % à Montréal. La diversification de l'économie québécoise au fil des vingt dernières années rend celle-ci moins vulnérable qu'auparavant aux soubresauts économiques. De nombreuses villes ont su multiplier leurs secteurs d'activité comme vous le constaterez dans les présentations des villes. Le taux de chômage pour l'ensemble du Québec était de 8,7 % en décembre 2011.

Après avoir présenté chaque région, nous vous donnons un aperçu des professions les plus recherchées dans le secteur, extrait du site Emploi-Québec. Tous les emplois mentionnés ici sont accompagnés de leur code CNP (Classification nationale des professions). Il est à noter que certaines professions dont le titre comprend « autres » peuvent porter à confusion : il faut alors vous reporter à la liste avec le numéro CNP.

☛ Pour consulter la liste complète et la description précise de ces profils, et en savoir plus sur ces professions, nous vous invitons à consulter le site web de ce classement. Pour accéder à la profession qui vous intéresse, entrez sur le site internet le chiffre du code CNP

Vécu

Katy, une Picarde à Mont-Laurier

APRÈS UN BTS EN GESTION, Katy Harrouart travaille pendant cinq ans chez Réseau Ferré de France à Paris. « J'avais une amie au lycée qui ne rêvait que du Québec, se souvient-elle. Elle a finalement réalisé son rêve et a épousé un gars de Mont-Laurier au nord des Laurentides. » Katy fait son premier séjour touristique au Québec en 2000 pour voir son amie. Mais ce n'est que quatre séjours touristiques plus tard que l'envie d'immigrer la titille pour de bon. « Au fil de mes voyages, je me suis rendu compte que j'aimais vraiment vivre ici et qu'à chaque fois que je revenais en France, j'étais déprimée. » En 2003, la mort de son père à trois mois de la retraite a l'effet d'une bombe et renforce sa conviction de ne pas attendre pour mener à bien ses projets. Pour clôturer sa réflexion sur son projet d'immigration, Katy fait en 2004 le pèlerinage du chemin de Compostelle (France, Espagne) durant deux mois. « Quand tu as enfin le visa en poche et que tu n'as plus qu'à prendre l'avion, cela fait un peu peur ; il s'agissait quand même de partir seule à 7 000 kilomètres de ma famille. Le Chemin m'a permis de rencontrer des gens qui m'ont confortée dans mes choix. »

ÂGÉE DE 27 ANS, KATY ARRIVE EN NOVEMBRE près de Mont-Laurier (à 230 kilomètres au nord de Montréal) et s'installe dans une petite maison isolée sur le bord d'un lac. « Je voulais vivre loin de la pollution et du stress des grandes villes. J'ai choisi les Laurentides parce que je connaissais déjà la région et j'y avais tissé un petit réseau social, dit-elle. C'était un choix éclairé car c'est ce qui m'a sauvée. J'avais le rêve québécois au bord du lac mais je n'étais pas bien préparée à affronter quelques difficultés auxquelles je n'avais pas pensé comme : *qu'est-ce qu'on fait quand la voiture ne démarre pas, en pleine tempête, sans nourriture à la maison ?* C'est dans ces moments-là qu'on est soulagé de connaître un peu de monde ! »

DURANT CE PREMIER HIVER, elle peaufine un autre rêve, celui d'acheter des chevaux et d'ouvrir un petit centre équestre. Au printemps, elle déménage à Ferme-Neuve à 15 kilomètres de Mont-Laurier où elle vit toujours aujourd'hui.

(...)

(...) **ELLE COMMENCE SES ACTIVITÉS ÉQUESTRES** chez des amis en juillet 2005. Mais, après quelques mois, elle doit trouver un travail complémentaire. Katy fait alors des piges pour un hebdo local *L'Écho de la lièvre* pour 30 $ par article. Même si le salaire est maigre, elle collabore au journal pendant trois ans car l'expérience en vaut vraiment la peine. « Cela m'a permis de connaître énormément de monde, dit-elle. Ça peut aider ensuite à trouver du travail. Et puis en couvrant les spectacles d'artistes québécois, j'ai pu m'ouvrir d'une façon extraordinaire à la culture du pays. » Parallèlement à cela, elle prend un emploi à temps plein dans une entreprise qui commercialise des fournitures de bureau. Elle travaille comme secrétaire-réceptionniste, payée 350 $ net par semaine. « J'ai appris ce que c'était les cinq à sept, les party de Noël et les boîtes à lunch, se rappelle-t-elle. Et j'ai aussi appris qu'on pouvait perdre son emploi rapidement ! » En effet, après quelques mois dans cette entreprise, elle est licenciée sans préavis. « Ce qui m'a choquée c'est de devoir quitter l'entreprise sur-le-champ, confie-t-elle. Même pas le temps de dire au revoir à mes collègues, comme si rester pouvait nuire à l'entreprise. » Katy retrouve vite du travail comme assistante administrative dans un organisme qui fait la promotion d'un lieu touristique, la Montagne du diable.

PUIS EN SEPTEMBRE 2006, elle rencontre le directeur d'un centre d'éducation pour adultes qui lui propose de devenir professeur suppléante, un emploi d'enseignante non qualifiée, pour un salaire de 45 $ l'heure. « Ce que j'aime ici, c'est la facilité avec laquelle on peut enfoncer des portes et travailler dans toutes sortes de domaines différents, affirme-t-elle. Je crois que dans les régions, on te fait vraiment confiance. Il y a de réels besoins et le CV n'est pratiquement pas demandé. » Elle met au défi les futurs immigrants de tenter leur chance en région. « C'est beau Montréal mais le Québec, c'est bien plus que cela. Beaucoup pensent que c'est un gage de sécurité de s'installer à Montréal. Il y a peut-être deux fois plus de boulot qu'ailleurs mais il y a aussi deux fois plus de gens qui posent leur candidature ! En plus, en région, le rythme de vie est plus *relax* ; on vit plus près de la nature et c'est moins anonyme que dans les grandes villes. » Katy n'a pas oublié son rêve d'ouvrir une ferme, un projet qu'elle espère concrétiser très bientôt.

correspondant à votre métier (www.servicecanada.gc.ca/fra/qc/emploi_avenir/emploi_avenir.shtml ou http://imt.emploiquebec.net). Cette classification inventorie 520 professions, vous y trouverez également des statistiques sur les métiers, la description des tâches, les titres professionnels les plus courants et les principales industries qui embauchent. N'oubliez pas que la liste ci-dessous n'est pas exhaustive, de nombreuses autres professions sont recherchées dans ces différentes villes.

LISTE DES DOMAINES DE FORMATION PRIVILÉGIÉS

EN OCTOBRE 2009, le ministère de l'Immigration et des Communautés Culturelles du Québec a publié une nouvelle liste des domaines de formation privilégiés. Les candidats à l'immigration ayant suivi des formations présentes sur cette liste auront droit à un traitement prioritaire de leur dossier à condition que le diplôme ait été acquis lors des cinq dernières années précédant l'obtention du CSQ (Certificat de sélection du Québec) ou que le candidat ait au moins un an d'expérience durant les cinq dernières années dans le secteur correspondant à son diplôme.

Pour en savoir plus sur les domaines de formation privilégiés : www.immigration-quebec.gouv.qc.ca/fr/immigrer-installer/travailleurs-permanents/demande-immigration-general/conditions-requises/formation-privilegiee.html

Si vous ne faites pas partie des privilégiés, cela ne signifie pas pour autant que vous n'avez aucune chance de trouver du travail ni même d'obtenir un visa.

(...)

Pour en savoir plus sur votre profession et vos chances d'immigrer au Québec, nous vous invitons à visiter les deux sites Internet suivants dédiés aux différentes professions au Québec. Sachez qu'au Canada, chaque profession correspond à un code CNP (Classification nationale des professions) ; vous pourrez en savoir plus sur votre métier lorsque vous connaîtrez l'appellation canadienne de votre profession.

Pour en connaître plus sur votre profession ou connaître les 83 professions les plus recherchées actuellement au Québec, rendez-vous sur le site Emploi-Québec.

- Explorer un métier ou une profession : http://imt.emploiquebec.net/mtg/
- Travailler au Canada : www.travailleraucanada.gc.ca

(...)

LISTE DES DOMAINES DE FORMATION PRIVILÉGIÉS EN 2009

NIVEAU UNIVERSITAIRE

Diplômes étrangers

- Biochimie (BACC. - 3 ans)
- Chimie (BACC. - 3 ans)
- Génie aérospatial, aéronautique et astronautique (BACC. - 4 ans)
- Probabilités et statistiques (BACC. - 3 ans)
- Sciences infirmières et nursing (BACC. - 3 ans)

Diplômes du Québec[1]

- Actuariat (BACC. - 3 ans)
- Administration des affaires (BACC. - 3 ans)
- Biochimie (BACC. - 3 ans)
- Chimie (BACC. - 3 ans)
- Chiropratique (DOCTORAT - 5 ans)
- Comptabilité et sciences comptables (BACC. - 3 ans)
- Diététique et nutrition (BACC. - 3,5 ans)
- Ergothérapie (MAÎTRISE)
- Formation des enseignants spécialistes en adaptation scolaire (orthopédagogie) (BACC. - 4 ans)
- Génie aérospatial, aéronautique et astronautique (BACC. - 4 ans)
- Génie alimentaire (BACC. - 4 ans)
- Génie biologique et biomédical (BACC. - 4 ans)
- Génie chimique (BACC. - 4 ans)
- Génie civil, de la construction et du transport (BACC. - 4 ans)
- Génie informatique et de la construction des ordinateurs (BACC. - 4 ans)
- Génie mécanique (BACC. - 4 ans)
- Génie minier (BACC. - 4 ans)
- Géodésie (arpentage) (BACC. - 4 ans)
- Gestion du personnel (BACC. - 3 ans)
- Gestion et administration des entreprises (BACC. - 3 ans)
- Mathématiques (BACC. - 3 ans)
- Médecine (DOCTORAT - 5 ans)
- Médecine dentaire (DOCTORAT - 5 ans)
- Médecine podiatrique (DOCTORAT - 5 ans)
- Médecine vétérinaire (DOCTORAT - 5 ans)
- Microbiologie (BACC. - 3 ans)
- Optométrie (DOCTORAT - 5 ans)
- Orthophonie et audiologie (MAÎTRISE)
- Périnalité (BACC. - 4 ans)

(...)

(1) Diplôme du Québec ou l'équivalent

LISTE DES DOMAINES DE FORMATION PRIVILÉGIÉS EN 2009

NIVEAU UNIVERSITAIRE (suite)

Diplômes étrangers	Diplômes du Québec[1]
	• Pharmacie et sciences pharmaceutiques (BACC. - 4 ans) • Physiothérapie (MAÎTRISE) • Probabilités et statistiques (BACC. - 3 ans) • Sciences de l'informatique (BACC. - 3 ans) • Sciences et technologie des aliments (BACC. - 4 ans) • Sciences infirmières et nursing (BACC. - 3 ans) • Service social (BACC. - 3 ans)

NIVEAU COLLÉGIAL TECHNIQUE

Diplômes étrangers	Diplômes du Québec[1]
• Avionique (DEC - 3 ans) • Conseil en assurances et en services financiers (DEC - 3 ans) • Gestion de commerces (DEC - 3 ans) • Soins infirmiers (DEC - 3 ans) • Techniques de construction aéronautique (DEC - 3 ans) • Techniques de génie chimique (DEC - 3 ans) • Techniques de laboratoire (DEC - 3 ans) • Techniques de procédés chimiques (DEC - 3 ans) • Techniques de transformation des matériaux composites (DEC - 3 ans) • Techniques de transformation des matières plastiques (DEC - 3 ans) • Technologie de la production pharmaceutique (DEC - 3 ans) • Technologie de médecine nucléaire (DEC - 3 ans) • Technologie de radiodiagnostic (DEC - 3 ans) • Technologie de radio-oncologie (DEC - 3 ans)	• Avionique (DEC - 3 ans) • Conseil en assurances et en services financiers (DEC - 3 ans) • Exploitation (DEC - 3 ans) • Géologie appliquée (DEC - 3 ans) • Gestion de commerces (DEC - 3 ans) • Gestion d'un établissement de restauration (DEC - 3 ans) • Minéralurgie (DEC - 3 ans) • Soins infirmiers (DEC - 3 ans) • Techniques d'animation 3D et de synthèse d'images (DEC - 3 ans) • Techniques de bureautique (DEC - 3 ans) • Techniques de comptabilité et de gestion (DEC - 3 ans) • Techniques de construction aéronautique (DEC - 3 ans) • Techniques de génie chimique (DEC - 3 ans) • Techniques de génie mécanique (DEC - 3 ans) • Techniques de la logistique du transport (DEC - 3 ans) • Techniques de laboratoire (DEC - 3 ans) • Techniques de l'informatique (DEC - 3 ans)

LISTE DES DOMAINES DE FORMATION PRIVILÉGIÉS EN 2009

NIVEAU COLLÉGIAL TECHNIQUE (suite)

Diplômes étrangers	Diplômes du Québec[1]
• Technologie des procédés et de la qualité des aliments (DEC - 3 ans) • Technologie du génie civil (DEC - 3 ans)	• Techniques de maintenance d'aéronefs (DEC - 3 ans) • Techniques de procédés chimiques (DEC - 3 ans) • Techniques de prothèses dentaires (DEC - 3 ans) • Techniques de réadaptation physique (DEC - 3 ans) • Techniques de santé animale (DEC - 3 ans) • Techniques de transformation des matériaux composites (DEC - 3 ans) • Techniques de transformation des matières plastiques (DEC - 3 ans) • Techniques de travail social (DEC - 3 ans) • Techniques d'éducation à l'enfance (DEC - 3 ans) • Techniques d'éducation spécialisée (DEC - 3 ans) • Techniques d'hygiène dentaire (DEC - 3 ans) • Techniques d'inhalothérapie (DEC - 3 ans) • Techniques d'intégration multimédia (DEC - 3 ans) • Techniques d'intervention en délinquance (DEC - 3 ans) • Techniques d'orthèses et de prothèses orthopédiques (DEC - 3 ans) • Techniques d'orthèses visuelles (DEC - 3 ans) • Techniques du meuble et d'ébénisterie (DEC - 3 ans) • Technologie d'analyses biomédicales (DEC - 3 ans) • Technologie de la géomatique (DEC - 3 ans) • Technologie de la mécanique du bâtiment (DEC - 3 ans) • Technologie de la production pharmaceutique (DEC - 3 ans) • Technologie de l'architecture (DEC - 3 ans) • Technologie de l'estimation et de l'évaluation en bâtiment (DEC - 3 ans) • Technologie de maintenance industrielle (DEC - 3 ans)

(...)

LISTE DES DOMAINES DE FORMATION PRIVILÉGIÉS EN 2009

NIVEAU COLLÉGIAL TECHNIQUE (suite)

Diplômes étrangers	Diplômes du Québec[1]
	• Technologie de médecine nucléaire (DEC - 3 ans) • Technologie de radiodiagnostic (DEC - 3 ans) • Technologie de radio-oncologie (DEC - 3 ans) • Technologie des procédés et de la qualité des aliments (DEC - 3 ans) • Technologie du génie civil (DEC - 3 ans)

NIVEAU SECONDAIRE PROFESSIONNEL

Diplômes étrangers	Diplômes du Québec[1]
• Assistance dentaire (DEP - 1500 h / 2 ans) • Assistance technique en pharmacie (DEP - 1230 h / 1,5 an) • Boucherie de détail (DEP - 900 h / 1 an) • Briquetage-maçonnerie (DEP - 900 h / 1 an) • Fabrication de structures métalliques et de métaux ouvrés (DEP - 1350 h / 1,5 an) • Ferblanterie-tôlerie (DEP - 1800 h / 2 ans) • Mise en œuvre de matériaux composites (DEP - 900 h / 1 an) • Montage de câbles et de circuits (DEP - 945 h / 1 an) • Montage de structures en aérospatiale (DEP - 975 h / 1 an) • Montage mécanique en aérospatiale (DEP - 1185 h / 1,5 an) • Plomberie et chauffage (DEP - 1500 h / 2 ans) • Soudage-montage (DEP - 1800 h / 2 ans) • Techniques d'usinage (DEP - 1800 h / 2 ans)	• Arpentage et topographie (DEP - 1800 h / 2 ans) • Assistance à la personne à domicile (DEP - 975 h / 1 an) • Assistance dentaire (DEP - 1500 h / 2 ans) • Assistance technique en pharmacie (DEP - 1230 h / 1,5 an) • Boucherie de détail (DEP - 900 h / 1 an) • Briquetage-maçonnerie (DEP - 900 h / 1 an) • Carrosserie (DEP - 1590 h / 2 ans) • Charpenterie-menuiserie (DEP - 1350 h / 1,5 an) • Comptabilité (DEP - 1350 h / 1,5 an) • Conduite d'engins de chantier (DEP - 1095 h / 1,5 an) • Conduite et réglage de machines à mouler (DEP - 1350 h / 1,5 an) • Cuisine d'établissement (DEP - 1350 h / 1,5 an) • Dessin de bâtiment (DEP - 1800 h / 2 ans) • Dessin industriel (DEP - 1800 h / 2 ans) • Ébénisterie (DEP - 1650 h / 2 ans) • Extraction de minerai (DEP - 930 h / 1 an) • Fabrication de structures métalliques et de métaux ouvrés (DEP - 1350 h / 1,5 an)

LISTE DES DOMAINES DE FORMATION PRIVILÉGIÉS EN 2009

NIVEAU SECONDAIRE PROFESSIONNEL (suite)

Diplômes étrangers	Diplômes du Québec[1]
• Tôlerie de précision (DEP - 1275 h / 1,5 an)	• Ferblanterie-tôlerie (DEP - 1800 h / 2 ans) • Installation et entretien de systèmes de sécurité (DEP - 1485 h / 2 ans) • Installation et réparation d'équipement de télécommunication (DEP - 1800 h / 2 ans) • Mécanique agricole (DEP - 1800 h / 2 ans) • Mécanique automobile (DEP - 1800 h / 2 ans) • Mécanique de machines fixes (DEP - 1800 h / 2 ans) • Mécanique de protection contre les incendies (DEP - 900 h / 1 an) • Mécanique de véhicules lourds routiers (DEP - 1800 h / 2 ans) • Mécanique d'engins de chantier (DEP - 1800 h / 2 ans) • Mécanique industrielle de construction et d'entretien (DEP - 1800 h / 2 ans) • Mise en œuvre de matériaux composites (DEP - 900 h / 1 an) • Modelage (DEP - 1500 h / 2 ans) • Montage de câbles et de circuits (DEP - 945 h / 1 an) • Montage de structures en aérospatiale (DEP - 975 h / 1 an) • Montage et installation de produits verriers (DEP - 1350 h / 1,5 an) • Montage mécanique en aérospatiale (DEP - 1185 h / 1,5 an) • Opération d'équipements de production (DEP - 900 h / 1 an) • Pâtisserie (DEP - 1350 h / 1,5 an) • Peinture en bâtiment (DEP - 900 h / 1 an) • Plomberie et chauffage (DEP - 1500 h / 2 ans) • Pose de revêtements souples (DEP - 900 h / 1 an) • Préparation et finition de béton (DEP - 900 h / 1 an)

(...)

LISTE DES DOMAINES DE FORMATION PRIVILÉGIÉS EN 2009	
NIVEAU SECONDAIRE PROFESSIONNEL (suite)	
Diplômes étrangers	**Diplômes du Québec[1]**
	• Réfrigération (DEP - 1800 h / 2 ans) • Régulation de vol (DEP - 900 h / 1 an) • Rembourrage artisanal (DEP - 1350 h / 1,5 an) • Santé, assistance et soins infirmiers (DEP - 1800 h / 2 ans) • Service de la restauration (DEP - 960 h / 1 an) • Soudage-montage (DEP - 1800 h / 2 ans) • Soutien informatique (DEP - 1800 h / 2 ans) • Techniques d'usinage (DEP - 1800 h / 2 ans) • Tôlerie de précision (DEP - 1275 h / 1,5 an) • Vente des produits de la pêche (DEP - 900 h / 1 an)

Montréal

La métropole économique et culturelle du Québec attire des milliers de travailleurs, étudiants et touristes tous les ans. Montréal et sa région accueille la moitié de la population du Québec, soit 3635571 personnes, selon le dernier recensement de 2006. Elle représente la deuxième région métropolitaine au Canada après Toronto en Ontario. Le taux de chômage à Montréal était de 8,8 % en décembre 2011. Connue pour sa qualité de vie et le coût peu élevé du quotidien, Montréal attire chaque année plus de 80 % des immigrants québécois. Ville de festivals avec une architecture nord-américaine mais aussi un quartier ancien, Montréal est à la croisée des chemins, entre Amérique du Nord et Europe. Au fil des années, Montréal a raflé de nombreuses mentions pour sa qualité de vie dans les palmarès de *Mercer* et de *The Economist Intelligence Unit*. En 2011, Montréal a été à la tête de nombreux palmarès internationaux autant pour sa vie culturelle, sa qualité de vie et son coût de la vie unique au monde.

En vingt ans, Montréal a bien changé, devenant une véritable métropole cosmopolite et diversifiant son économie. La ville s'est taillé une place de choix avec des secteurs de la haute technologie comme l'aérospatiale, les nouvelles technologies et les biotechnologies. Le quart des Montréalais a une formation universitaire, alors que ce pourcentage tombe à 15 % pour l'ensemble de la population du Québec.

Sur l'île de Montréal, près de quatre salariés sur cinq travaillent dans le secteur des services. Les personnels de la santé, de l'éducation et de la fonction publique occupent un grand nombre d'emplois. Le domaine du commerce de détail y a aussi connu une forte progression. Le secteur de la fabrication représente 20 % des emplois de la région dans des champs d'activité aussi variés que le meuble, le textile et les aliments. Des entreprises de technologie s'y installent continuellement. Fait nouveau, les Montréalais sont désormais plus nombreux à sortir de leur île pour aller travailler vers les rives nord et sud, que les « banlieusards » ne le font pour se diriger vers le centre-ville.

☛ Les professions les plus demandées à Montréal
➢ www.immigrer.com/endemande.html
☛ Emploi-Québec Montréal
➢ http://emploiquebec.net/regions/ montreal/

Vécu

Le long apprentissage d'un informaticien français à Québec

LE NORMAND DAVID FOURCHON avait déjà fait quelques séjours aux États-Unis lorsqu'il avait une vingtaine d'années. Cet informaticien avait même songé s'y installer non loin de sa petite amie d'alors, de nationalité américaine. Mais il reste en France et rencontre Aurélie, sa copine actuelle. Les années passent et la vie parisienne lui pèse de plus en plus. « Je ne supportais plus de voir de la grisaille tout le temps, se souvient-il. Dès l'instant qu'on voulait voir la nature, c'était les bouchons, le stress. J'ai besoin de me retrouver seul de temps en temps. Je voulais vivre dans une ville à taille plus humaine. » Ils explorent alors la possibilité de s'installer dans une ville française de plus petite taille comme Grenoble. En 2006, poussés par l'envie de voyager, ils se rendent au Québec pour ce qui deviendra un véritable séjour de repérage. Ils sont charmés par la beauté européenne de la ville de Québec, juste assez grande pour leurs aspirations et leurs besoins.

DE RETOUR, ILS AMORCENT LEURS DÉMARCHES et en moins de trois mois ils obtiennent leur CSQ, sans entrevue. Puis ils débarquent à Québec le 29 décembre 2007, la veille du lancement des célébrations du 400e anniversaire de la ville. Ils résident un mois dans un logement meublé le temps de s'acclimater, de choisir leur quartier. Puis ils déménagent à Limoilou, un quartier central près du parc du domaine de Maizerets.

AVANT DE PARTIR, DE NOMBREUSES PERSONNES avaient dit à David qu'il trouverait du travail en deux jours à Québec. Il a donc pris quelques mois pour apprécier son nouvel environnement en véritable touriste. Puis, en mai 2008, il se lance dans la recherche d'emploi après une formation de quelques jours au service de placement de l'Université Laval. La formatrice de son stage a un contact à CGI, une importante compagnie que David avait en ligne de mire. Il est recommandé et, quelques jours plus tard, il est embauché (...)

(...) **comme analyste informatique avec un salaire de 60 000 $ annuel et trois semaines de congé.**

LE PLUS DIFFICILE POUR DAVID n'a pas été de trouver du travail mais plutôt de s'y adapter. N'étant pas habitué à travailler dans une grosse entreprise qui dessert les administrations publiques, il doit apprendre une nouvelle façon de fonctionner. « Oralement j'arrivais à me faire comprendre par tout le monde, mais à l'écrit il a vraiment fallu réapprendre toute la terminologie québécoise dans mon domaine », confie-t-il. En plus de la terminologie distincte et du fonctionnement de l'entreprise, David doit s'adapter comme tout nouvel immigrant au contexte social et culturel de son nouvel environnement. Fort heureusement, son employeur a mis en place un programme d'intégration pour le nouveau personnel et les nouveaux arrivants. « Ça demande un peu de temps pour s'adapter, se souvient-il. À CGI, ils ont été là pour moi, ils ont fait des efforts pour m'aider à comprendre la nouvelle culture dans laquelle je devais travailler. » Une remise à niveau qui en vaut la peine car David et sa compagne ont tous deux du travail et une maison achetée non loin du cœur de Québec.

Laval

Le deuxième pôle économique du Québec se situe à Laval, dans la proche banlieue nord de Montréal. Cette ville avait un taux de chômage de 7,9 % en décembre 2011. Plus de 50 % des Lavalois travaillent sur l'île de Montréal. Ces dernières années, des investissements de près d'un milliard de dollars ont relancé l'économie régionale avec des projets de construction tels que le prolongement du métro de Montréal vers Laval. Le commerce de détail draine de nombreux emplois dans cette ville où le secteur tertiaire occupe 80 % du marché de l'emploi. Quatre parcs industriels sont présents sur le territoire. Par ailleurs, de nombreuses entreprises de biotechnologies s'y sont implantées. Laval est aussi considéré comme la capitale de l'horticulture québécoise.

☛ Les professions les plus demandées à Laval
➣ www.immigrer.com/endemande.html
☛ Emploi-Québec Laval ➣ http://emploiquebec.net/regions/laval/

AU NORD DE LAVAL

Au nord de Laval, les régions des Laurentides et de Lanaudière offrent un cadre de vie agréable au cœur de la nature avec un taux de chômage plus bas que la moyenne québécoise. En décembre 2011, les Laurentides avaient un taux de chômage de 8,2 % et la région de Lanaudière, un taux de 7,5 %. Le sud des Laurentides est surtout manufacturier, avec des entreprises de haute technologie, des firmes dans le domaine des aliments, des produits métalliques, du bois, du meuble, de la machinerie. Un centre de commerce international est aussi présent à Mirabel. Au centre des Laurentides s'est surtout développé un secteur touristique dynamique ; car c'est là que l'on trouve notamment la station de ski populaire du Mont-Tremblant.

Pour sa part, la région de Lanaudière, au nord-est de Montréal, offre une économie diversifiée. De nombreux résidents du sud de la région de Lanaudière travaillent à Montréal. Cette région recèle maints secteurs d'activité allant de l'agriculture à l'élevage et la production en passant par l'horticulture ornementale et la biotechnologie végétale. Une personne sur quatre dans la région travaille dans le secteur secondaire de la construction ou de la fabrication.

☛ Les professions les plus demandées dans Lanaudière
➣ www.immigrer.com/endemande.html
Emploi-Québec Lanaudière ➣ http://emploiquebec.net/regions/lanaudiere/

☛ Les professions les plus demandées dans les Laurentides ➢ www.immigrer.com/endemande.html
Emploi-Québec Laurentides ➢ http://emploiquebec.net/regions/laurentides/

Montérégie

Tout juste au sud de Montréal, la région de la Montérégie comprend toutes les villes de banlieue au sud de la métropole et les petites villes dans les terres agricoles frontalières des États-Unis. Cette région stratégique avait un taux de chômage de 8 % en décembre 2012. Sa population est la deuxième en nombre au Québec après celle de Montréal.

Caractérisée par d'importantes terres agricoles, comptant plus de 8 000 fermes, la Montérégie bénéficie d'une économie dynamique à la fois dans le secteur agroalimentaire, mais aussi dans celui de la technologie et dans celui de l'industrie. Elle accueille de nombreuses compagnies dans le domaine de l'aérospatiale et dans le secteur industriel de l'énergie. Les services représentent 70 % des emplois dans la région.

☛ Les professions les plus demandées en Montérégie ➢ www.immigrer.com/endemande.html
☛ Emploi-Québec Montérégie ➢ http://emploiquebec.net/regions/monteregie

Québec

La ville de Québec et sa région ont cruellement besoin de nouveaux travailleurs pour répondre aux besoins imminents des départs à la retraite et à la pénurie de personnel dans bien des domaines. En décembre 2011, la ville de Québec avait un taux de chômage de 4,7 %. Ces dernières années, la capitale du Québec affichait souvent le taux de chômage le plus bas de la province. Comme ce fut le cas en 2010, faisant de la capitale nationale la reine de l'emploi au Canada. En 2010, la ville a aussi connu sa meilleure année de création d'emplois depuis 2002. Selon un sondage Léger Marketing réalisé à l'automne 2009 auprès de plus de 700 dirigeants d'entreprises, le recrutement et la fidélisation de la main-d'œuvre sont au cœur des préoccupations des dirigeants de la région.

Québec n'est pas qu'une belle ville, c'est aussi une cité proposant une belle qualité de vie. Le magazine touristique américain *Condé Nast Traveler* a placé Québec en 2009 à la 3e place des meilleures destinations touristiques des Amériques. Connue comme la ville des fonctionnaires, la capitale nationale du Québec a su énormément diversifier ses champs d'activité au fil des années et on peut y trouver des emplois dans tous les domaines, de la restauration à l'ingénierie, en passant par l'informatique et l'hôtellerie.

L'enseignement, la fonction publique et la santé occupent 30 % des emplois du territoire québécois. Le commerce de détail, le tourisme et la restauration sont aussi très présents dans la région. Les manufactures ne comptent que pour 10 % des emplois, et le secteur primaire regroupe 2 % des emplois. Québec s'est résolument tournée ces dernières années vers la nouvelle économie et a réussi à développer plusieurs secteurs de pointe comme l'optique-photonique, la géomatique, les biotechnologies, le biomédical. Le secteur des technologies de l'information a réussi à prendre son envol dans la capitale, malgré les récents contrecoups. En raison des départs à la retraite dans de nombreux secteurs et du développement du pôle technologie, Québec constitue un lieu d'établissement intéressant pour les nouveaux arrivants.

Vécu

Une famille à Sherbrooke

MICHEL PERROT ARRIVE EN DÉCEMBRE 2005 ***à Sherbrooke avec sa femme et ses deux enfants. Ce Français qui réside à 70 kilomètres de Paris est à un tournant de sa vie lorsqu'il décide de faire le grand saut pour le Québec. Intermittent du spectacle en France, il attend en vain un poste permanent dans une entreprise d'audiovisuel. C'est la rencontre avec un couple de Québécois, lors d'une croisière aux Caraïbes en 2002, qui change le cours de l'existence de la famille.***

« NOUS LEUR AVONS RENDU VISITE durant l'été 2004 et avons vécu pendant deux semaines avec eux, comme des Québécois », se souvient-il. De retour en France, leur choix est fait, ils entament des démarches pour immigrer au Québec. Après maintes hésitations, ils penchent pour la ville de Sherbrooke parce qu'ils ne veulent pas d'une grande ville et désirent vraiment s'intégrer. « Sherbrooke est une ville avec de la verdure, mi-ville, mi-campagne, mais où l'on trouve tous les services, toutes les commodités et institutions », affirme-t-il. Il aime aussi la proximité de la frontière avec les États-Unis (60 kilomètres).

MAIS AU NIVEAU DU TRAVAIL, il y a peu d'opportunités dans le domaine de l'audiovisuel à Sherbrooke. Pour l'instant, il a créé une petite compagnie audiovisuelle où il fait du transcodage de format vidéo et audio. Sa femme, quant à elle, a monté une garderie en milieu familial dans le grand sous-sol de la maison et attend l'accréditation du ministère québécois pour passer à une garderie publique à 7 $ par jour. Leur nouvel environnement dans le quartier de Rockforest est familial. Ils mangent vers 17 heures comme tous les autres Québécois : « Ça nous permet de sortir les enfants après le souper pour qu'ils jouent avec les autres enfants du quartier. Il n'y a presque pas de clôtures, on voit les enfants s'amuser dans la rue, devant la maison. Nos anciens voisins sont devenus les grands-parents québécois de nos enfants ! Quand mes enfants adoptent des expressions locales, je suis heureux », sourit-il.

☛ Les professions les plus demandées à Québec
➣ www.immigrer.com/endemande.html
Ville de Québec, accueil des immigrants
➣ www.ville.quebec.qc.ca/immigrants
1 888 Me voilà ➣ www.1888mevoila.com
Emploi-Québec Ville de Québec
➣ http://emploiquebec.net/regions/capitale-nationale/

☛ **Bonus Web.** Pour plus d'informations : www.immigrer.com/quebec

Sherbrooke et l'Estrie

Au sud-est de Montréal, se trouve la ville de Sherbrooke, située au cœur de la région de l'Estrie. Aussi appelée les « Cantons de l'Est », la région accueille l'université de Sherbrooke, de langue française, et aussi l'université Bishop's, une institution scolaire anglophone. Quoique majoritairement francophone, cette région frontalière avec les États-Unis possède une importante communauté anglophone. Sherbrooke affichait un taux de chômage de 6,7 % en décembre 2011. L'Estrie est reconnue pour la vigueur de son secteur manufacturier qui couvre des domaines traditionnels tels le textile, les pâtes et papiers mais aussi le caoutchouc, le plastique, la microélectronique, etc. La présence de la compagnie Bombardier dans la région explique la prolifération des entreprises de sous-traitance. Le biomédical se développe aussi, Sherbrooke abrite un parc biomédical et son centre de développement des biotechnologies. Les hautes technologies s'installent également dans le secteur ainsi que les centres d'appels, profitant du nombre relativement élevé de personnes bilingues. L'industrie touristique des Cantons de l'Est n'a cessé de prospérer et d'élargir son offre.

☛ Les professions les plus demandées en Estrie ➢ www.immigrer.com/endemande.html
☛ Cantons de l'est ➢ www.cantonsdelest.com
☛ Emplois en Estrie ➢ www.emploiquebecestrie.net/
☛ Je suis Sherbrookois ➢ www.jesuissherbrookois.ca

☛ **Bonus Web.** Pour plus d'informations : www.immigrer.com/sherbrooke

L'Outaouais

L'économie de l'Outaouais est indissociable de celle de sa voisine, la région d'Ottawa-Carleton, capitale nationale du Canada. La rivière des Outaouais (« Ottawa river » du côté ontarien) sépare la ville de Hull au Québec de sa voisine Ottawa, en Ontario. Tous les jours, plus de 50 000 employés québécois traversent les ponts enjambant la rivière pour aller travailler à Ottawa. Près du quart des résidents de l'Outaouais travaillent pour la fonction publique, principalement fédérale. Les secteurs du commerce de détail et de gros, des soins de santé et de la construction sont d'importants employeurs dans la région. En décembre 2011, le taux de chômage était de 7,1 % à Gatineau et 6,1 % à Ottawa. Récemment, l'économie de la région s'est diversifiée grâce au tourisme de loisirs. Le secteur des technologies de l'information s'y déploie aussi, plusieurs entreprises ont vu le jour en 2002 dans la vallée de Kanata.

☛ Les professions les plus demandées en Outaouais ➢ www.immigrer.com/endemande.html
- Gatineau ville d'affaires ➢ www.gatineauvilledaffaires.ca
- Service intégration travail Outaouais ➢ www.sito.qc.ca
- Ton géo ➢ www.tongeo.ca
- Ville de Gatineau, service aux immigrants ➢ www.gatineau.ca/diverstie

Une candidature à la québécoise

Les démarches pour trouver du travail au Québec ne sont pas exactement les mêmes qu'en France. Les photos et les lettres de motivation manuscrites ne sont pas utilisées. On ne procède pas à l'analyse graphologique en Amérique du Nord. Tous les renseignements personnels sur le CV sont également proscrits et considérés comme discriminatoires. La personnalité est un élément très important en Amérique du Nord, mais pour les employeurs ça n'a aucun rapport avec les questions personnelles. Les Nord-Américains ont une approche plus « séparée » des choses, c'est plus une mentalité à tiroirs. Ainsi, un employeur ne veut pas savoir l'âge exact d'un employé, mais s'il est en mesure de s'adapter facilement. Pour ne citer qu'un exemple, on peut très bien être jeune et absolument pas flexible.

Le suivi téléphonique

Idéalement, le chercheur d'emploi devrait tenir à jour un agenda de ses envois de candidatures et du suivi téléphonique. Avant d'envoyer son CV, il est impératif de toujours vérifier par téléphone le nom du responsable. L'idéal étant de lui parler et de décrocher un entretien.

Chaque année, l'Agence montréalaise pour l'emploi (AMPE) aide des centaines de nouveaux arrivants francophones à trouver un travail. « Nous conseillons l'approche directe et personnelle avec un membre de l'entreprise, qui n'est pas forcément le responsable des ressources humaines, affirme son directeur, Yann Hairaud. Il ne s'agit pas de demander directement un emploi, mais d'une prise de contact. L'exploration de l'offre de service permet de cibler et développer l'information, d'avoir une meilleure connaissance du marché du travail et de décrocher un emploi. » Les gens vivent à un rythme plus lent au Québec qu'à Paris, il n'est donc pas rare de pouvoir un peu échanger afin d'obtenir de l'information.

Au Québec, il est fondamental de téléphoner après l'envoi de votre CV et de votre lettre de motivation, il ne faut pas avoir peur de déranger comme le craignent trop souvent les Français. Si vous ne tombez pas sur la personne responsable du recrutement, n'hésitez pas à la rappeler pour vous assurer qu'elle a bien reçu votre dossier et qu'elle va l'examiner. Il faut montrer qu'on en veut !

Lors de ces appels téléphoniques, ne parlez pas trop vite ni trop lentement, soyez audible et enchaînez sans hésitation. Présentez-vous et exprimez-vous toujours de façon courtoise et professionnelle, soyez également sympathique et aimable. Si vous souriez tout en parlant, votre voix en sera plus agréable pour votre interlocuteur. Votre ton reflète votre personnalité. Préparez bien vos questions à l'avance afin de ne pas être pris de court.

La lettre de motivation

La lettre de motivation ne s'écrit pas à la main en Amérique du Nord. Toujours dactylographiée, jamais manuscrite, elle est aussi importante que votre CV, ne la sous-estimez pas. Cette lettre d'accompagnement permet d'attirer l'attention de l'employeur, de diriger son intérêt vers certains points de votre parcours et a pour objectif de décrocher une entrevue avec un recruteur. Elle ne doit jamais dépasser une page et se rédige à la première personne du singulier.

Dans cette lettre, vous devez développer brièvement vos points forts, exposer les raisons pour lesquelles vous présentez votre candidature, ce que vous avez à offrir et ce qui vous distingue des autres candidats. Vous devez convaincre l'employeur que votre candidature répond aux besoins de l'entreprise, qu'il doit vous choisir plutôt qu'un autre postulant. Pour cela, il faut absolument éviter de faire une seule et même présentation pour tous vos envois, en ne changeant que le titre du poste convoité et le nom de la compagnie. Grâce à cette lettre, vous pouvez adapter votre présentation, mettre en valeur vos atouts selon les circonstances et reformuler chaque document selon l'emploi envisagé.

Cette lettre doit contenir les coordonnées de l'entreprise ainsi que le titre de l'emploi visé, la provenance de la piste (ex : à la suite d'un appel téléphonique, à la suite de la publication d'une annonce…). Elle doit être séduisante et attirer l'attention de l'employeur. Vous devez également y solliciter l'employeur pour une entrevue, en spécifiant que vous l'appellerez quelques jours après cet envoi. Finalement, vous concluez avec une formule de politesse courtoise et succincte. Même si le document est dactylographié, n'oubliez pas de toujours signer à la main cette lettre.

L'ENTRETIEN D'EMBAUCHE

Un entretien se prépare avec minutie. Comme nous l'avons vu, la première étape peut être une entrevue ou un entretien téléphonique rapide pour obtenir quelques informations. Vous devez faire une analyse de vos objectifs, mais aussi de ce que vous attendez du poste

L'ENTRETIEN : LES QUESTIONS À PRÉPARER

LORS DE L'ENTRETIEN D'EMBAUCHE, l'employeur risque de vous poser des questions sur votre histoire personnelle, vos objectifs d'emploi à long terme, votre capacité à travailler sous pression, votre éducation et votre expérience professionnelle, vos attentes salariales, vos qualités.

Les questions qu'un employeur québécois risque de vous poser ne différeront pas fondamentalement de celles que vous poserait un Français. En vertu de la Charte canadienne des droits et libertés, sachez cependant qu'un employeur ne peut vous poser certaines questions d'ordre personnel.

L'employeur a le droit de savoir si vous avez le visa de travail, mais il ne peut pas vous poser de questions sur votre état civil, votre âge, ni vous demander si vous êtes enceinte ou si vous avez des enfants, ce sont là des questions jugées discriminatoires. Par ailleurs, il attend de vous des réponses beaucoup plus courtes et directes. Pas de digression...

- *Comment vous décririez-vous ?*
- *Quelles sont les qualités personnelles requises pour réussir dans votre domaine ?*
- *Pourquoi désirez-vous travailler pour notre entreprise ?*
- *Quelles sont vos prétentions salariales ?*
- *Pourquoi devrions-nous vous embaucher plutôt qu'un autre candidat ?*
- *Qu'est-ce qui vous attire dans le poste que vous convoitez ?*
- *Comment travaillez-vous en équipe ? Et seul ?*
- *Quels sont vos forces et vos faiblesses ?*
- *Comment vos expériences et formations vous ont-elles préparé pour ce poste ?*

Vécu

Les conseils d'une recruteuse d'origine française installée à Montréal

ARMELLE FOUCHER EST ARRIVÉE EN 2004 avec son conjoint Vanda. Originaire de Normandie, elle a étudié l'architecture à Paris. Son diplôme et son expérience professionnelle sont mal reconnus au Québec ; alors, après avoir lancé une entreprise spécialisée dans la vente d'objets design, elle fait des petits mandats comme réceptionniste. Jusqu'au jour où elle intègre temporairement le Groupe Conseil PRI comme adjointe administrative avec un salaire de 25 000 dollars canadiens par an. « Au départ, j'aidais juste à dénicher des CV pour cette agence de placement spécialisée dans les TI, se souvient-elle. Je cherchais tel profil d'informaticien, ayant telle expérience avec tel type de langage informatique et telle base de données. Et comme, sans jamais avoir travaillé dans le domaine informatique, j'en ai rapidement compris les concepts, ils m'ont proposé de faire passer moi-même les entrevues avec les candidats et de devenir recruteuse. » Elle est engagée et perçoit dorénavant un salaire de 40 000 $ avec trois semaines de vacances. « C'est un boulot où il faut avoir les nerfs solides car la compétition est féroce entre les firmes, constate-t-elle. Il y a une pénurie de personnel en informatique et on peut travailler des semaines sur une candidature qui peut nous échapper. » Elle aime ce métier gratifiant et dynamique qui nécessite aussi des qualités analytiques et sociales.

« **APRÈS LEUR BASE DE DONNÉES,** Internet est le premier endroit où les recruteurs cherchent : Monster, Linkedin, Twitter, affirme-t-elle. Le candidat idéal le plus facile à placer est celui qui possède au moins trois ou quatre ans d'expérience pertinente dans les technologies actuelles. Lorsque le candidat est débutant, c'est plus difficile de lui trouver un poste, même avec un bon bagage académique. » Selon elle, tout candidat immigrant doit faire preuve de beaucoup de souplesse et d'adaptabilité, il faut accepter de passer par la petite porte. « J'en suis un bon exemple. J'ai eu la chance de rencontrer quelqu'un qui m'a donné ma chance et qui a rapidement perçu mon potentiel. » Elle affirme que du point *(...)*

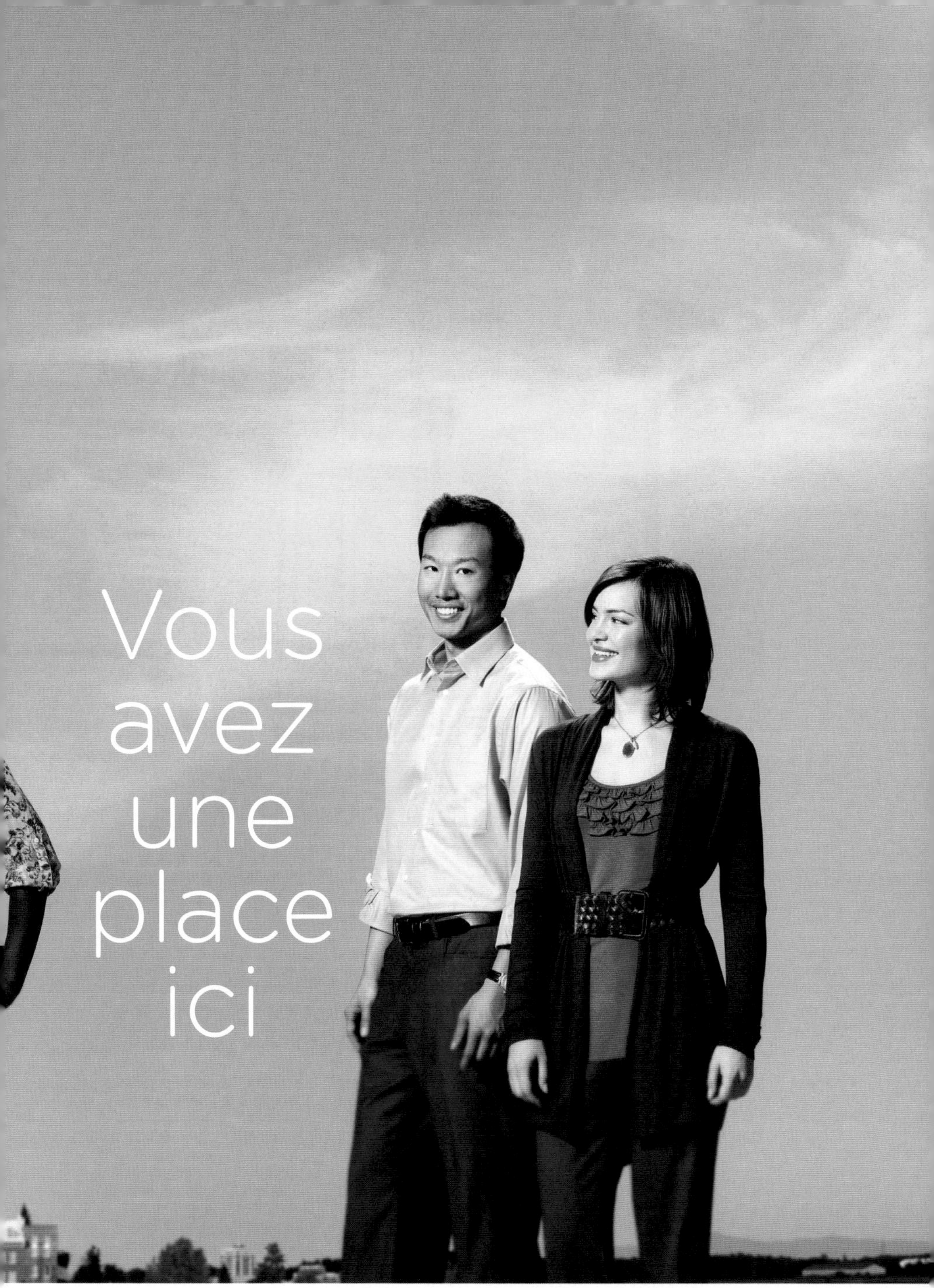
Vous
avez
une
place
ici

Québec

La représentation de l'Office français de l'immigration et de l'intégration* (OFII) au Québec, établissement public français, a pour assise juridique une entente gouvernementale entre la France et le Québec ayant pour but la promotion des mobilités professionnelles.

L'OFII au Canada dispense depuis 1990 ses services aux entreprises et aux particuliers. Ses principales missions :

- informer et accompagner en emploi dans les entreprises québécoises les personnes en provenance de France, résidant au Québec à titre temporaire ou permanent ;

- informer et orienter tant les entreprises canadiennes qui souhaitent détacher des salariés en France, que des Canadiens qui ont un projet professionnel précis, ou encore des jeunes adultes qui souhaitent acquérir une expérience de travail enrichissante en France.

*anciennement ANAEM

Vous venez de France et vous vivez au Québec avec un permis de travail (résidence temporaire ou permanente)

L'OFII Québec vous offre :

- un suivi individuel et personnalisé ;
- une adaptation de votre CV et des informations sur le marché du travail ;
- des mises en relation sur des offres d'emploi recueillies auprès de notre clientèle Entreprises ;
- des ateliers sur les compétences recherchées et le réseautage ;
- des conférences sur les différences culturelles franco-québécoises en milieu professionnel ;
- des ateliers avec des employeurs qui présentent leurs entreprises et leurs offres d'emploi.

Vous êtes canadiens ou résidez régulièrement au Canada et vous souhaitez travailler en France

L'OFII Québec vous propose :

- une information sur les nouveaux dispositifs d'immigration professionnelle ;
- une information et une orientation sur les formalités liées à l'immigration ;
- une information sur l'exercice d'une profession réglementée en France, dans le cadre de l'entente franco-québécoise sur la reconnaissance mutuelle des qualifications professionnelles du 17 octobre 2008 ;
- une information sur les offres d'emploi en France.

Vous êtes entrepreneurs

L'OFII vous offre :

- Des services administratifs relatifs à l'envoi de vos salariés en France
- Une réponse à vos besoins de recrutement au Québec

Vous pouvez nous contacter aux adresses suivantes :

Bureau à Montréal
De 8H30 à 16H30
Cours Mont royal
1550, rue Metcalfe, suite 505
Montréal, Québec H3A 1X6
Tél : 514 987 1756
Courriel : montreal@ofiicanada.ca

Bureau à Québec
de 8H30 à 12H et de 13H à 16H30
(mercredi 10H-12H et 13H - 16H30)
1020 route de l'Église - 4e étage -
Québec G1V 5A7
Tél : 418 682 3275
Courriel : quebec@ofiicanada.ca

www.ofiicanada.ca

Canada

SCHL CMHC
AU CŒUR DE L'HABITATION

(...) **de vue professionnel, la patience finit toujours par payer. « Quand tu fais preuve de souplesse et que tu engranges les expériences, à un certain moment tes capacités vont être reconnues. »**

ARMELLE A QUELQUES CONSEILS À DISPENSER aux candidats pour les entretiens d'embauche. « Quel que soit le domaine où on postule, il est important de soigner son apparence, affirme-t-elle, mieux vaut en faire un peu plus que pas assez. Lors de l'entrevue, il faut être clair, concis et articuler dans ses réponses : une bonne communication est la clé d'une entrevue réussie. Trop parler et se perdre dans des détails insignifiants peut être rédhibitoire. Aussi, ajoute-t-elle, une entrevue, ça se prépare ! On fournit au recruteur des informations pertinentes sur son expérience professionnelle, ses réalisations et les connaissances acquises, on connaît ses forces et accessoirement... ses faiblesses ! Aussi, il faut savoir se montrer confiant et être honnête sans pour autant se fourvoyer : le recruteur veut savoir qui il embauche mais veut le voir sous son meilleur jour ! »

convoité et de ce que vous pouvez offrir. Renseignez-vous bien sur l'entreprise : il n'y a pas d'impression plus négative que celle laissée par un candidat qui ne connaît absolument rien sur l'entreprise où il sollicite un emploi.

Entraînez-vous... à être concis. Répétez avec un ami, simulez une entrevue afin de vous sentir à l'aise. Restez naturel lors de la rencontre, laissez la possibilité à l'employeur de vous découvrir car il s'intéresse à votre personnalité en même temps qu'à vos aptitudes et compétences. La grande différence entre un entretien à la française et un entretien à la québécoise réside certainement dans le temps alloué aux réponses : le candidat doit vraiment apporter des réponses complètes et courtes en allant directement à l'essentiel. Souvent, les Français sont perçus comme parlant pour ne rien dire. Il faut oublier les belles phrases périphériques et entrer rapidement dans le cœur du sujet. Surtout ne faits pas traîner vos réponses en longueur, pas plus de deux ou trois minutes chacune, selon les questions.

À la fin de l'entrevue, vous pouvez à votre tour poser des questions sur le poste à pourvoir et l'entreprise. N'hésitez pas à demander quand la décision d'embauche sera prise et si vous pouvez réitérer votre appel.

☛ Pour pratiquer son entretien d'embauche en ligne : entrevue.monster.ca

Un CV version Belle Province

Dans un CV au Québec, comme dans tout le Canada, n'indiquez jamais votre année de naissance, votre état civil, votre nationalité ou votre sexe. Toutes ces informations sont considérées comme strictement confidentielles. Vous n'avez pas non plus à joindre une photo.

Évitez à tout prix les anglicismes, même si les Québécois sont souvent bilingues, il faut présenter un CV en français lorsque le candidat est francophone. Faites des recherches afin de traduire certains termes anglais. N'hésitez pas à le faire relire par des amis ou connaissances du Québec. Les organismes d'aide pour la recherche d'emploi peuvent vous offrir cette aide. Un CV est une carte de visite et doit démontrer votre capacité à vous adapter à la culture locale.

Pour vous présenter, vous pouvez ajouter en introduction du CV une simple ligne pour expliquer brièvement et clairement vos objectifs de carrière à court et moyen termes. Puis vient la formation : vous devez toujours commencer par le diplôme le plus récent, en indiquant le nombre d'années d'études et le lieu d'obtention. Si

UN EXEMPLE DE CV

Olivier Martin
1238, rue Jean-Talon Est
Montréal, Québec, H2W 2H6
Téléphone : 514-678-8970
Courriel : omartin@canada.ca

Langues parlées : français et anglais
Langue écrite : français

Objectif de carrière

Travailler comme infirmier dans les secours de premiers soins.
À plus long terme, travailler comme chef d'intervention.

Scolarité

1997-2000 : École d'infirmières de Rosendael, France : infirmier diplômé d'État

Autres formations

- BNMPS, brevet national de moniteur des premiers secours, France, 2001
- BNPS, brevet national des premiers secours, France, 1998

Expériences de travail

2001-2002 : brigade des Sapeurs Pompiers, Paris
Poste occupé : infirmier en réanimation
Fonctions : réanimation dans les ambulances, secourisme

2003-2011 : Médecins sans frontières, Philippines
Poste occupé : infirmier
Fonctions : premiers soins dans les camps de réfugiés

Qualités personnelles

Esprit d'équipe, perfectionniste
Références sur demande

possible, indiquez une équivalence pour le Québec. Ensuite, vous indiquez votre expérience. Il faut là aussi commencer par la plus récente, préciser le lieu, le titre de l'emploi, sa période exacte, détailler vos principales tâches. Ne laissez pas de trous chronologiques, mieux vaut jouer cartes sur table. Si vous avez des compétences particulières ou techniques, vous pouvez l'ajouter avant la section sur votre formation.

Certains CV présentent d'abord l'expérience plutôt que la formation, ceci peut être un choix judicieux si votre formation est moins importante que votre expérience ou beaucoup moins à jour que votre diplôme.

☛ Liens utiles pour réaliser un CV :
- http://emploi-quebec.net
- www.monster.ca

Les obstacles à la recherche d'emploi

La première étape d'une installation réussie passe par le travail. Il n'est pas facile d'être confronté à des obstacles dans ses premières démarches. Mieux vaut donc être conscient des problèmes qui peuvent surgir pour mieux les surmonter sans sombrer dans le découragement. Pour ne pas perdre espoir rapidement, n'oubliez pas qu'une recherche d'emploi peut prendre jusqu'à six mois de travail intensif, parfois plus si vous devez en même temps apprivoiser votre nouvel environnement. Pour les difficultés liées à l'adaptation culturelle et sociale, reportez-vous au développement consacré aux obstacles à l'intégration, page 431.

La première expérience canadienne

La nécessité d'acquérir une première expérience locale met en lumière une autre grande différence entre la mentalité française et la mentalité québécoise. Les employeurs québécois s'intéressent davantage à ce que vous savez faire qu'à vos diplômes: les références sont essentielles. Vous devez donc faire vos preuves dans votre nouvel environnement de travail. « Les gens aiment bien vérifier vos références auprès de vos anciens employeurs », constate Yann Hairaud (Directeur de CITIM). Pour cela, vous devrez convaincre un employeur de vous donner une chance, en lui affirmant qu'il constatera dans les faits de quoi vous êtes capable. Les Nord-Américains aiment le concret et préfèrent se rendre compte par eux-mêmes.

Cette fameuse expérience canadienne est fondamentale parce que c'est elle qui va également convaincre les employeurs que vous pouvez vous adapter à la culture nord-américaine du travail. Cette phase est parfois difficile à traverser et nécessite une grande modestie de la part des immigrants. Elle peut affecter l'estime de soi et l'image que vous vous faites de vous-même, mais elle vous servira d'assise pour votre nouvelle vie au Québec.

Pour compléter cette rubrique, nous vous suggérons de lire dans la partie suivante, la rubrique intitulée « Partir de zéro » (page 438). Vous y trouverez d'autres témoignages sur le premier emploi. N'oubliez pas que les organismes d'aide aux immigrants et autres sont là pour vous aider ou vous conseiller en cas de problème. Veuillez aussi vous renseigner sur le programme PRIIME (voir page 144) qui offre la possibilité d'obtenir une première expérience à un immigrant.

L'ACCÈS AUX ORDRES QUÉBÉCOIS

Né au Québec au début des années 70, le système des ordres professionnels de la province comprend plus de 45 organismes qui regroupent près de 300 000 personnes. Les ordres disposent d'une réelle autonomie pour déterminer les règles d'accession à leurs regroupements et peuvent établir des équivalences de diplôme depuis 1974.

Veillant à la compétence de leurs membres et à la protection du public, ils concèdent à leurs membres des titres réservés. Certaines professions se réservent des actes exclusifs comme les avocats ou les

Vécu

La reconnaissance professionnelle d'une urbaniste française à Québec

AURÉLIE WATREMEZ EST ARRIVÉE avec son compagnon David en décembre 2007 à Québec. Urbaniste de formation et diplômée d'un DESS de l'Institut d'urbanisme de Paris, cette Parisienne de 26 ans est tombée amoureuse du côté carte postale de la capitale québécoise. Malgré son enthousiasme et ses deux ans d'expérience en France, elle est inquiète quant à la reconnaissance de son diplôme au Québec, ayant lu sur Internet de nombreux témoignages très négatifs sur les ordres québécois. Lors de son séjour de repérage en 2006, elle rencontre des gens du métier qui lui assurent qu'elle peut travailler en urbanisme mais comme technicienne, ce qui correspond au même travail, la signature de certains papiers en moins.

DEPUIS LA FRANCE, elle fait rapidement reconnaître son diplôme comme une maîtrise en urbanisme auprès du MICC, Ministère de l'immigration et des communautés culturelles du Québec, mais il reste la reconnaissance auprès de l'ordre. Aurélie débute en mars 2008 un stage au SPLA (Service de placement de l'Université Laval) qui s'adresse aux diplômés et aux immigrants diplômés. Informée de la difficulté de trouver du travail dans son domaine, on lui suggère de contacter des gens du métier afin de prendre le pouls de la réalité du marché. Elle rencontre alors de nombreuses personnes lors de séances d'information mais cela ne débouche pas sur un emploi. « Pour moi l'intégration passe beaucoup par le travail », dit-elle.

C'EST AU SEIN DE L'ORGANISME d'aide aux immigrants de la région de Québec, le SOIIT, Service d'orientation et d'intégration des immigrants au travail, qu'elle prend connaissance d'une offre alléchante : un mentorat. En effet, grâce aux démarches du personnel de l'organisme, Aurélie est suivie par la directrice d'un important cabinet d'ingénieurs conseils de Québec, Roche. Chaque mois, elle passe une heure à discuter avec son mentor. Finalement, après cinq ou six rencontres la directrice lui offre un poste de spécialiste en urbanisme junior. Très heureuse, Aurélie *(...)*

(...) commence en juin 2008 avec un salaire de 40 000 $ et trois semaines de vacances. « Dès le début, on m'a fait confiance, confie-t-elle. Ce que je fais au travail, c'est comme en France. Mais au Québec, le contexte est meilleur, plus sain et le secteur est moins hiérarchique. »

EN SEPTEMBRE DE LA MÊME ANNÉE, elle contacte l'Ordre des urbanistes qui reconnaît facilement son diplôme moyennant quelques centaines de dollars. Pour pouvoir porter le titre d'urbaniste, il faut en plus effectuer un stage d'un an et passer l'examen de l'Ordre comme tout Québécois qui veut obtenir le titre. Heureusement, Aurélie peut intégrer son travail actuel au stage. Ainsi, entre décembre 2008 et décembre 2009, tout en travaillant, elle complète sa formation en écrivant un rapport tous les deux mois, sous la supervision de son maître de stage. Il lui restera à réviser les différentes lois québécoises pour passer le test de son ordre.

« ON S'ÉTAIT DONNÉ DEUX ANS pour que ça marche et on est super contents, affirme-t-elle. Ça se passe extrêmement bien. » Après avoir tous les deux trouvé du travail, elle réalise que ce sont de grands pas vers l'intégration. Et dans quelques mois, après l'obtention du titre d'urbaniste, elle aura encore plus de latitude.

médecins. À l'inverse, nul besoin d'être psychologue pour donner une consultation psychologique, le titre de psychothérapeute suffit. Tous les membres des ordres doivent respecter un code de déontologie strict.

Comment faire reconnaître son titre auprès d'un ordre

Dès que vous décidez d'exercer votre profession au Québec, il est impératif de savoir si celle-ci est régie par un ordre professionnel, avant même d'obtenir votre visa. Le cas échéant, vous devez vous renseigner dans les plus brefs délais auprès de cet ordre afin de prendre connaissance des conditions d'admission et des démarches à accomplir pour obtenir le permis d'exercer votre profession.

Les ordres exigent de nombreux justificatifs afin de reconnaître votre titre, vous aurez certainement besoin des documents suivants : diplômes ou certificats d'études et autres attestations de scolarité, relevés de notes, description des cours et des stages suivis, attestations d'emploi, d'expériences professionnelles, de stages de formation ou de perfectionnement, et le permis d'exercice d'une profession. Comme la reconnaissance des diplômes des candidats français est en pleine évolution avec la signature de l'Entente France-Québec, nous vous suggérons de vous rapporter à l'encadré ci-après pour en connaître les derniers développements.

VOTRE MÉTIER NE FAIT PAS PARTIE D'UN ORDRE

Si votre profession ne fait pas partie d'un ordre professionnel, il est toujours préférable de se renseigner auprès de ses futurs confrères par le biais de leur association afin de connaître les conditions d'exercice de la profession et les réalités du marché du travail au Québec (www.immigrer.com/ordres.html). Si votre profession n'est pas affichée dans les listes officielles, vous devez trouver son appellation québécoise. La liste de la classification nationale des professions évoquée page 200 pourra vous aider à comprendre la description des métiers de 520 profils inventoriés (http://imt.emploiquebec.net et www.jobfutures.ca).

LES PROFESSIONS À EXERCICE EXCLUSIF ET À TITRE RÉSERVÉ

Il existe deux types de professions dans les ordres, les professions à exercice exclusif et les professions à titre réservé.

DE PLUS EN PLUS D'ARM SIGNÉS SELON L'ENTENTE FRANCE-QUÉBEC

EN 2008, LE QUÉBEC et la France ont signé une entente de reconnaissance mutuelle à propos des qualifications professionnelles. En décembre 2011, une soixantaine d'ARM (Arrangements de reconnaissance mutuelle) étaient déjà signés de part et d'autre de l'Atlantique. Ces ratifications concernent des métiers et des professions dans chacune des deux entités. D'autres signatures devraient survenir en 2012.

« L'ARM, c'est l'arrangement entre deux organismes homologues au Québec et en France, stipulant que l'on se reconnaît mutuellement et en quoi nous sommes différents, explique Eve Bettez, responsable de la Promotion et Prospection au bureau d'Immigration du Québec à Paris. Ce n'est pas une reconnaissance totale mais plutôt un moyen d'aplanir au maximum les différences. Par exemple, pour les pharmaciens, il restera tout de même des mises à niveau parce que les pratiques sont trop différentes. » Ainsi, il est conseillé de se renseigner auprès de son ordre afin de connaître les nouvelles dispositions de reconnaissance mutuelle. « Les avocats qui ont signé l'ARM ont juste à passer un examen sur la déontologie lorsqu'ils arrivent au Québec. Mais il faut être réaliste, même s'il y a une facilité, des ajustements sont toujours à escompter. »

AUSSI, CETTE ENTENTE ne signifie pas que les nouveaux arrivants originaires de France sont au bout de leurs peines dans la course à la reconnaissance de leur profession. Une reconnaissance au Québec ne signifie pas par ailleurs une reconnaissance dans tout le Canada, car, dans ce pays, les ordres sont des organismes provinciaux ; les conditions peuvent énormément changer d'une province à une autre.

☛ Pour en savoir plus : www.immigration-quebec.gouv.qc.ca/fr/biq/paris/entente-france-quebec/

Les professions à exercice exclusif. Ce sont celles dont seuls les membres de ces ordres peuvent porter le titre et exercer les activités qui leur sont réservées selon la loi. Il s'agit des 25 professions suivantes : acupuncteur, agronome, architecte, arpenteur-géomètre, audioprothésiste, avocat, chimiste, chiropraticien, comptable agréé, dentiste, denturologiste (spécialiste des dentiers), géologue, huissier de justice, infirmier(ère), ingénieur, ingénieur forestier, médecin, médecin vétérinaire, notaire, opticien d'ordonnances, optométriste, pharmacien, podiatre (podologue), sage-femme et technologue (technicien) en radiologie.

Les professions à titre réservé. Ce sont celles dont les membres n'ont pas le droit exclusif d'exercer les activités professionnelles liées à ce métier. En revanche, l'utilisation du titre est limitée à eux seuls. Les professions à titre réservé sont: administrateur agréé, audiologiste, comptable en management accrédité, comptable général licencié, conseiller en orientation, conseiller en ressources humaines et en relations industrielles agréé, diététiste (diététicien), ergothérapeute, évaluateur agréé, hygiéniste dentaire, infirmier(ère) auxiliaire, inhalothérapeute, interprète agréé, orthophoniste, physiothérapeute, psychoéducateur, psychologue, technicien dentaire, technologiste médical, technologue professionnel, terminologue agréé, thérapeute conjugal et familial, traducteur agréé, travailleur social, urbaniste.

Si votre profession est à titre réservé, cela signifie que vous n'avez pas besoin d'avoir la reconnaissance de l'ordre pour exercer les activités de cette profession au Québec, mais vous ne pouvez en porter le titre. Le fait de porter le titre vous assure d'être rémunéré à votre niveau de compétence. En règle générale, les grandes entreprises exigent des professionnels des métiers réservés d'avoir la reconnaissance de leur ordre. Mais le marché québécois est surtout constitué de petites et moyennes entreprises, qui utilisent volontiers vos services même si vous n'avez pas le titre au Québec. Il vous restera à démontrer à l'employeur que vous avez les compétences requises, puisque vous avez ce titre dans votre pays d'origine, et à négocier votre salaire.

Il est possible de consulter les fiches d'information sur l'obtention du titre de ces professions sur le site d'Immigration-Québec (www.immigration-quebec.gouv.qc.ca/fr/emploi/professions-metiers/index.html).

Sachez aussi que le MICC (ministère de l'Immigration et des Communautés culturelles) a mis en place le SIPMR (Service d'information sur les professions et métiers réglementés) pour répondre gratuitement à vos besoins. Vous trouverez les coordonnées des ordres professionnels page 239.

Les métiers régis et réglementés

Il existe également des métiers régis et réglementés. Ils se divisent en deux catégories, ceux qui s'exercent dans le secteur de la construction et les autres.

Dans le secteur de la construction. Il faut détenir un certificat de compétence délivré par la CCQ, Commission de la construction du Québec (www.ccq.org). Voici la liste des profils concernés par ces règlements : briqueteur-maçon, calorifugeur, carreleur, charpentier-menuisier (spécialité de parqueteur-sableur), chaudronnier, cimentier-applicateur, couvreur, électricien (spécialité d'installateur de systèmes de sécurité), ferblantier, ferrailleur, frigoriste, grutier, mécanicien d'ascenseur, mécanicien de chantier, mécanicien de machines lourdes, mécanicien en protection-incendie, monteur d'acier de structure, monteur-mécanicien (vitrier), opérateur d'équipements lourds (spécialités d'opérateur d'épandeuses, de niveleuses, de rouleaux et de tracteurs), opérateur de pelles mécaniques, peintre, plâtrier, poseur de revêtements

COMMENT ÉVALUER UN DIPLÔME OBTENU HORS DU QUÉBEC

IL N'EST PAS TOUJOURS FACILE D'ÉVALUER l'équivalent d'un diplôme étranger au Québec. Le MICC (ministère de l'Immigration et des Commautés culturelles) vend une étude comparative générale entre le système d'éducation québécois et celui de votre pays d'origine. Ce document explique précisément à quoi correspondent vos études effectuées hors du Québec avec notamment les conditions d'admission et la durée de votre programme d'étude.

Ce document vous sera peut-être demandé lorsque vous prendrez contact avec un ordre professionnel au Québec, pour être admis dans un établissement scolaire ou lors de vos démarches de recherche d'emploi, puisqu'il vous permettra de mieux expliquer vos diplômes à votre futur employeur.

Il est par ailleurs, obligatoire si vous postulez pour un emploi dans la fonction publique québécoise, si vous effectuez des demandes de prêts et de bourses, ou bien encore lors d'une demande de permis d'enseigner au Québec. Pour acquérir cette étude comparative, adressez-vous aux services d'immigration du Québec du MICC de votre région.

souples, poseur de systèmes intérieurs, serrurier de bâtiment, tuyauteur (spécialités de plombier et de poseur d'appareils de chauffage).

Hors du secteur de la construction. Les autres métiers régis et réglementés en dehors du domaine de la construction ont aussi leurs exigences. Ces métiers se pratiquent dans des établissements comme des hôpitaux, commerces, entreprises manufacturières, édifices commerciaux, gouvernementaux et les ensembles résidentiels. Pour exercer ces professions, il faut détenir un certificat de qualification délivré par Emploi-Québec. Cet organisme gouvernemental québécois remplit différentes fonctions, dont celles de s'assurer de la compétence de la main-d'œuvre pour l'exercice des métiers réglementés. Pour obtenir le certificat, veuillez vous adresser à l'un des CLE (Centres locaux d'emploi). Le MICC offre un service de conseil pour aider les nouveaux arrivants à effectuer ces démarches.

Voici la liste des professions régies dans cette catégorie : électricien (spécialités de plombier, de poseur de gicleurs, de poseur d'appareils de chauffage, de frigoriste), mécanicien d'ascenseur, opérateur de machines électriques (catégories d'opérateur de grues, de pelles, de treuils, de ponts roulants, de derricks, d'appareils cinématographiques, de machines servant à dégeler la tuyauterie). Les métiers réglementés ici sont les suivants : préposé au gaz, mécanicien de machines fixes, soudeur sur appareils sous pression et inspecteur d'appareils sous pression.

LA CONNAISSANCE DE L'ANGLAIS

Est-ce vraiment nécessaire d'être bilingue pour travailler au Québec ? Nous ne vous cacherons pas que le fait d'avoir un bon niveau d'anglais multiplie les possibilités et facilite grandement l'évolution de carrière. « La langue privilégiée en milieu professionnel au Québec est le français, mais l'anglais est utilisé relativement souvent, constate Yann Hairaud (Directeur de CITIM). La connaissance de l'anglais est un atout important, même si ce n'est pas incontournable. Cependant, pour évoluer sur le marché du travail, ceux qui maîtrisent les deux langues s'en tirent mieux. »

LE NIVEAU EXIGÉ DÉPEND DES SECTEURS

Le chercheur d'emploi au Québec remarque rapidement que de nombreuses offres d'emploi s'adressent à des « personnes

LES ORDRES PROFESSIONNELS

VOICI LES COORDONNÉES DES 46 ORDRES PROFESSIONNELS DU QUÉBEC. La plupart d'entre eux ont une ligne téléphonique 1-800 ou 1-888 (sans frais à partir du Québec ou du Canada). Les autres acceptent habituellement souvent les « appels à frais virés » (appels en PCV) à l'intérieur du Canada. Vous trouverez une vue d'ensemble sur ces ordres à l'Office des professions du Québec: www.opq.gouv.qc.ca

- **Acupuncteurs, 505 boul. René-Lévesque ouest, bureau 1106, Montréal (Québec) H2Z 1Y7 ☎ 1-514-523-2882, 1-800-474-5914 ➢ www.o-a-q.org**
- **Administrateurs agréés, 910, rue Sherbrooke Ouest, bur. 100, Montréal (Québec) H3A 1G3 ☎ 1-514-499-0880, 1-800-465-0880 ➢ www.adma.qc.ca**
- **Agronomes, 1001, rue Sherbrooke Est, bur. 810, Montréal (Québec) H2L 1L3 ☎ 1-514-596-3833, 1-800-361-3833 ➢ www.oaq.qc.ca**
- **Architectes, 1825, bd René-Lévesque Ouest, Montréal (Québec), H3H 1R4 ☎ 1-514-937-6168, 1-800-599-6168 ➢ www.oaq.com**
- **Arpenteurs-géomètres, 2954, bd Laurier, bur. 350, Sainte-Foy (Québec) G1V 4T2 ☎ 1-418-656-0730 ➢ www.oagq.qc.ca**
- **Audioprothésistes, 11370, Notre-Dame Est - Bureau 202-A, Montréal-Est (Québec), H1B 2W6 ☎ 1-514-640-5291 ➢ www.ordre audio.qc.ca**
- **Barreau, 445, bd Saint-Laurent, Montréal (Québec) H2Y 3T8 ☎ 1-514-954-3400, 1-800-361-8495 ➢ www.barreau.qc.ca**
- **Chimistes, 300, rue Léo-Pariseau, bur. 2199, place du Parc, Montréal (Québec) H2X 4B3 ☎ 1-514-844-3644 ➢ www.ocq.qc.ca**
- **Chiropraticiens, 7950, bd Métropolitain Est, Montréal (Québec) H1K 1A1 ☎ 1-514-355-8540 ➢ www.ordredeschiropraticiens.qc.ca**

- **Comptables agréés, 680, rue Sherbrooke Ouest, 18e étage, Montréal (Québec) H3A 2S3 ☎ 1-514-288-3256, 1-800-363-4688 ➢ www.ocaq.qc.ca**
- **Comptables en management accrédités, 393, rue Saint-Jacques, bureau 920, 3e étage, Montréal (Québec) H2Y 1N9 ☎ 1-514-849-1155, 1-800-263-5390 ➢ www.cma-quebec.org**
- **Comptables généraux licenciés, 500, place d'Armes, bur. 1800, Montréal (Québec) H2Y 2W2 ☎ 1-514-861-1823, 1-800-463-0163 ➢ www.cga-quebec.org**
- **Conseillers en ressources humaines et en relations industrielles agréés, 1200, av. McGill-College, bur. 1400, Montréal (Québec) H3B 4G7 ☎ 1-514-879-1636, 1-800-214-1609 ➢ www.portailrh.org**
- **Psychoéducateurs, 1600, boul. Henri Bourassa ouest, bureau 510, Montréal (Québec) H3M 3E2 ☎ 1-514-333-6601, 1-877-913-6601 ➢ www.ordrepsed.qc.ca**
- **Conseillers d'orientation, 1600 boul. Henri Bourassa ouest, bureau 520, Montréal (Québec) H3M 3E2 ☎ 1-514-737-4717, 1-800-363-2643 ➢ www.orientation.qc.ca**
- **Dentistes, 625, bd René-Lévesque Ouest, 15e étage, Montréal (Québec) H3B 1R2 ☎ 1-514-875-8511, 1-800-361-4887 ➢ www.odq.qc.ca**
- **Denturologistes, 395, rue Parc-Industriel, Longueuil (Québec) J4H 3V7 ☎ 1-450-646-7922, 1-800-567-2251 ➢ www.odq.com**
- **Diététistes (diététiciens), 2155, rue Guy, bur. 1220, Montréal (Québec) H3H 2R9 ☎ 1-514-393-3733, 1-888-393-8528 ➢ www.opdq.org**
- **Ergothérapeutes, 2021, av. Union, bur. 920, Montréal (Québec) H3A 2S9 ☎ 1-514-844-5778, 1-800-265-5778 ➢ www.oeq.org**
- **Évaluateurs agréés (dans l'immobilier), 415, rue Saint-Antoine Ouest, bur. 450, Montréal (Québec) H2Z 2B9 ☎ 1-514-281-9888, 1-800-982-5387 ➢ www.oeaq.qc.ca**

(...)

- **Géologues, 500 rue Sherbrooke Ouest, Bureau 900, Montréal (Québec) H3A 3C6 ☎ 1-514-278-6220, 1-888-377-7708 ➢ www.ogq.qc.ca**
- **Huissiers de justice, 390, Bd Henri-Bourassa Ouest, Montréal (Québec) H3L 3T5 ☎ 1-514-721-1100 ➢ www.huissiersquebec.qc.ca**
- **Hygiénistes dentaires, 1155, rue University, Bureau 1212, Montréal (Québec) H3B 3A7 ☎ 1-514-284-7639, 1-800-361-2996 ➢ www.ohdq.com**
- **Infirmières et infirmiers, 4200, bd Dorchester Ouest, Westmount (Québec) H3Z 1V4 ☎ 1-514-935-2501, 1-800-363-6048 ✉ inf@oiiq.org ➢ www.oiiq.org**
- **Infirmier(ère)s et auxiliaires, 531, rue Sherbrooke Est, Montréal (Québec) H2L 1K2 ☎ 1-514-282-9511, 1-800-283-9511 ✉ oiiaq@oiiaq.org ➢ www.oiiaq.org**
- **Ingénieurs, Gare Windsor, 1100, avenue des Canadiens-de-Montréal, bur. 350, Montréal (Québec) H3B 2S2 ☎ 1-514-845-6141, 1-800-461-6141 ➢ www.oiq.qc.ca**
- **Ingénieurs forestiers, 2750, rue Einstein, bur. 110, Sainte-Foy (Québec) G1P 4R1 ☎ 1-418-650-2411 ➢ www.oifq.com**
- **Inhalothérapeutes, 1440, rue Sainte-Catherine Ouest, bur. 721, Montréal (Québec) H3G 1R8 ☎ 1-514-931-2900, 1-800-561-0029 ➢ www.opiq.qc.ca**
- **Médecins, 2170, bd René-Lévesque Ouest, Montréal (Québec) H3H 2T8 ☎ 1-514-933-4441, 1-888-633-3246 ➢ www.cmq.org**
- **Médecins vétérinaires, 800, av. Sainte-Anne, bur. 200, Saint-Hyacinthe (Québec) J2S 5G7 ☎ 1-450-774-1427, 1-800-267-1427 ➢ www.omvq.qc.ca**
- **Notaires, 1801, av. McGill College bur. 600, Montréal (Québec) H3A 0A7 ☎ 1-514-879-1793, 1-800-263-1793 ➢ www.cdnq.org**
- **Opticiens d'ordonnances, 630, rue Sherbrooke Ouest, bur. 601, Montréal (Québec) H3A 1E4 ☎ 1-514-288-7542, 1-800-563-6345 ➢ www.oodq.qc.ca**

- **Optométristes, 1265, rue Berri, bur. 700, Montréal (Québec) H2L 4X4 ☎ 1-514-499-0524, 1-888-499-0524 ➢ www.ooq.org**
- **Orthophonistes et audiologistes, 235, bd René-Lévesque Est, bur. 601, Montréal (Québec) H2X 1N8 ☎ 1-514-282-9123 ➢ www.ooaq.qc.ca**
- **Pharmaciens, 266, rue Notre-Dame Ouest, bur. 301, Montréal (Québec) H2Y 1T6 ☎ 1-514-284-9588, 1-800-363-0324 ➢ www.opq.org**
- **Physiothérapie, 7151, rue Jean-Talon Est, bur. 1000, Montréal (Québec) H1M 3N8 ☎ 1-514-351-2770, 1-800-361-2001 ➢ www.oppq.qc.ca**
- **Podiatres (podologues), 500, rue Sherbrooke Ouest, bureau 900, Montréal (Québec) H3A 3C6 ☎ 1-514-288-0019, 1-888-514-7433 ➢ www.ordredespodiatres.qc.ca**
- **Psychologues, 1100, av. Beaumont, bur. 510, Montréal (Québec) H3P 3H5 ☎ 1-514-738-1881, 1-800-363-2644 ➢ www.ordrepsy.qc.ca**
- **Sages-femmes, 204, rue Notre-Dame Ouest, bur. 400, Montréal (Québec) H2Y 1T3 ☎ 1-514-286-1313, 1-877-711-1313 ➢ www.osfq.org**
- **Technicien(ne)s dentaires, 500, rue Sherbrooke Ouest, bur. 900, Montréal (Québec) H3A 3C6 ☎ 1-514-282-3837 ➢ www.ottdq.com**
- **Technologistes médicaux, 281, av. Laurier Est, Montréal (Québec) H2T 1G2 ☎ 1-514-527-9811, 1-800-567-7763 ➢ www.optmq.org**
- **Technologues en radiologie, 6455, rue Jean-Talon Est, bur. 401, Saint-Leonard, Montréal (Québec) H1S 3E8 ☎ 1-514-351-0052, 1-800-361-8759 ➢ www.otrq.qc.ca**
- **Technologues professionnels, 1265, rue Berri, bur. 720, Montréal (Québec) H2L 4X4 ☎ 1-514-845-3247, 1-800-561-3459 ➢ www.otpq.qc.ca**
- **Traducteurs, terminologues et interprètes agréés, 2021, av. Union, bur. 1108, Montréal (Québec) H3A 2S9 ☎ 1-514-845-4411, 1-800-265-4815 ➢ www.ottiaq.org**

(...)

(...)

- **Travailleurs sociaux, 255, bd Crémazie Est, bur. 520, 5e étage, Montréal (Québec) H2M 1M2 ☎ 1-514-731-3925, 1-888-731-9420 ➢ www.optsq.org**
- **Urbanistes, 85, rue Saint-Paul Ouest, 4e étage, bur. 410, Montréal (Québec) H2Y 3V4 ☎ 1-514-849-1177 ➢ www.ouq.qc.ca**

bilingues », même si le niveau exigé peut beaucoup varier selon le domaine d'activité, le poste et le lieu de résidence de l'employé. Hors de Montréal, même si la connaissance de l'anglais reste un atout, elle n'est pas toujours aussi importante que dans la métropole québécoise. Selon Yann Hairaud, certains secteurs demandent des employés bilingues comme les secteurs techniques, le commerce international et le service à la clientèle. « En fait, le besoin prend forme surtout à l'oral. L'objectif étant de communiquer en anglais et de se faire comprendre. »

Comme beaucoup de Français, Sylvie Bernier avait beaucoup d'appréhensions sur le bilinguisme à la québécoise. « Et j'ai découvert qu'ici lorsqu'on demande à quelqu'un d'être bilingue, cela n'implique pas que l'on parle parfaitement la langue, affirme-t-elle. Malgré mon petit anglais de Française, j'ai tout de même réussi à décrocher un poste pour lequel le bilinguisme était de mise. Attention, il est tout de même très important d'avoir un anglais de base. Au début de ma recherche, je ne répondais pas aux offres pour emplois bilingues car je me disais que mon niveau n'était pas suffisant élevé. J'avais entendu l'anglais des Québécois et j'étais impressionnée mais ils ont bien compris qu'un accent français c'est charmant, et même si ce n'est pas parfait, ça fait l'affaire. »

PEAUFINER SON ANGLAIS

Pourquoi ne pas prendre des cours d'anglais avant de faire le grand saut ? Au Québec, vous serez alors dans le bain et pourrez vous immerger dans la langue anglaise. Vous n'aurez qu'à allumer la télé, acheter les journaux anglophones de votre ville ou de votre région ou encore cohabiter avec un Anglo-Saxon.

Vous pourrez suivre des cours dans des universités ou des collèges privés, ce qui risque cependant d'être fort onéreux. Songez à une formule plus économique comme celles proposées par des organismes d'aide aux immigrants. Ainsi, l'OFII (Office Français de l'Immigration et de l'Intégration) de Montréal offre dans ses locaux 20 heures de cours pour 190 $ CAN, le centre YMCA de Montréal propose 60 heures de classe pour 590 $, certaines commissions scolaires comme celle de Marguerite-Bourgeois de Montréal permettent de prendre des leçons à 3 $ l'heure.

☛ **Commission scolaire Marguerite-Bourgeoys**, cours d'anglais langue seconde ➢ www.csmb.qc.ca
☛ **YMCA Montréal**, cours de langue ➢ www.ymcalangues.ca

☛ **Bonus Web.** Pour d'autres informations : www.immigrer.com/121

Créer son entreprise

Monter sa propre boîte ! Un rêve ? En Amérique du Nord, les compagnies se montent rapidement et dans la simplicité, le plus difficile reste de les maintenir. Nul besoin de financement à la base pour organiser sa propre structure. Le marché de l'emploi québécois et les gouvernements encouragent fortement la création d'entreprises. Mais cette liberté ne doit pas vous ôter toute prudence. Avant de vous lancer, nous vous incitons fortement à vivre une première expérience professionnelle pour vous plonger dans la culture locale. En effet, s'il y a chaque jour des entreprises qui se montent, il y en a également beaucoup qui ne franchissent pas le cap des cinq ans. Ainsi, lorsque vous avez une idée, faites une étude pour analyser la faisabilité de votre projet et cibler votre marché. Heureusement, vous pouvez profiter sur place de nombreux services aux entrepreneurs, sachez en profiter : de nombreux conseils et informations gratuits attendent ceux qui, travailleurs autonomes ou entrepreneurs, ont envie de relever des défis. Si vous comptez demander un financement, vous devrez préparer un plan d'affaire (business plan).

Le travailleur autonome

Vous n'avez pas à immigrer en tant qu'investisseur ou entrepreneur pour monter votre structure au Québec. Il suffit de passer par la procédure normale de l'immigration et, une fois installé, vous pouvez démarrer votre entreprise ou vous établir en tant que travailleur

Vécu

Un entrepreneur créatif, Alexandre Guillaume fondateur de Bougex.com

ALEXANDRE GUILLAUME, alors âgé de 23 ans, est arrivé au Québec en août 1995. Ce jeune immigrant diplômé de l'École de la chambre de commerce de Paris avait envie de vivre à l'étranger, comme ses amis américains rencontrés dans une équipe de baseball parisienne. « J'étais vraiment attiré par les États-Unis, j'avais plusieurs amis américains, rapporte Alexandre. Mais l'immigration aux USA était bien trop complexe alors j'ai opté pour le Québec ! »

LORS DE SES PREMIÈRES ANNÉES au Québec, il occupe toutes sortes de boulots. Il travaille comme vendeur au Centre japonais de la photo, organise la distribution d'un journal consacré aux voitures... Puis, en 1997, il se retrouve au chômage et se fait prêter un ordinateur par un ami. « Je suis tombé en amour avec l'informatique, se souvient-il. C'était les débuts d'Internet et je me suis dit que c'était dans ce secteur que je voulais travailler. » Il décroche un emploi dans une régie publicitaire consistant à placer des annonces sur des sites Internet québécois. Puis, il décide de monter sa propre régie. « À l'époque il fallait que j'explique à tous ce que c'était, se rappelle-t-il. Et en 2000, il y a eu le crack boursier et l'explosion de la bulle Internet. » La compagnie d'Alexandre se fait racheter par une entreprise de Toronto et quelques mois plus tard, il perd son emploi. En plus, il divorce de sa conjointe française qui rentre en France.

IL REPART ALORS SUR DE NOUVELLES BASES. Alexandre travaille dans plusieurs entreprises de Montréal, comme le célèbre Cirque du Soleil au département marketing-interactif, et chez Cossette, une importante agence de publicité. « Le fait de me retrouver célibataire m'a permis d'assouvir mes réels désirs, notamment de découvrir les grands espaces québécois, affirme-t-il. Alors parallèlement à mes activités professionnelles, j'ai commencé à organiser avec des amis des sorties de plein air toutes les fins de semaine. Et c'est là qu'est née l'idée de Bougex.com, un site internet qui proposerait de bouger à l'extérieur de la ville. » Il s'associe avec trois amis pour concrétiser son idée mais ces derniers ne sont pas intéressés à en faire un projet professionnel. « Au fur et à mesure que se développait le projet, cela prenait de (...)

(...) plus en plus d'importance et mon emploi chez Cossette devenait accessoire. À un certain moment, j'ai dû choisir », se rappelle-t-il.

LE PREMIER MODÈLE ÉCONOMIQUE du site Bougex était basé sur les commissions touchées auprès des fournisseurs d'activités sportives et de plein air. Depuis 2008, l'économie de Bougex, devenu le Facebook des gens qui bougent, repose principalement sur les revenus publicitaires du site web. C'est un réseau social autour d'activités diverses proposées principalement au Québec mais avec des ambitions mondiales. « Ce ne sont pas des activités culturelles ou culiniaires, mais des activités qui bougent ! », souligne Alexandre Guillaume. Avec ses milliers de membres et 500 activités organisées chaque année, Bougex poursuit son expansion.

autonome (en France, travailleur indépendant). Ils sont plus d'un demi-million au Québec à travailler en toute liberté, dont un grand nombre dans les technologies de l'information.

Travailleur indépendant : trois statuts possibles

Le travailleur indépendant peut choisir d'exercer ou non sous son propre nom. Si le travailleur autonome préfère ne pas œuvrer sous son propre nom, il doit se faire immatriculer, une démarche simple qui sert à fournir au public l'identité de l'exploitant. Il faut alors choisir entre l'enregistrement (personne physique) et l'incorporation (entreprise). Dans une entreprise incorporée, tout état financier est indépendant des biens personnels du travailleur autonome, ce qui n'est pas le cas quand celui-ci est enregistré. Ainsi, en cas de faillite, le travailleur incorporé ne met pas en cause ses propres avoirs.

Exercer sous son propre nom. Ce choix élimine toute démarche. L'entrepreneur individuel travaillant sous son propre nom n'a qu'à se déclarer à la fin de l'année fiscale comme travailleur autonome auprès des autorités pour bénéficier de toutes les déductions d'impôt auxquelles les salariés n'ont pas droit. Aussi, pas besoin de s'inscrire aux taxes TVQ et TPS à moins de gagner plus de 30 000 $ CAN par an.

L'incorporation. Il faut se rendre au bureau du greffier de la Cour supérieure du district judiciaire où l'entreprise va exercer ses activités. À Montréal, ce bureau se trouve dans l'édifice du palais de justice, rue Saint-Antoine et à Québec sur le boulevard Jean-Lesage. En deuxième lieu, il doit s'immatriculer auprès de l'Inspecteur général des institutions financières, dont il aura reçu le formulaire lors de sa visite au bureau du greffier. Ces démarches coûtent 250 $ environ pour les frais d'incorporation selon une charte canadienne, auxquelles il faut ajouter les frais d'immatriculation d'environ 200 $.

L'enregistrement. Les démarches sont assez simples selon Laurent Kaelin, qui se lance comme ingénieur aéronautique indépendant. « Vous allez à Revenu Québec, vous demandez un formulaire d'immatriculation. Ils vous expliquent les différentes structures et vous faites votre choix, affirme Laurent. Je suis revenu les voir plus tard et j'ai payé une quarantaine de dollars canadiens pour être enregistré. Vous avez ainsi un numéro, et vous faites la même chose pour la TVQ et la TPS, les taxes locales. »

La fiscalité du travailleur autonome

Le travailleur autonome n'est pas soumis à la même fiscalité que le salarié. En général, il rembourse au gouvernement la différence entre ce qu'il a perçu en taxes sur ses honoraires et ce qu'il débourse en taxes sur les dépenses déductibles. Selon le ministère du Revenu du Québec, d'un point de vue fiscal, le travailleur autonome « se définit comme une personne qui, en vertu d'une entente verbale ou écrite, s'engage envers une autre personne, le client, à réaliser un travail matériel ou à lui fournir un service moyennant un prix que le client

Vécu
Les conseils d'un avocat spécialiste des affaires

AYANT QUITTÉ AIX-EN-PROVENCE ***pour le Québec en 1998, Stéphane Minson, avocat et juriste d'entreprise français, travaille à Montréal au cabinet Anderson Sinclair après dix ans de pratique dans un grand bureau québécois. Ce juriste d'entreprise qui a complété sa formation d'avocat au Québec comprend bien les distinctions entre le marché québécois et français.***

«IL EST EXTRÊMEMENT SIMPLE DE MONTER UNE ENTREPRISE au Québec mais il faut faire attention que ça ne se retourne pas contre son projet, dit-il. Par exemple, il est important de se lier avec des partenaires locaux lorsqu'on monte une entreprise dans un nouveau marché et il faut notamment, une bonne convention d'actionnaires. Elle est essentielle dans les petites compagnies pour prévenir les conflits et permettre de régler ceux qui pourront survenir entre actionnaires.» Au fil de sa pratique, il remarque certaines grandes différences entre la France et le Québec sur la manière de faire des affaires. «La culture nord-américaine du droit et de la comptabilité est différente, pragmatique. Elle permet de mener à bien ses projets d'affaires avec des investissements de départ nettement moins importants qu'en France. Autres exemples, le plan d'affaires s'établit d'une autre façon; le bail commercial, qui est soumis à un régime juridique laissant une très grande liberté aux parties doit donc être bien lu avant d'être signé! Pour l'entreprise, les charges sociales sont nettement moins lourdes qu'en France tandis que la fiscalité des particuliers – pas forcément moins élevée – se caractérise par un système de prélèvements à la source qui la rend moins douloureuse! Le droit du travail n'est pas encadré par des règles aussi strictes et formalistes qu'en France, il est donc facile d'embaucher mais aussi de congédier.»

CET AVOCAT D'AFFAIRES CONSTATE qu'il est nécessaire de bien s'entourer lors de l'élaboration d'un tel projet et de ne pas hésiter à consulter les professionnels appropriés. «Au Québec, dans le domaine des affaires, les entrepreneurs vont être soutenus, voire encouragés, c'est un pays d'opportunités. Mais comme il y a moins de paperasse, il faut apprendre à mieux se protéger pour ne pas se laisser surprendre par la loi du marché nord-américain qui peut être parfois très dure.»

promet de lui payer. Le travailleur autonome peut aussi posséder un commerce ou être vendeur à commission ». Il n'y a aucun lien hiérarchique entre le travailleur autonome et son client. En général, le travailleur autonome assume ses propres dépenses, encourt lui-même les risques financiers liés à son travail et fournit son propre matériel.

L'avantage du travailleur autonome par rapport au salarié, c'est qu'il est moins imposé puisqu'il détermine lui-même son salaire. Afin d'éviter l'imposition, le travailleur s'attribue le plus petit salaire possible. L'argent non utilisé en salaire sera investi dans l'entreprise individuelle. Tout travailleur autonome dont les revenus annuels dépassent 30 000 $ CAN doit percevoir et verser périodiquement au gouvernement les taxes fédérale et provinciale sur les produits et services TPS et TVQ (l'équivalent de la TVA française). Pour plus d'information sur ces taxes, contactez Revenu Québec. Il est également possible de télécharger un document PDF sur ces procédures (www.revenu.gouv.qc.ca/fr/sepf/formulaires). Vous trouverez aussi sur ce site gouvernemental tous les formulaires d'inscription à ces taxes. Le travailleur autonome doit verser tous les trois mois des acomptes provisionnels sur l'impôt à payer à l'Agence des douanes et du revenu du Canada et au ministère du Revenu du Québec. Pour vous y retrouver, il est fortement conseillé de prendre un comptable pour gérer toutes ces « paperasses » et faire le suivi auprès des impôts.

La protection sociale des travailleurs autonomes

Le travailleur autonome ne bénéficie pas des mêmes avantages sociaux que le salarié, tels les normes minimales de travail, les congés payés, l'assurance-emploi, les indemnités en cas d'accident de travail, ni d'un régime d'assurance collective. Comme le rapporte Info Entrepreneurs, « il doit supporter des frais supplémentaires pour obtenir une protection équivalente, comme l'assurance-salaire, l'assurance-accident, le régime de rentes du Québec. Il n'existe pas de cotisations spécifiques au RAMQ (Régime d'assurance-maladie du Québec). C'est au moment de la production du rapport d'impôt qu'un pourcentage est expédié à la RAMQ par le ministère du Revenu du Québec. » Le travailleur autonome peut déduire les dépenses effectuées pour son entreprise, dans la mesure où elles ont été engagées dans le but de gagner un revenu (achat d'ordinateur, de matériel de bureau, frais de transport, etc.).

L'IMMIGRATION DES « GENS D'AFFAIRES »

Il existe trois types de « gens d'affaires » immigrants au Québec : les travailleurs autonomes, les entrepreneurs et les investisseurs. Ces immigrants doivent s'engager à réaliser un investissement financier notable pour l'économie québécoise. Ils doivent passer par les mêmes étapes que les autres candidats à la résidence permanente au Canada, incluant l'obtention du CSQ (Certificat de sélection du Québec). Les gens d'affaires doivent remplir certaines conditions supplémentaires relatives au capital investi et à l'expérience dans la gestion. Si vous n'avez pas fait le plein des points nécessaires en remplissant le questionnaire de sélection, en particulier si vous vous faites recaler à cause de l'âge (après 40 ans, on ne marque plus de points), vous pouvez vous rattraper... à condition d'avoir amassé un petit pécule – obtenu légalement, insiste-t-on – et de déclarer souhaiter l'investir au Québec. Vous allez alors immigrer dans la catégorie des gens d'affaires.

Les travailleurs autonomes. Ils doivent s'installer au Québec pour créer leur propre emploi, détenir un capital de départ d'au moins 100 000 $ CAN, obtenu licitement, et avoir au moins deux ans d'expérience à titre de travailleur dans la profession à exercer au Québec.

Vécu

Le Québec m'a redonné le goût de faire des affaires

ORIGINAIRE DU NORD DE LA FRANCE, *Élie Dédes a quitté Lille avec sa femme et ses deux petites filles pour s'installer dans la ville de Québec en juin 2004.*

« **JE NE ME VOYAIS PAS ÉLEVER MES ENFANTS EN FRANCE.** La grande motivation était de permettre à mes filles de grandir loin du stress et de l'insécurité, dit-il. J'ai trouvé au Québec le côté calme et paisible que je cherchais. Les gens sont accueillants, ils parlent le français et c'est un environnement propice aux affaires », conclut-il.

SELON CET HOMME D'AFFAIRES qui crée des entreprises depuis 1990 et qui a déjà eu jusqu'à sept restaurants en France, le marché québécois est plus facile pour l'entrepreneurship. Quelques mois après son arrivée, il monte le même concept de restaurants que ce qu'il avait en France, « La Pizz » rue Saint-Paul dans le Vieux-Québec. Un an après son ouverture, il se dit très satisfait. « Tu gagnes trois fois plus d'argent au Québec avec le même chiffre d'affaires, confie-t-il. Les charges sont moindres au Québec, elles sont autour de 20 %. Pour un employé payé 1 000 euros en France, l'employeur doit débourser 1 000 euros de charges ; au Québec pour le même montant les charges seraient de 200 euros environ ». Le contrat de travail est aussi plus flexible : « Les employeurs ne sont pas mariés à leurs employés, il est beaucoup plus facile de licencier en cas de problème », affirme-t-il. Élie relate aussi la facilité et l'absence de lourdeur des rapports avec les administrations québécoises. « L'administration québécoise n'est pas là pour te mettre des bâtons dans les roues. J'ai enfin l'impression de ne pas travailler pour les autres mais pour moi », dit-il.

IL VEUT MAINTENANT LANCER une chaîne de restaurants avec son concept particulier où il ajoute les savoureux fromages français sur les pizzas. « J'ai vraiment encore envie d'entreprendre, déclare cet homme de 41 ans. Et je peux désormais regarder en toute quiétude mes filles jouer dans la rue devant la maison. »

La fiscalité du nouvel arrivant au Québec

L'assujettissement général à la fiscalité québécoise et canadienne repose sur le statut de « résidence » d'un contribuable. Ainsi, un individu qui immigre au Québec et s'y installe en permanence devient un résident fiscal québécois et canadien.

La conséquence ? Son assiette fiscale sera alors composée de ses revenus de source mondiale et les impôts devront être acquittés aux paliers fédéral et québécois.

Le calcul des impôts payables s'effectue lors de la production de la déclaration de revenus, laquelle doit être produite, tant au niveau fédéral que québécois, par chaque individu redevable d'impôts – et non le foyer familial – au plus tard le 30 avril de l'année suivante.

Le statut que vous détenez aux fins d'immigration canadienne a peu d'influence sur votre statut fiscal à titre de résident ou de non-résident.

Les taux d'imposition québécois applicables aux individus progressent selon leur revenu, sans toutefois excéder 48,2 %. Quant aux plus-values (gain en capital), seul 50 % du gain est inclus au revenu de sorte que le taux marginal maximal pour ce type de revenu est de 24,1 %. Enfin, les dividendes reçus de sociétés sont frappés d'un impôt dont le taux peut atteindre soit 31,85 %, soit 36,35 %.

Au Québec, tout comme au niveau fédéral, il n'existe pas d'impôt sur la fortune ni de droits successoraux. En revanche, le décès génère un impôt sur le revenu applicable sur les plus-values des biens possédés par le défunt au moment de son décès. Une planification bien orchestrée peut permettre de limiter ou reporter les sommes payables.

Si vous cessez d'être domicilié en France, vous demeurerez néanmoins assujetti à l'impôt français sur vos revenus de source française. Assurez-vous, lors de votre départ, de bien compléter vos obligations en France, notamment informer votre centre des finances publiques de votre nouvelle adresse.

Bien que la fiscalité québécoise soit différente, à bien des égards, de la fiscalité française, elle est tout aussi complexe. En prenant soin d'être accompagné d'un fiscaliste, vous éviterez ainsi des erreurs de parcours souvent coûteuses.

Isabelle Tremblay, M. Fisc.
Avocate

LES CONTACTS UTILES

IMMATRICULATION

- **À Montréal. Services des raisons sociales, bureau du protonotaire, district de Montréal, 10, rue Saint-Antoine Est, pièce 1160, Montréal, H2L 2P8 ☎ 1-514-393-2106.**
- **À Québec. Palais de justice, immatriculation des entreprises (raisons sociales), 300, bd Jean-Lesage, Québec, G1K 8K6 ☎ 1-418-649-3410.**

POUR LA TPS ET LA TVQ

- **À Montréal. Revenu Québec, direction régionale de Montréal-Centre, Complexe Desjardins, CP 3000, succursale Desjardins, Montréal (Québec), H5B 1A4 ☎ 1-514-873-4692 ➢ www.revenu.gouv.qc.ca**
- **À Québec. Revenu Québec, bureau local, 200, rue Dorchester, Québec (Québec), G1K 5Z1 ☎ 1-418-659-6299 ➢ www.revenu.gouv.qc.ca**
- **Autres villes au Québec ☎ 1-800-567-4692 (numéro sans frais).**

Les entrepreneurs. Ils doivent, eux, disposer d'au moins 300 000 $ CAN obtenus légalement, avoir trois ans d'expérience en gestion dans une entreprise et présenter un plan d'affaires (business plan). Pendant au moins un an au cours des trois premières années, l'immigrant entrepreneur devra créer un emploi à temps plein pour quelqu'un en dehors de sa famille et devra avoir en sa possession au moins 33 % de ses propres capitaux tout en assurant la gestion des activités de son entreprise.

Les investisseurs. Ils doivent disposer d'au moins 1 600 000 $ CAN, obtenus légalement, avoir exercé pendant deux ans sur ces cinq dernières années, en gestion au sein d'une entreprise rentable. D'autre part, ils doivent s'engager à investir au moins 800 000 $ CAN en cinq ans, en signant une convention avec un intermédiaire financier. Cette somme sera alors placée auprès d'Investissement-Québec ou de

l'une de ses filiales pour financer un programme d'aide aux petites et moyennes entreprises québécoises.
☛ **Bonus Web.** Pour d'autres informations : www.immigrer.com/122

Les sociétés, les Inc.

Il existe trois statuts juridiques : les sociétés par actions, en nom collectif et en commandite. Elles doivent toutes trois être immatriculées.

Trois statuts possibles

La société par actions. Appelée aussi compagnie incorporée, elle est considérée comme une personne morale, distincte de ceux qui en possèdent les actions et qui la gèrent. En cas de faillite, le patrimoine de la personne morale et de ses fondateurs n'est pas impliqué. La responsabilité de l'entreprise est limitée aux sommes que les actionnaires y ont investies. Seules les sommes que les actionnaires ont investies dans l'entreprise seront perdues. Une société peut être constituée sous le régime d'une loi, provinciale ou fédérale.

La société en nom collectif. Elle est régie par une convention d'associés qui définit l'apport de chacun. Elle est constituée par un contrat entre au moins deux personnes (physiques ou morales). Tous les associés participent en tant qu'administrateurs à la gestion de l'entreprise, à moins qu'ils n'aient désigné l'un d'entre eux pour occuper cette fonction. Ils sont solidaires de certaines dettes et obligations de l'entreprise, indépendamment de la part respective de chacun dans la société.

La société en commandite. Elle est composée des commandités et des commanditaires qui peuvent être des personnes morales ou physiques. Les commandités fournissent surtout leur travail, leur

INCORPORATION : OÙ SE RENSEIGNER ?

INCORPORATION PROVINCIALE

- **À Montréal. Registraire des entreprises, direction des entreprises, 800, place Victoria, tour de la Place-Victoria, CP 355, Montréal, Québec, H4Z 1H9 ☎ 1-514-873-6431 ➢ www.registreentreprises.gouv.qc.ca**
- **À Québec. Registraire des entreprises, direction des entreprises, 800, place d'Youville, Québec, G1K 7C3 ☎ 1-418-643-3625 ➢ www.registreentreprises.gouv.qc.ca**
- **Autres villes au Québec ➢ 1-888-291-4443 (numéro sans frais).**

INCORPORATION FÉDÉRALE

- **Industrie Canada, direction générale des corporations, 5, place Ville-Marie, bur. 700, Montréal, H3B 2G2 ☎ 1-514-496-1797 ou 1-888-237-3037 ou 1-866-333-5556.**

expérience et leur compétence. Ce sont les seules personnes autorisées à administrer et à représenter la société auprès des clients. En tant qu'administrateurs, ils ont une responsabilité illimitée à l'égard des dettes et des obligations de la société envers les créanciers. Les commanditaires, quant à eux, apportent le capital dans la société en commandite, ils fournissent argent ou biens et ne sont responsables des dettes de la société que jusqu'à concurrence de leur mise de fonds.

La fiscalité des entreprises

Le taux d'imposition des grandes sociétés manufacturières est de 31,16 % et de 35,6 % pour le secteur non manufacturier. Cet impôt est perçu sous forme de versements mensuels d'acomptes provisionnels basés sur les recettes de l'année précédente. La déclaration de chiffre d'affaires à Revenu Canada doit être faite dans les six mois suivant la clôture de l'exercice.

LES ORGANISMES D'AIDE ET LES SITES INTERNET

POUR LE TRAVAILLEUR AUTONOME

- *L'Autonome*, le magazine du travailleur autonome et de la microentreprise ➢ www.magazinelautonome.com
- Les travailleurs autonomes du Québec ➢ www.travailleursautonomes.com
- Répertoire des travailleurs autonomes ➢ www.reptaq.com

SUR L'AIDE AUX ENTREPRENEURS

- Banque de développement du Canada, 5, place Ville-Marie, suite 12525 Montréal, QC H3B 5E7 ☎ 1-888-463-6232 ➢ www.bdc.ca
- Associations des centres locaux de développement (ACLDQ) ➢ www.acldq.qc.ca
- Centres de services aux entreprises du Canada (CSEC) ➢ www.rcsec.org
- Démarrer votre entreprise, gouvernement du Québec ➢ www2.gouv.qc.ca/entreprises/portail/quebec
- La fondation de l'entrepreneurship ➢ www.entrepreneurship.qc.ca
- InfoEntrepreneurs, 380, rue Saint-Antoine ouest, bureau W204, Montréal (Québec), H2Y 3X7 ☎ 1-514-496-4636, 1-888-496-4636 ➢ www.infoentrepreneurs.org
- Agence pour la création d'entreprise (APCE). Financé à 70 % par l'État français, cet organisme aide aussi les entrepreneurs qui veulent partir au Canada : 14, rue Delambre, 75682 Paris cedex 14 ☎ 01.42.18.58.58 ➢ www.apce.com
- Corporation de développement économique et communautaire (CDEC). Centre-Sud/Plateau Mont-Royal, 3565, rue Berri, bureau 200, Montréal ☎ 1-514-845-2332 ➢ www.cdec-cspmr.org
  Le regroupement des CDEC du Québec propose de nombreux services aux immigrants entrepreneurs dont des ateliers à mi-temps, 8 semaines pour 90 $ CAN : 4435, rue de Rouen, Montréal ☎ 1-514-255-0005 ➢ www.lescdec.qc.ca

AUTRES ORGANISMES D'AIDE

- Centre d'entreprises et d'innovation de Montréal (CEIM) ➢ www.ceim.org

- **Chambre de commerce du Montréal métropolitain (CCMM), 380, rue Saint-Antoine Ouest, bur. 6000, Montréal (Québec) ☎ 1-514-871-4000 ➢ www.ccmm.qc.ca**
  Cette organisation très influente, constituée de 7 000 membres, est très dynamique. Elle œuvre au profit de l'entreprise et du commerce.
- **Chambre de commerce de Québec, 17, rue Saint-Louis, Québec (Québec) G1R 3Y8 ☎ 418-692-3853, poste 235 ➢ www.ccquebec.ca**
  Cet organisme important de la région de la capitale nationale compte de nombreux membres, potentiels employeurs ou partenaires d'affaires.
- **Réseau des femmes d'affaires du Québec ➢ www.rfaq.ca**
- **Service d'aide aux jeunes entrepreneurs ➢ www.sajeenaffaires.org**
- **Système d'aide au démarrage d'une entreprise (SADE) ➢ http://sade.rcsec.org**
- **Société d'investissement jeunesse (SIJ) ➢ www.sij.qc.ca**
- **Entreprise Rhône-Alpes International (ERAI), 448, place Jacques-Cartier, Montréal ☎ 1-514-288-8050 ➢ www.erai.org**
  Elle aide exclusivement des sociétés rhônalpines qui veulent s'implanter au Canada et recrute pour le compte de ces entreprises de jeunes travailleurs.
- **Montréal International, 380, rue Saint-Antoine Ouest, bur. 8000, Montréal ☎ 1-514-987-8191 ➢ www.montrealinternational.com**
  L'organisme a pour mission de contribuer au développement économique du Montréal métropolitain et d'accroître son rayonnement international. En plus de favoriser l'attraction d'investissements directs étrangers et de soutenir l'expansion d'organisations internationales, il accueille aussi des travailleurs spécialisés venus de l'étranger.
- **Mission Économique-Ubifrance à Montréal, 1501, avenue McGill College, bur. 1120, Montréal, QC H3A 3M8 ☎ 1-514-670-4000 ➢ www.ubifrance.fr**
  Cette équipe biculturelle a pour mission l'information sur l'environnement économique, juridique, réglementaire, concurrentiel, et sur les conditions d'accès au marché. Elle s'occupe notamment de la recherche de partenaires commerciaux. Publications, fiches de synthèses, études disponibles sur le site Internet. *(...)*

(...)

- **AWEX : l'Agence wallonne à l'exportation et aux investissements étrangers.**
  L'Agence wallonne à l'exportation et à l'investissement étranger à Montréal fait partie intégrante du Consulat général de Belgique et favorise partenariats et échanges technologiques.
  3 objectifs majeurs :
  – promouvoir l'image dynamique de la Wallonie nouvelle et de son potentiel économique
  – aider les entreprises wallonnes à conquérir des parts de marché au Canada soit par l'exportation, le partenariat technologique ou l'investissement
  – favoriser l'investissement canadien en Wallonie
  wallonie@awex-montreal.com ☎ (514) 939-4049
  ➢ www.awex-montreal.com
- **Réseautage : le Cercle Esteler est un cercle d'affaires Québec-Wallonie (www.esteler.com) dont l'objectif est de développer un réseau de relations entre la Wallonie et le Québec et plus largement entre la Belgique et le Canada dans la juridiction du Consulat général de Belgique à Montréal soit le Québec et les Provinces Maritimes**
- **Chambre de commerce française au Canada, 1819, bd René-Lévesque Ouest, bureau 202, Montréal, Québec ☎ 1-514-281-1246 ➢ www.ccfcmtl.ca**
  Elle s'occupe de l'animation de la communauté d'affaires française au Canada. C'est l'appui commercial des entreprises françaises désireuses de s'y implanter.

SUR L'INVESTISSEMENT

- **Immigrants investisseurs ➢ www.immigrer.com/entreprendre.html**
- **Investissement Québec ➢ www.invest-quebec.com**

☛ **Bonus Web.** **Pour d'autres informations : www.immigrer.com/123**

LA FRANCHISE

SUR LA FRANCHISE

Vous souhaitez entreprendre au Québec et songez à ouvrir une franchise, voici les principaux liens et informations sur ce sujet :

- **Acquizition.biz ➢ www.acquizition.biz**
  Mise en relation acheteurs/vendeurs d'entreprises, recherche de financements...
- **Conseil québécois de la franchise (CQF), 910, Sherbrooke Ouest, bur. 100, Montréal ☎ 1-514-340-6018 ➢ www.cqf.ca**
  Organisme à but non lucratif, porte-parole des franchiseurs et des franchisés du Québec.
- **Entreprises Canada, système d'aide au démarrage d'une entreprise ➢ www.entreprisescanada.ca**
- **Occasions Franchise ➢ www.occasionsfranchise.ca**
- **Industrie Canada ➢ www.ic.gc.ca**
  Site d'information du gouvernement canadien, destiné aux entreprises et aux consommateurs.

À lire : *Les secrets du franchisage*, Georges Sayegh, Éditions Yvon Blais, 2007.
Les baux commerciaux, Georges Sayegh, Éditions Yvon Blais, 2005.
Ouvrir un point de vente à Montréal, ouvrage réalisé par la Mission économique de Montréal, Ubifrance, 2007.

☛ Bonus Web. Pour d'autres informations : www.immigrer.com/124

DES MESURES POUR ENCOURAGER LA CRÉATION D'ENTREPRISE

De nombreux crédits d'impôts sont accordés à diverses compagnies installées sur le sol québécois. Comme le rapportent *La Fiscalité au Québec 2006* de Raymond Chabot Grant Thornton et Investissement Québec, un grand nombre de compagnies bénéficient de crédits et de déductions dans différents domaines dont : la nouvelle économie et les technologies de l'information, la biotechnologie, l'optique, les ressources naturelles, les industries culturelles, le design, le vêtement, la construction navale. Les nouvelles sociétés dont le capital n'excède pas 15 millions de dollars peuvent bénéficier d'une exemption d'impôt sur le revenu pendant les cinq premières années de leur exercice. Il existe également des exonérations fiscales pour les entreprises qui ont un projet novateur dans le domaine de la nouvelle économie, dans un centre de développement ou des technologies de l'information ou des biotechnologies comme à Laval, etc.

La taxe sur le capital

Toutes les sociétés établies de façon stable au Québec se voient imposer une taxe sur le capital. Pour les sociétés autres que les banques, les sociétés de prêts et de fiducie, cette taxe est de 0,64 % du capital versé (l'actif net plus les dettes à long terme et les avances faites à la société). Cette taxe est déductible dans le calcul du revenu imposable de la société.

La TPS et la TVQ

La TPS (Taxe sur les produits et services) est une sorte de taxe sur la valeur ajoutée comme celle qu'on retrouve en Europe, en Nouvelle-Zélande et en Australie. Elle se calcule à raison de 6 % du prix de vente d'une fourniture donnée. Le montant brut de la taxe perçue par une entreprise sur ses ventes au cours d'une période donnée, déduction faite des taxes déjà payées sur ses achats au cours de la même période, est remis au gouvernement. Lorsque le crédit est supérieur à la taxe perçue sur les ventes, l'entreprise devient admissible à un remboursement. En général, tous les produits et les services que les entreprises vendent, fournissent ou importent au

Vécu

Monter une franchise au Québec

ORIGINAIRE DE BRETAGNE, ***Éric Lemonnier, 41 ans, arrive au Québec en février 2006 avec la volonté de monter sa propre entreprise. Cet ancien responsable de gestion de l'industrie pharmaceutique connaît déjà le Québec pour y avoir séjourné avec sa femme en 1995. « On avait adoré, mais ma femme, avocate, exerçait alors un métier "inadmissible" pour l'immigration, se souvient-il. La législation ayant changée, c'était le moment de le faire. J'ai toujours voulu créer ma société. En France, c'est plus difficile qu'au Québec », concède-t-il.***

À SON ARRIVÉE, IL OCCUPE UN EMPLOI de gérant dans une chaîne de dépanneurs québécois, Couche-Tard. « Je voulais me rendre compte du fonctionnement de l'intérieur. Pendant huit mois, j'ai acquis beaucoup d'expérience. Cette étape a été très importante pour moi et je la conseille à tous les futurs entrepreneurs », dit-il. La franchise s'est rapidement imposée comme le meilleur choix car la marque, l'image et le vécu du franchiseur est un atout lorsqu'on ouvre un nouveau commerce. « J'ai tout de suite bien aimé Van Houtte. Cette chaîne de cafés québécois montée par un immigrant français de Lille arrivé dans les années 20 au Québec est pour moi synonyme de qualité », confie-t-il. Le droit de franchise chez Van Houtte est de 100 000 $ CAN, mais s'ajoutent aussi les frais d'installation comme l'achat du mobilier, des machines et des produits ainsi que le paiement des salaires des employés ! « Il faut compter un investissement minimum d'environ 350 000 $ CAN pour ouvrir une franchise », affirme-t-il.

DEPUIS FÉVRIER 2007, il a ouvert son café dans le quartier de la place des Arts de Montréal. « La première année, tu perds de l'argent. On me l'avait bien dit. Il faut attendre cinq ans pour entrer dans ses frais. Le plus difficile est de trouver des salariés compétents », avoue-t-il.

Canada sont assujettis à la TPS, sauf s'ils sont spécifiquement détaxés ou exonérés.

La TVQ (Taxe de vente du Québec) est appliquée sur toutes les opérations faites au Québec, sauf celles spécifiquement détaxées ou exonérées. Le principe de son application est le même que pour la TPS. Le taux de la TVQ est de 9,5 % et s'applique au prix de vente incluant la TPS. Le prix d'un produit ou d'un service assujetti à la TPS et à la TVQ est donc globalement taxé à 15 %.

Les taxes municipales et scolaires

Les municipalités ont le pouvoir d'imposition sur leurs résidents ainsi que tous ceux qui font affaire sur leur territoire. Pour en connaître plus sur les taxes aux résidents, vous pouvez vous reporter à la partie 4 dans le chapitre consacré aux finances (page 382). La taxe pour les gens d'affaires est habituellement imposée sur la valeur locative de la place d'affaires. Dans certaines municipalités, elle peut prendre la forme de permis ou de licences obligatoires. Ces taxes varient beaucoup d'une municipalité à l'autre. Les commissions scolaires peuvent aussi imposer une taxe calculée en fonction de l'évaluation foncière. Cette dernière est relativement peu élevée au Québec.

PARTIE 3

Les études au Québec

Inscrire votre enfant à la petite école, accompagner l'intégration d'un adolescent dans une école secondaire québécoise, étudier dans une institution d'enseignement supérieur ou reprendre des études, toutes ces informations sont développées dans cette section du guide. De la maternelle à l'école primaire et secondaire, en passant par les cégeps, les écoles professionnelles et les universités, vous pourrez ainsi vous familiariser avec le système éducatif de la Belle Province.

Sommaire

Le système éducatif

Comme l'a remarqué Sylvie Bernier, mère de trois enfants installée sur le Plateau, l'école québécoise accueille l'enfant en s'adaptant davantage à sa personnalité. « L'éducation québécoise est beaucoup plus à l'écoute de l'enfant, celui-ci est respecté, constate-t-elle. Les enseignants ont conscience que les enfants n'ont pas tous les mêmes capacités, et ils parviennent à valoriser ces différences. Les premiers contacts avec l'administration, nous ont laissé un bon pressentiment. Elle nous aide dans la mesure du possible, sans agressivité. » Arrivé à Montréal en 2007 avec sa petite famille, Christophe Humbert, installé dans Rosemont, a aussi placé ses enfants, âgés de 8 et 13 ans lors de leur installation, à l'école québécoise publique, comme la majorité des immigrants. « De manière générale, j'en suis satisfait, affirme-t-il. On trouve le rythme scolaire un peu lent par rapport à l'Europe. En Europe, c'est aussi plus strict. Ici, le monde de l'enseignement est plus solidaire, il y a plus de communication et de dialogue entre les parents, les élèves et les enseignants. En terme d'organisation, il n'y a rien à dire. Si tu as un pépin, tu es facilement mis en contact avec la personne qui va t'aider à le résoudre. »

De la maternelle au secondaire

Au Québec, l'enfant doit avoir 5 ans au 30 septembre pour faire son entrée en maternelle. Si ce n'est pas le cas, il doit patienter une année supplémentaire. Cependant, si vous jugez votre enfant prêt et

Vécu

Le renforcement positif de l'éducation au Québec

ARRIVÉE EN 2008 *avec son mari et ses deux enfants, Nadine Leferfort, venait chercher au Québec un autre type d'éducation pour ses enfants.*

« LE SYSTÈME FRANÇAIS D'ÉDUCATION, ce n'est pas vraiment mon truc, affirme cette femme alors âgée de 34 ans lors de son installation à Montréal. En France, j'avais entendu les commentaires négatifs de professeurs qui rabaissaient toute la classe. Tout le groupe échouait, seulement trois avaient la moyenne, et pourtant ces professeurs ne se remettaient jamais en question », se souvient-elle en évoquant cette année d'études particulièrement difficile.

AU BOUT DE TROIS MOIS AU QUÉBEC, son fils aîné qui avait fait trois ans d'école maternelle en France a affirmé à ses parents qu'il préférait l'école québécoise. « Parce qu'ici, on ne me dit jamais que ce que je fais n'est pas bien », a constaté le gamin de 5 ans. Un constat que ses parents ont aussi fait. « Au Québec, l'éducation de l'enfant est plus axée sur l'estime de soi et sur la valorisation plutôt que sur le bourrage de crâne, affirme Nadine. On ne s'intéresse pas qu'aux premiers de classe, à l'élite, mais à tous les élèves en tant qu'individus. »

ELLE A D'AILLEURS ENTAMÉ ELLE-MÊME un retour aux études au niveau universitaire. « Au Québec, je peux retourner sur les bancs de l'école comme je veux et ainsi m'épanouir dans ce que j'aime vraiment. » Cette diplômée d'un Bac + 1 d'une université française a débuté un baccalauréat québécois en traduction à l'Université de Montréal. « Ce que je constate avec mes enfants au primaire se confirme à l'université. Il y a une réelle flexibilité et aussi une façon plus positive d'envisager l'enseignement, affirme-t-elle. À l'université, le fait que chaque élève puisse évaluer à la fin de la session son professeur et son cours témoigne de toute une philosophie. »

mature, il est toujours possible de demander une dérogation pour qu'il puisse y accéder. Avant la maternelle, il y a tout un réseau de garderie publique (CPE – Centre de la petite enfance) et privée (voir la partie S'installer avec des enfants, page 399). À 6 ans, l'enfant entame sa première année à l'école primaire. Celle-ci accueille les enfants entre 6 et 12 ans, jusqu'à la sixième année scolaire. Les années d'école sont comptées de un à six à partir de la première année. Le système scolaire québécois a son réseau public et privé.

Installée dans le quartier d'Hochelage-Maisonneuve, Delphine Cros, mère de trois enfants, est membre du conseil d'établissement de son école. « L'école primaire de mes enfants étant classée comme défavorisée depuis 2009, il y a moins d'élèves par classe, ce qui est très bien, clame-t-elle. Le service de garde après l'école est génial. Il offre l'un des meilleurs services de Montréal. Les enfants peuvent y faire beaucoup d'activités. Il y a par ailleurs, des professeurs pour chacune des disciplines – la gymnastique, l'anglais, la musique, etc. – alors qu'en France, un seul professeur enseignait toutes ces disciplines. Il y a beaucoup d'intervenants. J'adore. » Les adaptations culturelles ne sont pour autant pas à sous-estimer. « La maîtresse s'est plainte que mon fils était peu conciliant, mais en fait, il ne comprenait pas certaines expressions, souligne-t-elle. Mon fils est entré un jour à la maison tout content. Il m'a dit : « Maman, j'ai enfin compris ce que signifie "Serre ton cartable" ; ça veut dire "range ton classeur !" »

Ensuite, à l'âge de 13 ans, les élèves intègrent le secondaire pendant cinq années. Au Québec, l'école est obligatoire jusqu'à l'âge de 16 ans (voir le tableau des équivalences page 282). Parmi les écoles publiques du Québec figurent les écoles primaires alternatives (voir l'encadré, page 274) et des écoles primaires et secondaires internationales qui suivent le programme québécois enrichi de cours supplémentaires tels que des cours de langue. Dans les deux cas, les places

LES ÉCOLES ALTERNATIVES DU QUÉBEC

MOINS CONNUES par les immigrants, les écoles publiques alternatives sont très prisées par certains parents québécois soucieux de s'investir dans l'école de leurs enfants. En effet, ces écoles primaires fondées dans le courant des années 70 et 80 sont présentes un peu partout sur le territoire québécois. Elles sont gratuites comme toutes les écoles publiques et demandent un minimum d'investissement de la part des parents. L'enseignement proposé est axé sur les besoins de l'élève, en stimulant son autonomie et sa créativité. Sachez que les écoles alternatives ne sont pas soumises comme les écoles publiques classiques à la règle du lieu de résidence. Comme la demande dépasse l'offre, elles sélectionnent souvent sur dossier, évaluant l'implication et les valeurs des parents, ou par tirage au sort.

● **Pour en savoir plus** et connaître la liste des écoles, consultez le Réseau des écoles publiques alternatives du Québec :
➢ www.repaq.qc.ca

sont chères. Lorsque l'élève achève son cycle secondaire, il obtient un DES (Diplôme d'études secondaires) ou encore un DEP (Diplôme d'études professionnelles). Pour en savoir plus sur le DEP, voir la section sur le retour aux études, page 302.

☛ **Bonus Web.** Pour plus d'informations : www.immigrer.com/125

LE SUPÉRIEUR

L'enseignement supérieur comprend les études aux cégeps et à l'université. Après le secondaire, fait spécifique au Québec, les adolescents passent au CEGEP (Collège d'étude général et professionnel) où, pendant deux ans, ils se spécialisent dans un domaine des sciences

Vécu

L'adaptation des enfants à l'école : pas si simple

LES PARENTS SONT TOUJOURS PRÉOCCUPÉS par l'adaptation de leurs enfants. Si ces derniers sont très jeunes, surtout au début du primaire, les défis sont généralement moins grands que pour des enfants plus âgés ou des adolescents qui laissent derrière eux des amis et diverses attaches.

ANNABEL MAUSSIONETTE EST ARRIVÉE au Québec en 2009 avec ses trois enfants de 4, 11 et 14 ans. « Notre aîné, Maxime, n'était pas très enjoué à l'idée d'immigrer, se souvient-elle. Mais, heureusement, il n'y a pas eu de passage difficile. Lorsque nous sommes arrivés à l'été, chacun s'était inscrit dans un camp de jour afin de prendre la température du pays. Cela s'est bien passé ; il s'est fait des copains. Aujourd'hui, il est dans l'équipe de basket-ball. Inconsciemment, il a fait des efforts pour son intégration, et le sport en est un des aspects. »

AUTRE EXEMPLE... Au début, l'adolescent de 13 ans de Christophe Humbert avait quelques difficultés à comprendre certaines blagues. « Sans subir le racisme, le plus dur pour lui c'était de porter une étiquette de “Français”, affirme-t-il. Les enfants de son école secondaire faisaient des blagues sur son accent. Au Québec, c'est lui qui a un accent particulier et pas l'inverse. Il s'est mis en retrait. Il avait peur qu'on lui dise qu'il avait un accent bizarre. L'adaptation a été longue et difficile. À un certain moment, il voulait même retourner en France. Mais il a fini par trouver son équilibre. Il a dû accepter sa différence culturelle. Aujourd'hui, il n'a que des amis québécois, et même une petite amie québécoise. »

MÊME SON DE CLOCHE CHEZ DELPHINE CROS qui a inscrit sa fille dans une école secondaire privée de l'est de Montréal. « Elle a trouvé difficile de se faire traiter de “Française”, déclare cette infirmière. Elle a été harcelée, ses camarades ont mis sa photo sur Internet. Elle a menacé de se suicider. J'ai été obligée de l'envoyer en France pendant dix jours auprès de son père. Finalement tout s'est bien passé, mais je pensais que l'immigration était plus simple pour les enfants. »

sociales ou scientifiques et où ils obtiennent un DEC (diplôme d'études collégiales). Cet enseignement peut durer trois ans si l'étudiant choisit un programme technique aboutissant directement sur le marché du travail.

Les Québécois doivent obligatoirement faire le CEGEP avant d'entrer à l'Université, à moins d'attendre d'avoir 21 ans. Voir le tableau de correspondances des diplômes en page 282 pour comprendre les équivalences entre le Québec et la France. Au Québec, un DEC technique obtenu au cégep équivaut à un BTS ou un DUT français. Pour en savoir plus sur les cégeps et la formation professionnelle offerte à tous dans ces institutions, veuillez vous reporter à la partie sur le retour aux études, page 302.

Après le CEGEP, l'étudiant peut entrer à l'université pour compléter un premier cycle de 90 crédits, appellé en Amérique du Nord « diplôme de baccalauréat » (à ne pas confondre avec le bac français). Ces études de premier cycle durent trois années, ou exceptionnellement quatre ans pour les études de médecine ou d'ingénieur par exemple.

☛ **Bonus Web.** Pour plus d'informations : www.immigrer.com/126

Les commissions scolaires

Les écoles primaires et secondaires entièrement financées par le gouvernement québécois sont des écoles publiques chapeautées par les commissions scolaires. Dans ce système, vous ne pouvez envoyer votre enfant que dans votre région (qui regroupe plusieurs villes), vous ne pouvez choisir votre école publique car elle est déterminée en fonction de votre lieu d'habitation.

Vécu

Qualité de vie avec les enfants

LA QUALITÉ DE VIE est l'une des raisons de la venue de la famille de Christophe Humbert. « La qualité de vie, c'est quelque chose dont tu prends conscience lorsque tu vis au Québec, affirme ce père de deux enfants. Au Québec, j'ai trouvé des transports en commun à taille humaine, des aires de jeux pour les enfants. Et surtout des horaires plus en phase avec la vie familiale. Je suis à la maison à 17 heures tous les jours. Mon temps de transport est de 20 minutes en voiture même si je dois me déplacer dans une autre ville, comme Laval. Je suis à contre trafic tout le temps. Je profite des enfants le soir, on peut sortir et faire d'autres choses. Il y a moins de stress à Montréal qu'à Nancy où la densité humaine rend les rapports moins agréables. Pour une famille, le Québec c'est un très bon choix. »

POUR DELPHINE CROS, INFIRMIÈRE installée au Québec avec ses trois enfants, le changement est évident. « Nous avons gagné en qualité de vie et en liberté, affirme-t-elle. Ma fille ado a plus de liberté, elle peut davantage circuler toute seule. C'est plus sécuritaire pour nous tous. Je n'ai plus peur dans le bus ou le métro, même à minuit. Mon mari et moi avons plus de temps pour les enfants, il y a moins de pression. Mon mari me dit : "J'ai l'impression d'être en vacances toute l'année." »

Afin d'inscrire les enfants à l'école publique gratuite, téléphonez à la commission scolaire de votre région ou de votre quartier. Si vous comptez envoyer votre enfant à l'école publique, informez-vous sur les écoles de votre lieu de résidence avant d'emménager. La plus importante commission scolaire du Québec est celle de Montréal qui a porté pendant plus de cent cinquante ans, jusqu'en 1998, le nom de « Commission des écoles catholiques de Montréal ». Depuis, les commissions scolaires du Québec sont divisées selon la langue et non plus selon la confession.

Si vous en avez les moyens financiers, vous pouvez aussi profiter du réseau d'écoles privées du Québec qui offre des cursus fort intéressants.

INSCRIPTION DES ENFANTS À L'ÉCOLE : OÙ SE RENSEIGNER ?

- **Collège Stanislas ➣ www.stanislas.qc.ca**
- **Collège international Marie-de-France ➣ www.cimf.ca**
- **Commission scolaire de Montréal ➣ www.csdm.qc.ca**
- **Ministère de l'Éducation du Québec ➣ www.mels.gouv.qc.ca**
- **MEQ, recherche institution d'un organisme scolaire ➣ www.mels.gouv.qc.ca/informationsgeographiques**
- **Cégep international ➣ www.cegepinternational.qc.ca**
- **Allo Prof, un site pour accompagner les élèves du primaire, secondaire ➣ www.alloprof.qc.ca**
- **Commission scolaire de la Capitale (Québec) ➣ www.cscapitale.qc.ca**
- **Commission scolaire de Laval ➣ www2.cslaval.qc.ca**
- **Commission scolaire Marie-Victorin (rive sud Montréal) ➣ www.csmv.qc.ca**
- **Écoles secondaires par région ➣ ch.monemploi.com/eta_sec/default.html**
- **Écoles privées, annuaire des établissements au Québec ➣ www.annuairefeep.com/index.cfm**
- **Pensionnats québécois ➣ www.maresidencesecondaire.ca**

Les écoles qui proposent celui de l'Éducation nationale française comme Marie-de-France et le Collège Stanislas dans le quartier Outremont de Montréal sont des écoles privées. Comptez autour de 5 000 $ CAN pour l'option de base par an et par enfant en primaire. Ajoutez-y tous les extras, achats de vêtements, fournitures scolaires, activités extrascolaires, etc.

Vécu

Trois enfants : trois adaptations différentes

SYLVIE BERNIER EST ARRIVÉE avec son conjoint en 2005 avec deux de ses trois enfants âgés de 8, 17 et 19 ans. Dans cette famille recomposée, les deux aînés sont issus d'un premier mariage. « Je suis venue avec mes deux filles. L'aînée de 17 ans était prête pour le cégep au Québec, affirme cette toulousaine. On a écrit de France pour avoir le contenu de ses cours. Mais le Cégep Ahunstic de Montréal n'a jamais voulu reconnaître ses équivalences, elle devait donc tout recommencer. Elle a décidé de retourner en France auprès de son père. »

LA CADETTE EST ALLÉE DANS L'ÉCOLE PUBLIQUE francophone du quartier. « Le premier mois était génial, c'était l'euphorie, affirme-t-elle. Mais au bout du troisième mois, j'ai été convoquée par son professeur : elle n'écoutait plus en classe. En fait, elle m'a dit qu'elle ne comprenait pas toujours les consignes car son professeur était originaire du Lac Saint-Jean, une région du Québec où l'accent est très marqué. Elle faisait répéter la maîtresse mais celle-ci se fâchait. » La rencontre avec la maîtresse a permis de mettre cela au clair. Et cette dernière a fait des efforts lorsqu'elle s'est adressée à sa fille.

« **POUR SA PART, MON FILS AÎNÉ** avait débuté son droit à Toulouse, dit Sylvie. Il en a eu assez, il s'est dit « pourquoi pas le Québec ! » et il nous a rejoints. Aujourd'hui, il étudie à l'UQAM en administration des affaires. Il a toujours rêvé de faire une école de commerce et de gestion. Mais, en France, c'est élitiste et très cher. Il pense demander sa résidence permanente. Il a constaté beaucoup de différences avec l'université française. Il aime beaucoup le système québécois, les relations entre professeurs et élèves. Il pense faire une maîtrise et a un permis de travail pour travailler à temps partiel. »

LES CÉGEPS DU QUÉBEC VISITENT AUSSI EN FRANCE

Les représentants des Cégeps du Québec sont aussi présents dans de nombreux salons et événements d'orientation en Ile-de-France. Généralement les délégués se déplacent de septembre à mars dans les différents salons français.

☛ Pour en avoir plus : http://ee.cegepint.ca/fr/les-cegeps-du-quebec-vous-visitent

Selon les dispositions de la Loi 101 de la province adoptée en 1977, tous les jeunes résidents dont le père ou la mère n'a pas reçu un enseignement primaire en anglais au Québec, doivent fréquenter le secteur d'enseignement de langue française. Cette loi a été instaurée afin d'intégrer les immigrants de tous les pays à la majorité francophone du Québec.

ÉTUDIER À L'UNIVERSITÉ AU QUÉBEC

Chaque année, des milliers d'étudiants français viennent étudier au Québec. Au Canada, l'éducation est une compétence provinciale, il existe ainsi 13 ministères de l'Éducation dans ce pays avec leurs structures et leurs programmes propres. Le gouvernement québécois légifère donc en matière d'éducation et d'enseignement supérieur dans sa province.

LE SYSTÈME UNIVERSITAIRE QUÉBÉCOIS

L'enseignement universitaire québécois est divisé en trois cycles distincts. Habituellement, les étudiants québécois qui entrent en

TABLEAU DES CORRESPONDANCES DES DIPLÔMES ENTRE LE QUÉBEC ET LA FRANCE

Système scolaire québécois		Système scolaire français	
ENSEIGNEMENT UNIVERSITAIRE	3E CYCLE UNIVERSITAIRE Doctorat Durée : 2 ans minimum	Doctorat d'État/doctorat de spécialité Durée : 3 ans minimum (bac+8)	ENSEIGNEMENT UNIVERSITAIRE
	2E CYCLE UNIVERSITAIRE Maîtrise Durée : 2 ans	DEA/DESS/Diplôme d'ingénieur (Mastère, Écoles de commerce, ingénieurs...) Master M 2 (depuis la réforme LMD) Durée : 1 an (bac+5)	
	1ER CYCLE UNIVERSITAIRE Baccalauréat en sciences appliquées Durée : 4 ans	Maîtrise/MST/MSG/MIAGE Master M 1 (depuis la réforme LMD) Durée : 1 an (bac+4)	
	1ER CYCLE UNIVERSITAIRE Baccalauréat complet (90 crédits) Durée : 3 ans	Licence/DNTS Durée : 1 an (bac+3)	
	1ER CYCLE UNIVERSITAIRE Baccalauréat non complété (60 crédits) Durée : 2 ans	DEUG/DEUST/DUT Durée : 2 ans (bac+2)	
	DEC TECHNIQUE (3e année de CEGEP) Durée : 3 ans	BTS/DUT Durée : 2 ans (bac+2)	
ENSEIGNEMENT COLLÉGIAL	DEC PRÉ-UNIVERSITAIRE (2e année de CEGEP) Durée : 2 ans	Baccalauréat d'enseignement général Baccalauréat professionnel Pas de durée : le baccalauréat français est un examen final à la fin de la terminale (voir ci-dessous)	LYCÉE D'ENSEIGNEMENT GÉNÉRAL, TECHNIQUE ET PROFESSIONNEL
ENSEIGNEMENT SECONDAIRE	SECONDAIRE V COMPLÉTÉ	Terminale (baccalauréat)/CAP/BEP	
	5e année 4e année	Première Seconde	
	3e année 2e année 1re année	Troisième Quatrième Cinquième (possibilité en 5e d'aller vers CAP et BEP au lieu de continuer en 4e).	COLLÈGE
PRIMAIRE	6e année	Sixième	
	5e année 4e année 3e année 2e année 1re année	CM2 CM1 CE2 CE1 CP	PRIMAIRE

La durée renvoie au nombre d'années nécessaires pour compléter le diplôme concerné alors que la mention (bac+ suivi d'un chiffre) indique le nombre d'années d'études universitaires complétées après le bac français.

Sources : les consulats généraux de France à Québec et Montréal, Immigration-Québec et l'OFQJ (Office franco-québécois pour la jeunesse), janvier 2002.

LES CANADIENS ET LES QUÉBÉCOIS, TÊTES DE CLASSE

LES CANADIENS SONT les plus instruits des membres de l'OCDE : le Canada se classe au premier rang pour son taux de scolarité postsecondaire. En 2006, 6 adultes canadiens sur 10 âgés de 25 à 64 ans avaient un diplôme universitaire ou collégial (l'équivalent en France d'un bac ou bac+1) ; 21 % des Québécois adultes avaient un grade universitaire.

Le nombre d'immigrants récents ayant un niveau postsecondaire est deux fois plus élevé que le reste de la population, ce qui contribue aussi à l'élévation du niveau.

Selon une vaste étude réalisée par le Programme pancanadien d'évaluation (PPCE) auprès d'une population de 20 000 jeunes de 13 ans, au Canada, les élèves québécois arrivent au premier rang dans plusieurs matières. Ils sont premiers en lecture et en mathématiques et deuxièmes en sciences. Ils sont aussi les seuls à avoir obtenu une note au-dessus de la moyenne canadienne en lecture et en mathématiques. Toujours selon cette étude, les écoliers québécois se situent en sciences encore au-dessus de la moyenne canadienne. Ils sont toutefois devancés dans cette matière par les jeunes de l'Alberta.

premier cycle à l'université sortent du CEGEP (Collège d'enseignement général et professionnel) avec le DEC (Diplôme d'études collégiales). Le premier cycle universitaire qui se déroule en trois ou quatre ans, selon les spécialités, est sanctionné par un diplôme appelé le baccalauréat (aucun rapport avec le bac français). La maîtrise se prépare dans un deuxième cycle (en deux ans) et le doctorat (aussi appelé PhD) en troisième cycle (en trois ans). Le premier cycle est l'équivalent d'une licence française. Les étudiants inscrits dans un programme suivent des cours obligatoires et des cours optionnels, c'est-à-dire des classes au choix. Pour compléter un baccalauréat, l'étudiant devra suivre 30 cours en trois ans, ce qui équivaut à 90 crédits (parfois 120 crédits seront nécessaires dans certaines disciplines). Ce système de crédits correspond aux UE, ou unités d'enseignement, du système français, et peut trouver sa correspondance avec les crédits ECTS depuis la réforme LMD. Chaque cours suivi au Québec donne en général trois crédits et représente quarante-cinq heures en classe pendant l'un des trimestres. La maîtrise compte pour deux ans d'étude, incluant la rédaction d'un mémoire.

Services et souplesse. Les horaires des universités québécoises sont très flexibles. Il est aussi possible dans certaines institutions de suivre des cours à distance (télé-université), le soir ou à temps partiel. Ces deux derniers avantages ne sont accessibles qu'aux résidents permanents du Québec. Sachez aussi que l'université est ouverte à tous les âges, quel que soit votre statut, résident permanent ou étudiant étranger. Les universités offrent de nombreux services à leurs communautés avec des campus à l'américaine, des bibliothèques ouvertes tous les jours même tard le soir, des résidences universitaires dans toutes les institutions, des centres sportifs, et également des garderies pour les enfants des étudiants-parents. Les professeurs sont très disponibles, il est possible de les rencontrer individuellement. Les services informatiques des universités sont très développés. Les études universitaires sont divisées en deux sessions principales de quinze semaines, l'automne et l'hiver. Il existe aussi une session d'été pour des cours de rattrapage et des cours complémentaires.

Où étudier au Québec ?

Le Québec compte de nombreuses universités francophones et anglophones. À Montréal, les étudiants ont le choix entre quatre universités : université de Montréal, université du Québec à Montréal (UQAM), et

LE COÛT DES ÉTUDES

LE SYSTÈME DES GRANDES ÉCOLES à la française n'existe pas au Québec, ni au Canada d'ailleurs, même s'il existe des écoles spécialisées. L'enseignement universitaire n'est pas gratuit, mais les frais de scolarité des universités québécoises sont les moins élevés d'Amérique du Nord.

LES FRAIS DE SCOLARITÉ au Québec ne sont pas les mêmes pour les étudiants québécois et pour les étudiants étrangers. Toutefois, en vertu de l'accord-cadre France-Québec, les étudiants de citoyenneté française étudiant dans la Belle Province paient le même prix que les étudiants québécois. Les études de premier cycle coûtent plus de 2 000 $ CAN par an, et les études de deuxième cycle, 500 $ CAN par session (l'équivalent d'un semestre en France). Les frais de scolarité sont moins élevés si l'étudiant passe par le CREPUQ (pour plus de détails, lisez les développements sur des organismes tel le CREPUQ, page 291), mais dans ce cas, il n'obtiendra pas un diplôme québécois.

L'ÉTUDIANT DOIT généralement débourser au Québec près de 800 € (1 080 $ CAN) par mois, sans compter les frais de scolarité et d'installation, pendant les neuf mois de l'année universitaire. Le budget normal d'un étudiant de premier cycle ou de second cycle est de 6 885 € (9 301 $ CAN) par an.

les universités anglophones McGill et Concordia. À Québec, les étudiants peuvent étudier à l'université Laval, la plus vieille université francophone. Au sud-est de Montréal, dans les Cantons de l'Est, on trouve deux universités, l'université de Sherbrooke et l'université anglophone Bishop's. Dans l'Outaouais à Hull et un peu partout sur le territoire québécois, les étudiants peuvent bénéficier du réseau des universités du Québec relié à l'UQAM. N'hésitez pas à naviguer sur les sites internet des universités, ils regorgent d'informations pour les étudiants étrangers, notamment sur la vie estudiantine, le logement hors campus ou dans les résidences universitaires, les différents

Vécu

Un professeur français, de Columbia à l'Université de Montréal

ORIGINAIRE DE SAINT-GERMAIN-EN-LAYE, en banlieue parisienne, Marc Henry a fait des études en sciences et en économie en France et en Angleterre, avant de devenir professeur à l'Université Colombia à New York. Il y réside presque dix ans, jusqu'en 2007, et c'est dans la grosse pomme qu'il rencontre sa femme d'origine japonaise, Michiko Kameda, une artiste photographe. Avec la venue de leur enfant, ils envisagent de changer de lieu d'habitation. C'est alors qu'il décide d'accepter l'offre du département d'économie de l'Université de Montréal. « Cela convenait bien à mes projets de recherche, et Montréal était aussi une ville intéressante pour la carrière de ma femme, affirme-t-il. C'est, par ailleurs, une ville bilingue où il y a de meilleures écoles publiques qu'à New York. »

L'UNIVERSITÉ DE MONTRÉAL prend à sa charge le déménagement de la famille qui s'installe à l'été 2007. Marc a 38 ans et n'a jamais enseigné en français, mais rapidement il se rend compte que c'est bien plus facile et qu'il est moins fatigué le soir venu. Le département de Montréal est plus petit – il compte 18 professeurs contre 35 à Colombia – et plus convivial. Ses étudiants s'intéressent davantage à ses recherches en économétrie. Il y a aussi beaucoup plus d'étudiants européens à Montréal que dans les universités américaines, mais aussi plus d'étudiants issus de l'Afrique francophone, une autre différence avec Columbia.

LE SALAIRE AUSSI EST DIFFÉRENT, Marc perçoit 120 000 $ CAN alors qu'une université américaine comparable offrira de 30 à 40 % de plus. Mais Montréal est plus abordable au quotidien et au niveau de l'immobilier. Il a d'ailleurs su en profiter en achetant une maison (chose pratiquement impensable à Manhattan) à 40 minutes à pied de l'université dans le quartier de Notre-Dame-de-Grâce. Son fils y est inscrit dans une école de quartier à vocation alternative (voir l'encadré en page 274), un type d'enseignement qui plaît bien aux deux parents. Lui qui a connu l'Angleterre et les États-Unis pendant plusieurs années trouve que les Québécois s'apparentent plus à des Américains que les *(...)*

(...) Canadiens anglophones, plus proches des Britanniques. « Les Québécois sont plus faciles d'accès, ils sont plus décontractés, ils partagent leur vie privée plus facilement comme on peut le voir sur Twitter et Facebook, remarque-t-il. Les anglophones au Canada sont plus réservés. »

MARC HENRY A ENTAMÉ LES DÉMARCHES de résident permanent. Mais, il reste un expatrié dans l'âme car il retournera peut-être un jour en Europe. Pour l'heure, il savoure les plaisirs d'enseigner en français dans une ville nord-américaine.

programmes, les emplois disponibles sur le campus, etc. Vous trouverez ces liens sous la présentation de chaque université.

L'université de Montréal. Fondée en 1878, c'est la plus importante université francophone en Amérique regroupant près de 50 000 étudiants et des milliers d'étudiants étrangers. Elle offre plus de 270 programmes au premier cycle. On retrouve également sur son campus les écoles affiliées Polytechnique (www.polymtl.ca) et HEC, les hautes études commerciales (www.hec.ca).

☛ Université de Montréal : www.umontreal.ca
☛ www.bei.umontreal.ca/bei
☛ www.futursetudiants.umontreal.ca/fr/etudiants-internationaux
☛ **Bonus Web.** Pour plus d'informations : www.immigrer.com/127

L'université du Québec à Montréal. Fondée en 1969, l'UQAM accueille 40 000 étudiants, offre plus de 250 programmes en premier cycle. L'université du Québec a aussi son réseau de dix établissements installés sur tout le territoire québécois dont six universités (Chicoutimi, Hull, Montréal, Rouyn-Noranda, Rimouski, Trois-Rivières) et quatre écoles spécialisées (l'ENAP, École nationale d'administration publique, à Québec ; l'ETS, École de technologie supérieure à Montréal ; l'INRS, Institut national de la recherche scientifique ; Teluq, la télé-université qui propose des cours à distance).

☛ Visitez le site de l'UQAM : www.uqam.ca et ceux des quatre écoles spécialisées : www.enap.ca ; www.etsmtl.ca ; www.inrs.ca ; www.teluq.uquebec.ca

☛ Étudiants étrangers : www.international.uqam.ca/pages/etudiants_etrangers.aspx

☛ **Bonus Web.** Pour plus d'informations : www.immigrer.com/128

L'université du Québec en Outaouais. Implantée à Gatineau, l'UQO compte plus de 5 000 étudiants et plus de 78 programmes. Elles est située près de la capitale du Canada, Ottawa. Fondée en 1970, cette université fait partie du réseau des universités du Québec.

☛ www.uqo.ca

☛ Étudiants étrangers : www.uqo.ca/international

L'université Laval. La plus vieille université de langue française en Amérique est située dans la ville de Québec (ne pas confondre avec la ville de Laval au nord de Montréal). Fondée en 1663, Laval compte plus de 44 000 étudiants installés dans son grand campus de Sainte-Foy. Plus de 400 programmes sont offerts par cette université. Plus de 4 000 étudiants étrangers provenant de près de 110 pays fréquentent l'institution.

☛ www.ulaval.ca

☛ www.futursetudiants.ulaval.ca

L'université McGill. Fondée à Montréal en 1821 au cœur de la métropole québécoise, McGill est une université anglophone qui attire des étudiants du monde entier, y compris des Américains. Elle compte 34 000 étudiants, deux campus, 11 facultés, 300 programmes d'études et offre plusieurs services en plus des résidences et de nombreux centres d'études, musées, bibliothèques.

☛ www.mcgill.ca
☛ www.mcgill.ca/students/international/

L'université Concordia. Fondée en 1974 à Montréal, cette université anglophone compte plus de 43 000 étudiants répartis sur deux campus dont l'un en centre-ville. Elle offre plus de 180 programmes de premier cycle.
☛ www.concordia.ca
☛ www.concordia.ca/programs-and-courses/international-exchange-program

L'université de Sherbrooke. Cette université au cœur des Cantons de l'Est, au sud-est de Montréal, a été fondée en 1954 et compte plus de 33 000 étudiants et 250 programmes sur trois campus, dont un à Longueil, en banlieue de Montréal.
☛ www.usherbrooke.ca
☛ www.usherbrooke.ca/vie-etudiante/international/accueil-des-etudiants-internationaux

L'université Bishop's. Cette petite université anglophone fondée au Québec en 1843 est installée à Lennoxville, dans les Cantons de l'Est non loin de Sherbrooke. Elle accueille plus de 2 000 étudiants dans une ville de 5 000 habitants. Bishop's propose des études en anglais dans un cadre de vie très paisible.
☛ www.ubishops.ca
☛ www.ubishops.ca/academic-programs/international-exchange/international-students/

Obtenir le visa étudiant

Si vous voulez poursuivre des études au Québec, il est impératif d'obtenir le visa étudiant. Pour une rentrée scolaire en septembre, il est

Vécu

D'étudiante française à travailleuse à Chicoutimi, Saguenay

EMMANUELLE ARTH N'AVAIT QUE 21 ANS lorsqu'elle décida de participer à un programme d'échange CREPUQ afin de terminer son Deug au Québec. Cette étudiante en géographie, originaire de Strasbourg, n'avait jamais quitté la maison de ses parents et rêvait de vivre une expérience à l'étranger. « J'avais envie de découvrir les francophones du Québec, l'hiver, les grands espaces et je ne me voyais pas étudier qu'en anglais » se souvient-elle. Les cours dispensés à l'Université du Québec à Chicoutimi (IQAC) lui convenaient parfaitement. De plus, Emmanuelle ne souhaitaient pas vivre à Québec ou à Montréal. « Je ne voulais pas passer mon séjour avec des Français. J'avais envie d'un endroit à taille humaine, affirme-t-elle. Cela me sécurisait de me retrouver sur un petit campus. »

SON SÉJOUR COMMENCE PAR UNE SURPRISE de taille : l'éloignement entre Chicoutimi et Québec. « Le premier choc culturel, ça a été de découvrir les deux heures de route dans les bois qui séparent Chicoutimi de Québec », relate-t-elle. Malgré cela, elle est charmée par Chicoutimi et la beauté de la région du Saguenay. « La nature autour de la ville permet de se promener facilement mais il faut absolument avoir une voiture car les transports en commun ne sont pas très fournis », avertit-elle.

EMMANUELLE EST PAR AILLEURS, SÉDUITE par le milieu universitaire. « Je ne pensais pas faire de longues études lorsque j'étais en France, affirme-t-elle. Au Québec, le système me convenait mieux car il est fait pour réussir. Il y a un contrôle continu, plusieurs travaux à rendre et non un seul et unique examen par an comme c'était le cas dans mon domaine en France. » Elle n'a jamais autant travaillé mais elle trouve pourtant le cadre stimulant et dynamique, ce qui attise sa curiosité. « Les professeurs sont très disponibles. On comprend nos erreurs et on avance », affirme-t-elle. Emmanuelle est tellement enthousiaste qu'elle décide de continuer en deuxième cycle, toujours en géographie à Chicoutimi. Parallèlement à ses études, elle devient assistante de recherche à 12 $ l'heure dans son département. Une vraie expérience professionnelle où elle écrit *(...)*

(...) des rapports, organise des colloques, etc. Puisqu'elle travaille en parallèle, elle met quatre ans à finaliser sa thèse en Étude et intervention régionale. À la fin de ses études, elle travaille un an et demi comme chargée de projet et agente de développement avec une rémunération variant entre 15 et 18 $ l'heure. Puis, elle quitte le monde de l'université pour un emploi à l'agence de la santé et des services sociaux du Saguenay Lac Saint-Jean où elle débute avec un salaire à 28 $ l'heure. « Même si je travaille dans le domaine de la santé, mes études en géographie m'aident énormément car j'ai appris à manier les données statistiques et démographiques », affirme-t-elle. Depuis juin 2009, elle est permanente dans cet organisme paragouvernemental, lui permettant de bénéficier de cinq semaines de congés et de nombreux avantages sociaux.

À L'AUBE DE LA TRENTAINE, CÉLIBATAIRE SANS ENFANT, elle ne sait pas trop de quoi demain sera fait. « Il y a des moments où les 4 000 kilomètres me séparant de ma famille paraissent infranchissables, mais le jour où j'ai arrêté de voir mon installation au Québec comme un engagement à long terme, ça a été beaucoup plus facile à vivre », affirme-t-elle.

recommandé de s'y prendre plus de six mois à l'avance, soit de décembre à février. Les étudiants français ont deux possibilités pour aller étudier au Québec.

La convention CREPUQ. La première solution est de passer par le programme d'échanges *via* le Centre de coopération interuniversitaire franco-québécoise et d'obtenir son diplôme reconnu en France. Avec ce programme, vous payez les mêmes frais de scolarité que dans votre université française. Signée en 1984, la convention CREPUQ permet de faciliter les échanges d'étudiants entre la France et le Québec et concerne 200 établissements d'enseignement supérieur français. Renseignez-vous auprès de votre établissement pour savoir s'il en fait partie.

L'UQAM

CHAQUE ANNÉE, L'UNIVERSITÉ DU QUÉBEC à Montréal accueille des milliers d'étudiants étrangers. L'UQAM a accueilli plus de 2 800 étudiants étrangers lors de la session d'automne 2011, dont plus de 1 500 étudiants français (la plus importante communauté étrangère de cette université). Selon Anik Lalonde (10 ans à la direction du recrutement étudiant de l'UQAM, aujourd'hui conseillère spéciale aux affaires internationales à l'ESG-UQAM) « Les étudiants étrangers viennent au Québec pour la qualité de la formation, la façon d'enseigner plus directe des enseignants, l'accès plus facile aux professeurs, les campus modernes, tout en cherchant à acquérir une expérience unique à l'international en restant en langue française. En plus, la ville de Montréal est un bassin culturel très attrayant pour ces étudiants », constate-t-elle. Pour se faire connaître en France, l'UQAM, comme d'autres universités québécoises, participe plusieurs fois par an à différents salons étudiants, ainsi qu'au Centre culturel canadien à Paris et au CIDJ, en plus d'opérations dans d'autres villes comme Bordeaux, Lille, Lyon et Montpellier. « À l'UQAM, il y a de nombreuses formations uniques et de qualité comme dans le domaine des arts. On y apprécie les professeurs et les installations. Nos programmes de gestion, de droit international ou encore de sciences de l'environnement sont très appréciés par les étudiants étrangers » déclare-t-elle. L'Université du Québec à Montréal a aussi des départements assez innovateurs comme celui des études féministes ou encore celui de sexologie, unique au Québec. « Nous offrons un lien direct avec la pratique. Par exemple, les étudiants en urbanisme sillonnent les rues pour pousser plus loin leurs recherches. Les étudiants en géologie vont dans les mines. Nous avons aussi de nombreux partenariats avec les syndicats, les organismes sociaux et les centres de soins, par exemple. » Une université très caractérisée par le travail interdisciplinaire.

● UQAM International

➢ www.international.uqam.ca

Vécu

Étudiant puis professeur à l'université

Originaire de Limoges, Fabrice Larribe arrive au Québec à 21 ans pour effectuer un stage de quatre mois en statistiques à l'université du Québec à Montréal (UQAM). On est en 1991. À l'issue de son stage, il continue à travailler dans le centre de recherches pour lequel il faisait des analyses statistiques tout en étudiant à l'université et reste au Québec.

« LE PREMIER COURS à l'université a été un choc. Les étudiants posaient des tas de questions en tutoyant le professeur du genre : "Excuse mais j'ai rien compris, est-ce que tu peux recommencer l'explication ?" Le système universitaire est plus flexible au Québec et en Amérique du Nord. Tu peux choisir le nombre de cours que tu désires par session et te concentrer sur des cours plus difficiles en allégeant ton emploi du temps », se souvient-il. Il obtient un bac québécois, une maîtrise en mathématiques, option statistiques, puis un post-doctorat à l'université McGill de Montréal. Depuis le 1er juin 2005, il est professeur à l'UQAM au département de mathématiques. « Être prof au Québec est plus enrichissant, il y a une dimension plus humaine et une plus grande proximité avec les étudiants. Je pense que je suis mieux payé qu'en France et mes conditions de travail sont meilleures. J'ai un bureau pour moi tout seul par exemple, alors qu'un collègue débutant à Grenoble doit partager son bureau avec deux autres enseignants », confie-t-il.

IL COMPTE VOIR GRANDIR sa famille dans la Belle Province. C'est une capitale à visage humain, où l'on peut circuler en sécurité. En 2001, il s'est acheté un duplex avec sa conjointe, une psychologue québécoise, avec qui il a deux enfants. « À Montréal, j'ai rencontré des gens sympathiques, constate-t-il. Il arrive un moment où le cercle social dans lequel tu évolues est plus important qu'en France. La qualité de vie des citadins aussi m'a toujours plu. »

Informez-vous à temps et profitez des journées spéciales en France

En général, pour préparer une rentrée en septembre, vous devez vous y prendre un an à l'avance. Dès l'automne précédent, informez-vous sur les programmes offerts dans les différentes universités québécoises. Certains programmes sont contingentés ou encore réservés aux Québécois. Habituellement, vous avez jusqu'en février pour remettre votre dossier à l'université qui vous intéresse. Ces dernières années, de nombreuses universités québécoises se déplacent jusqu'en France pour vous informer ou encore vous inscrire comme c'était le cas en janvier 2012 aux premières journées Université de Montréal avec des admissions accélérées sur place. Cela se fait en collaboration avec l'ambassade du Canada en France. En janvier 2012, 761 Français se sont présentés au Centre culturel canadien. Par ailleurs, ne manquez pas les journées « Étudier au Québec » en février de chaque année en Île-de-France. En 2012, ces Journées fêtaient leur 4e édition.

☛ Pour en savoir plus : www.etudierauquebec.fr

Partir seul. Le deuxième choix pour l'étudiant français est d'étudier à sa guise et autant de temps qu'il le veut dans une institution québécoise, en payant les frais de scolarité québécois, dans le but d'obtenir ou non un diplôme québécois.

Pour obtenir le visa étudiant, la première étape est de s'adresser au département ou à la faculté de l'institution québécoise qui vous intéresse. Il s'agit de retirer un dossier d'inscription ou d'admission pour recevoir une lettre d'admission. Lorsque vous avez l'acceptation, vous pouvez entamer la seconde étape en remplissant la « demande de certificat d'acceptation du Québec pour études », ceci afin d'obtenir le CAQ (Certificat d'admission du Québec) délivré par le MICC (ministère de l'Immigration et des Communautés

Les liens Internet sur les études et les bourses

- **Association des universités et des collèges canadiens ➢ www.aucc.ca**
- **Associations des étudiants français au Canada ➢ welcome.to/aefc**
- **Bourses canadiennes ➢ www.boursetudes.com**
- **Bureau canadien de l'éducation internationale ➢ www.cbie.ca**
- **CFQCU, Centre franco-québécois de la coopération universitaire ➢ www.cfqcu.org (échanges CREPUQ)**
- **Immigration-Québec ➢ www.immigration-quebec.gouv.qc.ca/fr/immigrer-installer/etudiants/informer/index.html**
- **Ma place au Québec (témoignage d'étudiants) ➢ http://maplaceauquebec.ca**
- **Ministère de l'Éducation, liste des établissements reconnus ➢ www.meq.gouv.qc.ca/ens-sup/index.asp**
- **Service culturel canadien à Paris, relations universitaires ➢ www.canada-culture.org (cliquez sur « Relations universitaires », pour trouver la rubrique « Bourses d'études »)**
- **Prêts et bourses du gouvernement québécois ➢ www.afe.gouv.qc.ca (pour les résidents permanents)**
  ➢ www.etudieramontreal.info
- **Universités québécoises (présentation pour étudiants étrangers) www.universitesquebecoises.ca**
- **Crepuq, recherche études 2e et 3e cycle ➢ www.crepuq.qc.ca/spip.php?article983**

☛ Bonus Web. Pour d'autres informations : www.immigrer.com/129

À lire : Le Guide Choisir 2012 Université, 11e édition, Septembre éditeur, 416 pages.

culturelles au Québec). Vous n'êtes pas tenu d'avoir le CAQ si vous avez déjà le CSQ (Certificat de sélection du Québec) ou si vous comptez étudier moins de six mois au Québec. Pour obtenir le CAQ, il faut posséder la lettre d'admission de l'institution et disposer de suffisamment d'argent pour couvrir vos frais en apportant le justificatif de l'attestation bancaire. Ces frais concernent, entre autres,

L'UNIVERSITÉ DE MONTRÉAL ET HEC MONTRÉAL

L'UNIVERSITÉ DE MONTRÉAL accueillait près de 40 000 étudiants (plus de 60 000 avec ses écoles affiliées) dont plus de 7 500 étudiants étrangers (incluant les résidents permanents et les permis de séjour) dont 3 422 étudiants français à l'automne 2011. L'université de Montréal se place au 5e rang des universités nord-américaines quant au nombre d'étudiants étrangers sur son campus, ce qui fait de cette institution un lieu international ouvert sur le monde. Plus de 50 % des étudiants étrangers de l'établissement proviennent d'Europe, les étudiants africains représentent près de 28 %.

- Université de Montréal international
➢ www.international.umon treal.ca

Pour sa part, HEC Montréal, école de gestion affiliée à l'Université de Montréal, reçoit chaque année de nombreux étudiants étrangers. À l'automne 2011, près de 12 000 étudiants fréquentaient l'établissement dont près de 4 000 étudiants internationaux et résidents permanents. L'école est d'ailleurs très active sur la scène internationale notamment par l'entremise de son bureau de liaison à Paris. L'établissement a aussi de multiples accords d'échanges internationaux avec près de 100 institutions partenaires dans 34 pays. HEC Montréal propose de nombreux programmes dont un baccalauréat (l'équivalent d'une licence française) en administration des affaires, comprenant une option trilingue (français, anglais et espagnol) unique en Amérique du Nord. Le MBA est également accessible dans le cadre d'un programme intensif d'un an (de fin août à septembre de l'année suivante). En plus de plusieurs programmes de deuxième cycle, il est aussi possible de suivre une maîtrise en gestion (mastère) ou un DESS. « HEC Montréal a été la première école de gestion en Amérique du Nord à détenir les trois agréments internationaux les plus prestigieux du domaine de l'enseignement de la gestion : EQUIS (France), AACSB (États-Unis) et AMBA (Royaume-Uni) », souligne Jacynthe Alain, directrice des relations publiques de HEC Montréal.

- HEC Montréal, Bureau des activités étudiantes internationales
➢ www.hec.ca/etudiant_etranger
- Polytechnique international
➢ www.polymtl.ca/ inter

le billet d'avion, les frais de scolarité, de vie quotidienne (comptez autour de 10 000 $ CAN). Les frais d'étude du dossier au niveau provincial sont de 104 $ CAN. Si une tierce personne paie vos frais (vos parents, par exemple), il vous faudra fournir une déclaration assermentée de prise en charge financière. Après l'obtention du CAQ, vous devez faire la demande d'un permis d'étude auprès de l'ambassade du Canada en France. Le permis d'étude à l'étape fédérale coûte 125 $ CAN.

Depuis 2006, il est désormais possible pour les étudiants étrangers de travailler en dehors du campus. La plupart des établissements post-secondaires (cégeps et universités) autorisent les étudiants à gagner un peu d'argent pendant leurs études, dans la limite de vingt heures de travail par semaine. Pour être admissible, il faut s'assurer que son établissement scolaire participe à ce programme, être un étudiant à temps plein, avoir déjà fait six mois d'études au Québec et avoir des résultats satisfaisants. Les étudiants participant à un programme d'échange ne sont pas admissibles. Cette entente est valable dans toutes les régions du Québec, également à Montréal et Québec. L'étudiant devra faire une demande de travail auprès des autorités québécoises. Attention, il n'est possible de travailler que pendant la validité de son permis d'études.
☛ Pour en savoir plus et connaître les démarches à suivre : www.immigration-quebec.gouv.qc.ca/fr/immigrer-installer/etudiants/informer/travailler-etudes/marche-suivre.html

Le logement étudiant

La plupart des universités québécoises offrent la possibilités d'habiter sur leur campus *via* les résidences universitaires. Abordables et pratiques, elles permettent de loger près des établissements d'enseignement, de la bibliothèque et de nombreux services. Certaines universités permettent même la location d'appartements partagés

Vécu

Une étudiante alsacienne à l'UQAM

APRÈS AVOIR OBTENU SON BAC FRANÇAIS et suivi durant quelques mois des cours d'histoire à la faculté à Mulhouse, Noémie, une Alsacienne de 17 ans, débarque chez sa sœur à Montréal dans le but d'obtenir un baccalauréat québécois en sciences politiques. « Depuis le jour où ma soeur est partie, je me disais que j'irais la rejoindre. Avec la venue de son bébé, ça devenait de plus en plus évident que je vivrais quelque temps au Québec. » Noémie avait déjà fait quelques séjours touristiques au Québec lorsqu'elle arrive en janvier 2008. Elle commence par s'inscrire à l'UQAM (Université du Québec à Montréal) en avril 2007. « C'est l'UQAM qui m'intéressait plus que l'Université de Montréal du fait des cours que l'on peut suivre en candidat libre. Dans mon entourage, cette faculté avait bonne presse et, de plus, ce n'était pas loin de chez ma soeur Aurélie. » Son bac comprend 30 cours en tout (de 3 crédits chacun), soit 90 crédits au final, qu'elle doit normalement compléter en trois ans. « C'est une expérience vraiment enrichissante, affirme-t-elle. Au Québec, les sciences politiques s'apprennent à l'université, et non pas dans un cercle clos ou élitiste dans le sens négatif du terme. Ici, les gens ont un réel intérêt pour la matière. Et puis, le dialogue entre les élèves et les profs est vraiment bon, on discute et chacun écoute l'avis de l'autre », dit-elle.

AU DÉPART, NOÉMIE PENSAIT RETOURNER en France après son bac au Québec mais elle sait déjà qu'elle fera son mastère en Amérique du Nord, peut-être dans une université anglophone à Montréal ou aux États-Unis. Une chose est certaine, elle croit fermement que cette expérience à l'étranger lui a ouvert l'esprit et, pourquoi pas, des horizons professionnels.

par plusieurs personnes. De nombreux étudiants optent par ailleurs pour la colocation afin de diminuer les coûts de la location d'appartement.

Enfin, les étudiants étrangers peuvent aussi profiter des résidences universitaires situées habituellement sur le campus de leur université. Abordables et très pratiques, elles sont idéales pour la vie en communauté universitaire.

Pour étudier en anglais

Bien qu'il soit possible de rendre la plupart de vos travaux en français dans les universités anglophones du Québec, vous devez passer le TOEFL *(Test of English as a Foreign Language)* pour étudier dans une université anglophone. Vous en saurez plus sur cet examen en vous adressant, en France, à la commission franco-américaine de Paris (www.fulbright-france.org). Si vous désirez faire des études universitaires en langue anglaise, il est nécessaire d'obtenir le « certificat d'admissibilité à des études en anglais » délivré par le ministère de l'Éducation du Québec, (www.meq.gouv.qc.ca).

La couverture sociale des étudiants français au Québec

Les étudiants français qui partent seuls sont couverts par le régime d'assurance maladie du Québec en raison d'une entente de réciprocité entre cette province et la France. Mais ils doivent tout de même remplir le formulaire SE401-Q-102 intitulé « protocole d'entente Québec-France relatif à la protection sociale des étudiants et des participants à la coopération ». Celui-ci ne sert pas à la prise en charge des soins, mais à justifier que les étudiants appartiennent à un régime français de Sécurité sociale.

Pour leur part, les étudiants français qui passent par un programme d'échanges sont tenus de prendre une assurance lors de leurs études au Québec et de remplir le formulaire SE401-Q-106.

Vous obtiendrez ces deux formulaires dans les caisses primaires d'assurance-maladie en France. Vous en aurez besoin pour vous inscrire auprès des services de santé lors de votre arrivée au Québec. Pour en savoir plus sur le système de santé, voir dans la partie 4, « Les démarches à l'arrivée ».

ÉTUDIER PUIS TRAVAILLER AU QUÉBEC

Si vous avez obtenu un diplôme québécois, que vous souhaitiez vous établir ou non au Québec, il est possible, à la fin de vos études, de travailler partout dans le pays grâce à un permis de travail ouvert. La durée maximale de ce permis est de trois ans. Il faut avoir étudié à temps plein dans un programme d'étude durant une durée minimale de huit mois, dans un cégep, une université ou un collège privé subventionné. Il ne vous est pas demandé, de faire valoir une offre d'emploi pour obtenir ce permis, de travailler dans son domaine de formation ni même d'avoir une expérience de travail au Québec ou ailleurs. En revanche, les étudiants internationaux en programme d'échange ne peuvent en bénéficier. Pour l'heure, ce programme non renouvelable ne donne pas droit à la couverture médicale auprès du régime de l'assurance maladie du Québec. En effet, les étudiants intéressés devront avoir recours à une assurance privée pour être couverts.

Attention, il faut présenter la demande auprès de Immigration Canada dans les 90 jours suivant la confirmation de la réussite du programme québécois.
☛ Pour en savoir plus : www.immigration-quebec.gouv.qc.ca/fr/immigrer-installer/etudiants/prolonger-sejour/emploi-tempo raire.html

ET SI VOUS VOULEZ RESTER PLUS LONGTEMPS

Comme le Québec applique une politique d'immigration active, il est possible pour un étudiant étranger de déposer une demande de Certificat de sélection du Québec (CSQ), tout en poursuivant ses études. Pour un programme d'études de moins de dix-huit mois, l'étudiant peut faire sa demande après neuf mois d'étude. Dans le cas d'un cursus de plus de dix-huit mois, la demande de CSQ peut être faite au cours de la dernière année du programme.

Les étudiants étrangers du Québec ont la chance de pouvoir faire une demande pour devenir résident permanent sans avoir au préalable une expérience de travail, comme c'était le cas auparavant. Ainsi si vous voulez immigrer au Québec, entamez les démarches dès que possible, n'attendez pas d'être en fin de séjour pour remplir ces formalités ; vous ne voudriez pas vous retrouver sans permis de séjour en règle ou dans votre pays d'origine pendant quelque temps, faute de ne pas avoir rempli à temps les formulaires administratifs ? Les démarches s'étalent sur plusieurs mois, il faut s'y préparer à l'avance. Pour immigrer au Québec, veuillez vous rapporter à la section du guide sur cette question page 44, « Les démarches administratives d'immigration ».

Ne manquez pas le programme de l'expérience québécoise (PEQ), un programme accéléré et avantageux pour les diplômés du Québec (voir page 61).

Le retour aux études

Vous rêvez d'un nouveau métier, d'en savoir plus sur une nouvelle filière, d'ajouter de nouvelles cordes à votre arc, au Québec toutes ses possibilités vous sont offertes. En Amérique du Nord, il n'est pas rare de voir des personnes retourner sur les bancs de l'école que ce soit pour se perfectionner dans un domaine, changer de branche ou s'épanouir dans de nouvelles connaissances. Les classes des universités québécoises sont remplies de gens de tous les âges. Certaines universités ont même développé des cours adaptés aux personnes âgées, comme c'est le cas à l'Université de Sherbrooke dans les Cantons de l'Est.

Différentes perceptions

Au Québec, la formation pour adultes est très développée. Personne ne vous regardera de travers parce que vous êtes assis sur les bancs de l'école alors que vous êtes plus âgé que la moyenne de la classe. On considère en effet qu'il n'y a pas d'âge pour apprendre et qu'il est tout à fait normal de changer d'orientation. La formation continue est donc très répandue et valorisée, il ne faut pas vous faire de soucis quant à la perception de vos collègues et même de vos futurs employeurs. « L'employeur le voit sur le CV qu'il y a eu un changement de carrière, affirme Sylvie Bernier qui a repris des études au Québec. On n'est pas jugé pour autant comme quelqu'un d'instable. On reprend les cours qu'on veut, il suffit de se retrousser les manches.

On peut changer radicalement de secteur, par exemple devenir médecin à 30-35 ans. »

Et d'ajouter : « Je pense que culturellement en France, une fois qu'on est sorti de l'école, c'est pour la vie. Au Québec, c'est plus dynamique, plus ouvert, on a le droit de se tromper de métier, on a le droit à l'erreur. En France, on m'avait déjà dit à 34 ans que j'étais trop vieille pour changer de carrière. »

Plusieurs formules sont possibles

Toutes les possibilités s'offrent à vous dans les universités et les différentes écoles de formation : à temps partiel, le soir, l'été, en intensif, etc. Mais attention, il faut être résident permanent pour pouvoir profiter de toutes ces opportunités. Les étudiants étrangers non résidents ne peuvent, eux, s'inscrire qu'à des cursus en temps plein au cégep et à l'Université. Certains programmes ont lieu pendant un semestre, d'autres peuvent se dérouler le soir pendant des mois, voire des années. Il faut bien vous renseigner sur les modalités proposées avant de vous engager. Pour vous y retrouver dans les différents niveaux d'études et diplômes québécois : http://ch.monemploi.com/dossiers/pdf/AfficheSystscol.pdf

Des prêts et bourses

Si vous êtes résident permanent du Québec et du Canada, vous aurez accès aux prêts et bourses qui peuvent vous permettre de souffler un peu financièrement entre deux sessions intensives. Vous pouvez vous renseigner à :

- Aide financière aux études (Québec) : www.afe.gouv.qc.ca
- Ciblétudes (Canada) : www.canlearn.ca

RECONVERSION PROFESSIONNELLE, DE SOCIOLOGUE À CUISINIER

APRÈS DES ÉTUDES DE SOCIOLOGIE EN FRANCE, David Aghapekian a pensé s'installer au Québec. Pour lui, une reconversion professionnelle était pratiquement impossible à réaliser en France. « J'avais 22 ans et l'école pour adultes n'existait pas. » Mais lors de son installation au Québec, il réalise qu'il est très facile de reprendre ses études à tout âge en Amérique du Nord. « La mobilité professionnelle y est plus évidente. Les gens ont plus de possibilités de changer d'emploi, de carrière. » Après un an de petits boulots lui permettant de mettre un peu d'argent de côté, David entame une formation en cuisine pour adultes à l'école secondaire Calixa-Lavallée de Montréal-Nord afin d'obtenir un DEP (Diplôme d'études professionnelles).

« **LA MOYENNE D'ÂGE** se situait autour de 25-30 ans, se rappelle-t-il. Il y avait une bonne ambiance. L'équipe de travail était très dynamique, très motivée. C'est une grande chance que j'ai eue. Ce retour en arrière, je n'aurais pas pu le faire en France alors que, tout domaine confondu, c'est assez commun au Québec. »

DAVID TRAVAILLE DANS SON ÉTABLISSEMENT DE FORMATION entre 35 et 40 heures par semaine. Au dernier trimestre, il consacre une partie de son temps au restaurant de l'école, où il apprend véritablement son métier. En parallèle de l'école, il doit continuer à gagner sa vie. « Dans mon cas, ça a été une année difficile, je travaillais la fin de semaine et certains soirs de la semaine pour payer mes études, se souvient-il. J'ai pratiquement travaillé 7 jours sur 7 pendant un an, dans des petits restos très simples. » Durant cette période, il travaille aussi dans un restaurant “Apportez votre vin” (type d'établissement où les clients peuvent apporter leur propre bouteille de vin) et fait du bénévolat au restaurant Robin des Bois de la rue Saint-Laurent, organisme caritatif bien connu à Montréal. À la sortie de l'école, David était fin prêt et confiant, la

(...)

(...) **chance lui a rapidement souri. « J'ai rencontré des gens qui étaient prêts à m'engager même si je n'avais pas d'expérience. Les employeurs ne se sont pas posé la question. Ils ouvrent leurs portes plus facilement », lance-t-il. À peine diplômé, il décroche un stage dans l'un des plus prestigieux restaurants de Montréal, Au pied de cochon.**

LA FORMATION PROFESSIONNELLE AU SECONDAIRE ET DANS LES ÉCOLES SPÉCIALISÉES

À la fin de ses études secondaires l'élève québécois obtient un DES (Diplôme d'études secondaires). S'il a suivi une formation professionnelle en fin de parcours à partir de la quatrième année de secondaire, il obtient un DEP (Diplôme d'études professionnelles) et s'il le souhaite, une ASP (Attestation de spécialisation professionnelle). Pour obtenir le DEP, il faut suivre un cursus d'une durée de 600 à 1 800 heures dans un secteur précis (monteur en aéronautique, boucher de détail, etc.) et pour l'ASP de 330 à 900 heures.

Vécu

Un Guadeloupéen dans les TI dans une école privée de Montréal

ORIGINAIRE DE LA GUADELOUPE, Loïc Falkand a quitté son île à l'âge 18 ans pour la métropole. « Lorsque vous venez d'une île, vous avez envie d'autre chose », se souvient-il. Ce nouveau bachelier a fait de nombreux petits boulots pendant plusieurs années dans la région parisienne. Puis il décide de faire une formation pour adultes dans l'informatique à Paris. Mais il rêve depuis longtemps du Québec qu'il a eu la chance de visiter un peu. « J'y étais déjà allé en vacances (...)

(...) avec la famille lorsque j'étais très jeune, se souvient-il. Et j'avais envie d'aller plus loin que l'image que j'avais eue lors de mon passage. »

LOÏC TENTE ALORS SA CHANCE en s'inscrivant dans un programme informatique d'une école montréalaise. « J'ai pas mal surfé sur le net afin de voir les écoles, les programmes, dit-il. Et j'ai choisi une école privée, l'Institut supérieur d'informatique (ISI). La formation n'était pas trop spécialisée, et les partenaires très intéressants. » Arrivé à l'âge de 25 ans en septembre 2011, il complète sa formation par un programme intensif en informatique de dix-huit mois. Au coût de 17 000 $ CAN, il profite aussi d'un stage en entreprise de quelques mois à la fin de son cursus.

« LE QUÉBEC, C'EST VRAIMENT UNE TERRE ÉTRANGÈRE. Il faut s'adapter, rester humble, ne pas chercher à comparer », affirme-t-il. Il croit sincèrement que, quel que soit son parcours, ce passage dans la Belle Province sera bénéfique pour lui ouvrir d'autres horizons. « J'ai été surpris que des gens de couleur se sentent vraiment Québécois, a-t-il constaté. J'ai l'impression qu'il y a moins de discrimination dans le travail et le logement. Si on fait ses preuves et qu'on est compétent, on a vraiment sa chance. »

« APRÈS MES ÉTUDES ET GRÂCE AU DIPLÔME QUÉBÉCOIS, je peux aussi prolonger mon séjour temporaire de plusieurs mois, ce qui me permettra de faire la demande de résidence permanente », affirme-t-il. Loïc espère trouver un stage dans une entreprise qui embauche. « C'est une manière d'avoir un pied dans l'entreprise », pense-t-il. Et il est chanceux car les opportunités dans le monde des TI sont bonnes au Québec.

LE TOP 10 DES PROGRAMMES DE FORMATION PROFESSIONNELLE ET TECHNIQUE OFFRANT LES MEILLEURES PERSPECTIVES D'EMPLOI AU QUÉBEC

Secteur	Code	Titre du programme	Filière
01	410.C0	Conseil en assurances et services financiers	DEC
01	420.A0	Techniques de l'informatique	DEC
01	521299	Secrétariat	DEP
01	522799	Secrétariat médical	ASP
01	532199	Vente-conseil	DEP
02	152.A0	Gestion et exploitation d'entreprise agricole	DEC
02	516799	Production laitière	DEP
03	154.A0	Technologie des procédés et de la qualité des aliments	DEC
03	430.B0	Gestion d'un établissement de restauration	DEC
03	526899	Boucherie de détail	DEP

Source : www.inforoutefpt.org/top50/Top50_2010.pdf

Ces cours dispensés dans des écoles secondaires ou des écoles spécialisées ou encore dans des centres de formation technique peuvent être suivis à n'importe quel âge. Les domaines de spécialisation sont très variés à Montréal comme ailleurs au Québec. Dans la métropole québécoise, il existe des dizaines d'écoles et centres de formation professionnelle dans des domaines aussi divers que l'horticulture, l'aéronautique, la mécanique, la métallurgie, l'électricité, l'image et les médias numériques, les métiers du meuble, de la construction, de l'équipement motorisé, de l'informatique et de l'administration, etc.

☛ **Bonus Web.** Pour d'autres informations et adresses : www.immigrer.com/130

QUELQUES ASSOCIATIONS, LIENS ET ÉCOLES, COLLÈGES PRIVÉS ET ORGANISMES SUR LES FORMATIONS TECHNIQUES ET PROFESSIONNELLES

Écoles et collèges

- École des métiers de la construction de Montréal ➢ www.itout.ca/fr/emcm
- École hôtelière de la Capitale ➢ www.ehcapitale.qc.ca
- ÉMICA, École des métiers de l'informatique, du commerce et de l'administration de Montréal ➢ www.emica.ca
- Centre de formation professionnelle de Québec ➢ www.cfpquebec.ca
- Centre de formation professionnelle de Limoilou ➢ www.cfpdelimoilou.com
- Colllège Inter-Dec ➢ www.collegeinterdec.com
- Collège Lasalle (design, hôtelière, tourisme, informatique, gestion, mode, etc) ➢ www.collegelasalle.com
- Collège CDI (administration, informatique, santé) ➢ www.collegecdi.ca
- Collège O'Sullivan (technique en bureautique, juridique, médicale, assurances, etc.) ➢ www.osullivan.edu
- Collège Herzing (technologies de l'information) ➢ www.herzing.edu
- Collège CSM (secrétariat, administration) ➢ www.collegecsm.com
- Institut d'hôtellerie de Montréal ➢ www.ithq.qc.ca
- Institut Teccart (électronique, informatique) ➢ www.teccart.qc.ca
- Institut supérieur d'informatique ➢ www.isi-mtl.com

Recherche de programme professionnel

➢ www2.inforoutefpt.org/guide/programme_global.asp

Sites de référence

- Associations des collèges privés du Québec ➢ www.acpq.net *(...)*

(...)

- **Cégeps par région ➢ http://ch.monemploi.com/eta_coll/**
- **Établissements d'enseignement collégial ➢ www.mels.gouv.qc.ca/ens-sup/ens-coll/etablissements.asp**
- **Formations collégiales techniques ➢ http://ch.monemploi.com/coll_tech/a/**
- **Formation technique et professionnelle au Québec ➢ http://inforoutefpt.org/**
- **Portail du réseau collégial ➢ www.lescegeps.com**

À Lire : *Guide Choisir - Secondaire/collégial 2012*
Tous les programmes d'enseignement secondaire professionnel et collégial technique au Québec
Septembre éditeur, 592 pages, 24e édition ➢ www.septembre.com

DES FORMATIONS TECHNIQUES AU NIVEAU COLLÉGIAL

Dans le courant de la révolution tranquille des années 60 au Québec, le ministère de l'Éducation québécois a créé une nouvelle structure entre le secondaire et l'Université, nommée le CEGEP : Collège d'enseignement général et professionnel. Comme son nom l'indique, les cégeps donnent autant d'enseignement général menant directement à l'Université que d'enseignement technique permettant de déboucher sur un métier précis dès la sortie de l'école. Il existe 12 cégeps publics sur l'île de Montréal dont la grande majorité est francophone, représentant plus de 40 000 étudiants de tous les âges. Pour connaître la liste complète des cégeps publics et privés partout à travers la province, reportez-vous aux liens dans l'encadré « Quelques associations, liens et écoles, collèges privés et organismes sur les formations techniques et professionnelles » ci-dessous. Vous pouvez prendre ou reprendre des cours au cégep afin de compléter une formation professionnelle ou

LES FORMATIONS À DISTANCE

POUR SUIVRE DES ÉTUDES À VOTRE RYTHME, quoi de plus simple qu'une formation à distance ! Le Québec offre de nombreuses possibilités dans ce domaine.

Voici quelques suggestions et liens :

- **Cégep à distance ➢ www.cegepadistance.ca**
- **Centre régional de formation à distance du Grand Montréal ➢ www.cspi.qc.ca/distance/**
- **CLIFAD, Comité de liaison interordres en formation à distance ➢ www.clifad.qc.ca**
- **EduSOFAD portail de cours en ligne de la Société de formation à distance des commissions scolaires du Québec ➢ http://edusofad.com**
- **Formation à distance assistée (Commission scolaire de Montréal) ➢ www.fadassistee.ca**
- **Sofad La société de formation à distance des commissions scolaires du Québec ➢ www.sofad.qc.ca**
- **Téluq Université à distance de l'UQAM ➢ www.teluq.uquebec.ca**
- **Université de Montréal, formation à distance ➢ www.formationadistance.umontreal.ca**

Pour poursuivre, ou faire poursuivre à votre enfant, au Québec, un cursus français, (ou apprendre les langues ou suivre une formation) vous pouvez vous informer sur l'enseignement à distance avec le CNED : Le Centre National d'Enseignement à Distance est un Établissement du Ministère de l'Education Nationale, proposant des cours respectant les programmes officiels et assurant la scolarisation d'un grand nombre de Français expatriés, de la maternelle aux études supérieures.
➢ www.cned.fr

La formule de l'enseignement à distance a fait ses preuves et la scolarité à distance peut être une solution alternative pour les expatriations de courte durée.

Vécu

Enfin un pays qui a compris qu'on peut avoir plusieurs métiers dans sa vie !

ARRIVÉE EN 2005 À MONTRÉAL, cette diplômée d'un BTS d'assistante de direction a tout de suite trouvé du travail. Mais au fil des années, l'envie de reprendre des études est apparue.

À L'AUTOMNE 2006, SYLVIE décide de faire un bac québécois en gestion des affaires à HEC Montréal. « C'est quelque chose que je voulais faire en France depuis pas mal de temps, avoue-t-elle. Mais c'était impossible. Rien n'est adapté pour quelqu'un qui veut reprendre des études. » Sylvie suit sa formation à raison de trois cours par session, le soir après sa journée de travail. Normalement, un bac s'étale sur une durée de trois ans, elle prendra le double à temps partiel pour compléter les 90 crédits du diplôme. « Je suis intéressée par cette formation car j'ai envie d'avoir plus de responsabilités et d'élargir mes connaissances, affirme-t-elle. Je sais que ça va me permettre d'accéder à des postes qui vont élargir mes horizons. » Elle paie 861 $ CAN par session pour trois cours dans l'une des écoles de gestion les plus réputées d'Amérique du Nord, HEC Montréal. « Les rapports professeur élève sont complètement différents, constate-t-elle. Au Québec, on est un client, qui vient chercher du savoir. Le professeur est là pour nous le transmettre. Il est disponible, accessible. J'ai découvert ce qu'était l'université et j'adore ça. Un vrai plaisir ! »

technique dans un domaine spécialisé. Les cégeps desservent le diplôme classique du DEC (Diplôme d'études collégiales) ainsi qu'une AEC (Attestation d'études collégiales) qui dispense un diplôme de cégep technique dans un domaine très précis. De nombreux cégeps offrent des cours à distance (cegepadistance.ca) et des cours en formation continue, c'est-à-dire des cours du soir, ainsi que des formations intensives pour adultes afin d'obtenir un DEC ou une AEC.

☛ **Les cégeps publics francophones de Montréal :**
Collège Ahuntsic ➢ www.collegeahuntsic.qc.ca
Cégep André-Laurendeau ➢ www.claurendeau.qc.ca
Collège de Bois-de-Boulogne ➢ www.bdeb.qc.ca
Collège Gérald-Godin ➢ www.cgodin.qc.ca
Collège de Maisonneuve ➢ www.cmaisonneuve.qc.ca
Cégep Marie-Victorin ➢ www.collegemv.qc.ca
Collège de Rosemont ➢ www.crosemont.qc.ca
Cégep de Saint-Laurent ➢ www.cegep-st-laurent.qc.ca
Cégep du Vieux-Montréal ➢ www.cvm.qc.ca

LES FORMATIONS UNIVERSITAIRES

L'université québécoise n'est pas faite que pour les jeunes ; un adulte peut en tout temps s'inscrire dans n'importe quelle faculté. Il fait face aux mêmes conditions d'admission que les autres étudiants. Aucune limite n'est imposée à l'âge du candidat. Et si vous avez 30 ou 40 ans, sachez que vous ne serez pas seul sur les bancs de l'école. De nombreux nouveaux arrivants mais aussi des Québécois reprennent des cours à certains moments de leur vie. Et les programmes ne manquent pas. Certains choisissent des formations accélérées comme un MBA. D'autres retournent à l'Université en candidat libre, c'est-à-dire en n'accumulant pas de crédit ou de diplôme, juste pour le plaisir d'assister à des cours et d'apprendre.

En plus des universités qui proposent des cours dans tous les domaines, il existe quelques écoles et instituts spécialisés. Nous avons déjà évoqué HEC Montréal et Polytechnique dans les pages précédentes, en voici quelques autres :
ETS, École de technologie supérieure, Montréal ➢ www.etsmtl.ca
École nationale d'administration publique, Québec ➢ www.enap.ca
Institut national de la recherche scientifique, Québec ➢ www.inrs.ca

PARTIE 4

S'installer au Québec

Le visa obtenu, le plus long travail reste à faire : s'installer, rechercher un travail, bien sûr, mais aussi s'adapter à tous les aspects de la vie quotidienne parmi les Québécois.
Vous trouverez ici toutes les astuces pour vous accompagner dans vos premières démarches au Québec, de l'ouverture d'un compte bancaire à la location d'une voiture, en passant par l'inscription des enfants à l'école et l'obtention des cartes santé et d'identité. Nous avons également développé à la fin de cette partie, des rubriques destinées à faciliter votre intégration sociale en évoquant les obstacles les plus fréquents à une bonne adaptation.

Sommaire

Les démarches à l'arrivée

Les démarches administratives pour obtenir la carte d'assurance maladie, la carte NAS (Numéro d'assurance sociale) et le permis de conduire se font facilement avec le visa de résident permanent. Comme le plus difficile reste d'attendre leur réception – comptez trois semaines à un mois –, il est conseillé d'enclencher, dès votre arrivée, les procédures concernant l'obtention de vos papiers. Assurez-vous d'avoir une adresse postale sur le territoire québécois, même provisoire, afin de les recevoir. Cette adresse peut être celle d'un ami ou d'une connaissance. Quand vous signerez votre bail, veillez aussi, si vous êtes en couple, à bien inscrire vos deux noms afin que chacun puisse présenter ce document lors des premières démarches.

LE PASSAGE AUX DOUANES : BIENVENUE AU QUÉBEC !

En général, les immigrants du Québec atterrissent à Montréal, à l'aéroport Trudeau (anciennement Dorval). La première étape est le contrôle douanier où l'on doit présenter son passeport et son visa d'immigrant.

SOIGNEZ LA LISTE DE VOS EFFETS PERSONNELS

Vous devez remettre une liste détaillée, manuscrite ou non, de vos effets personnels aux douaniers. Il est recommandé d'en mettre plutôt trop que pas assez sur cette liste. Il est préférable de dresser un inventaire en classant par catégories les objets : l'électronique, l'électroménager, la vaisselle, les meubles, les CD, les DVD... Pour chaque article, il faut indiquer la marque, le titre pour les DVD, la quantité, la valeur approximative et le numéro de série s'il y a lieu. En revanche, les vêtements peuvent être identifiés comme « lot de vêtements ». Comme vous avez un an pour ramener au Canada vos effets personnels, il ne faut pas oublier d'inclure dans cette énumération tous les objets qui arriveront dans les prochains mois. Tout ce que vous apporterez à des fins personnelles pendant un an sera exempté de taxes.

Si vous venez avec votre cave à vins, un animal ou un véhicule, veuillez vous référer à nos explications dans la première partie, page 86. Si vous comptez importer des fruits, plantes, viandes, armes à feu, fourrures ou autres, renseignez-vous auprès de l'Agence canadienne d'inspection des aliments (www.inspection.gc.ca), car ces articles ne sont pas acceptés au Canada.

Rendez-vous dans les bureaux d'immigration

Après votre passage en douane, vous recevrez au bureau d'Immigration Canada la brochure *Bienvenue au Canada* qui explique en détail toutes les formalités administratives pour obtenir, par exemple, la carte NAS (Numéro d'assurance sociale), l'équivalent de la carte d'identité canadienne. Cette dernière vous sera nécessaire lors de l'embauche, elle est aussi utile pour vous identifier auprès des différentes administrations. Puis, il faut se présenter au bureau d'Immigration-Québec, situé dans le hall des arrivées internationales, là où vous récupérez vos bagages. Vous trouverez facilement les bureaux du MICC (ministère de l'Immigration et des Communautés culturelles), grâce au panneau qui identifie clairement leurs comptoirs. C'est là que vous

ÉTUDIANT, VISITEUR

SI VOUS VENEZ AU QUÉBEC en tant qu'étudiant, pour faire un stage ou participer à un programme d'échange, n'oubliez pas d'avoir en votre possession, en plus de votre passeport, votre visa CAQ (Certificat d'acceptation du Québec) ou les papiers certifiant votre programme. Le douanier aura besoin de ces documents pour valider votre entrée au pays.

Si vous êtes touriste, vous n'aurez qu'à passer le contrôle de la douane canadienne avec votre passeport. Le douanier vous demandera peut-être la raison de votre venue au Québec et de nommer les personnes à qui vous comptez rendre visite lors de votre séjour. Attention, assurez-vous d'avoir un billet retour dans votre poche, sinon vous risquez d'éveiller les soupçons.

recevrez de nombreuses informations concernant votre installation. Vous pouvez également y fixer un rendez-vous pour la session d'information du MICC. Si vous arrivez en dehors des heures de bureau ou par bateau, contactez un bureau d'Immigration-Québec ou la direction régionale du ministère le plus proche de votre lieu d'arrivée pour prendre ce rendez-vous. Attention : en tant qu'immigrant au Québec, vous avez un an à partir de la date de la visite médicale pour valider votre visa auprès des douanes canadiennes sur le territoire canadien. Après expiration de ce délai, votre visa n'est plus valide et si vous croyez ne pas pouvoir vous installer à temps, contactez sans faute les autorités canadiennes avant l'échéance de la date.

De l'aéroport au centre-ville de Montréal

Pour vous rendre au centre-ville de Montréal, à moins d'avoir loué une voiture qui vous attendra à l'aéroport, vous avez le choix entre le taxi et l'autobus qui fait la navette plusieurs fois par jour. Le coût d'un

Rappel des numéros pour l'installation

- **MICC Montréal (sud), 2050, rue De Bleury, bureau 450, Montréal (Québec) H3A 2J5 ☎ 514-864-9191 ➢ www.immq.gouv.qc.ca**
- **Capitale-Nationale et Est-du-Québec , Édifice Bois-Fontaine, 930, chemin Sainte-Foy, rez-de-chaussée Québec (Québec) G1S 2L4 ☎ 418-643-1435 ou 1-888-643-1435**
- **Montréal (nord), 255, bd Crémazie Est, 8e étage, bur. 8.01 ☎ 514- 864-9191**

taxi entre l'aéroport Trudeau (anciennement Dorval) et le centre-ville de Montréal est de 38 $ CAN (taxes incluses). Vous laisserez en plus un pourboire au chauffeur pour ce trajet de moins de trente minutes.

Si vous voyagez seul… et léger… nous vous suggérons d'utiliser les services plus abordables. Vous avez le trajet à 8 $ CAN avec l'autobus 747 de la Société de transport de Montréal (www.stm.info). Ce dernier fait la navette entre l'aéroport et le centre-ville de Montréal plusieurs fois par heure dans les deux sens. Cette ligne ouverte en 2010 offre un arrêt au métro Lionel-Groulx et plusieurs arrêts au centre-ville sur le boulevard René-Lévesque jusqu'à la station de métro Berri-Uqam du quartier latin. Il faut payer le ticket de bus en monnaie exacte au chauffeur. Ce laissez-passer vous permet de voyager pendant 24 heures dans tout le réseau des métros et des bus de la STM. La carte mensuelle ou hebdomadaire est aussi acceptée lors de ce trajet.

Il existe aussi des navettes régionales de bus reliant l'aéroport de Montréal à Trois-Rivières et Québec (Orléans Express) ou Ottawa-Gatineau (Greyhound).

Vous trouverez une foule d'informations concernant notamment les tarifs et les horaires des navettes, les locations de voitures, l'aérotrain et les taxis sur le site de l'aéroport de Montréal : www.admtl.com

LES SÉANCES D'INFORMATION DU MICC

Il est fortement conseillé d'assister aux séances d'information qu'offre gratuitement le MICC, sur cinq demi-journées. Même si vous pensez déjà tout savoir, que vous avez tout lu et que vous avez des relations sur place pour vous aider et vous accueillir, ces séances vous renseigneront davantage sur tous les aspects de la vie au Québec avec des ateliers sur la recherche d'emploi, de logement, les études, etc. Il est également possible de participer à un atelier condensé de quatre heures traitant de votre installation. Prenez rendez-vous dès votre arrivée, car le délai d'attente est souvent long pour participer à une session. Ces informations faciliteront grandement vos démarches administratives.

Des sessions sont aussi organisées pour ceux qui veulent mieux connaître les différentes régions du Québec, d'autres s'adressent aux travailleurs autonomes (les travailleurs indépendants). Vous avez aussi droit à une rencontre individuelle de quarante-cinq minutes avec un agent d'accueil.

LA CARTE D'ASSURANCE MALADIE

Pour pouvoir bénéficier du système de santé québécois, il faut posséder la carte d'assurance maladie du Québec (communément appelée la carte Soleil), qui permet d'accéder gratuitement aux visites, aux examens, aux consultations, aux traitements psychiatriques, aux actes diagnostiques et thérapeutiques, ainsi qu'à la chirurgie, la radiologie et l'anesthésie.

Les soins dentaires sont gratuits pour les enfants de moins de 10 ans. Tout comme les services optométriques le sont pour les jeunes de moins de 18 ans. Mais, depuis quelques années, il est obligatoire d'adhérer à un régime collectif d'assurance médicaments, habituellement par l'intermédiaire de votre employeur ou, à défaut, d'adhérer au régime public de la RAMQ (Régie d'assurance maladie du Québec), qui prend en charge le montant des médicaments obtenus sur ordonnance.

Démarches facilitées pour les Français

Les résidents permanents, les étudiants et les détenteurs d'un visa temporaire qui viennent de France peuvent profiter du système dès leur arrivée au Québec, grâce à une entente signée, en matière de protection sociale, entre la France et le Québec. Les immigrants d'origine française doivent se présenter dès leur arrivée à la RAMQ avec un justificatif d'assurance maladie de leur pays d'origine, le formulaire SE-401-Q-207 (à demander en France au service international de la CPAM). La carte Vitale n'est pas considérée par la RAMQ comme une preuve suffisante. Le délai de carence peut durer moins de trois mois mais sans ce formulaire vous pourriez attendre jusqu'à trois mois avant d'être couvert. Tous les membres de la famille, même les enfants, doivent posséder leur propre carte Soleil.

Carte Soleil : attention aux allers-retours

Si vous séjournez hors du Québec plus de six mois, vous risquez de perdre le droit d'utiliser votre carte pour toute l'année civile pendant votre absence. Tout résident doit séjourner au moins 183 jours par an au Québec pour bénéficier de la gratuité des soins de santé. Si ce n'est pas votre cas, vous devrez contacter la RAMQ afin de connaître vos droits. Il se peut que vous ne puissiez réutiliser cette carte qu'au début de l'année civile suivant votre absence.

Les ressortissants des pays non signataires d'une entente doivent prendre une assurance privée couvrant les trois premiers mois.

OÙ DEMANDER SA CARTE ?

- **Régie de l'assurance maladie du Québec > www.ramq.gouv.qc.ca**
- **À Québec : 1125, Grande Allée Ouest, Québec ☎ 1-418-646-4636.**
- **À Montréal : 425, bd De Maisonneuve Ouest, 3e étage, bur. 300 ☎ 1-514-864-3411.**
- **Ailleurs au Québec ☎ 1-800-561-9749 (numéro sans frais).**

Vous n'avez pas encore de domicile fixe

Lors de votre passage à la RAMQ, le fonctionnaire va vous réclamer une preuve de résidence avant de vous délivrer la carte, une condition pour toute personne qui vient s'établir au Québec mais pas pour ceux qui viennent y séjourner temporairement. Si vous résidez temporairement à l'hôtel, chez des amis ou dans une location de courte durée, votre situation peut poser problème auprès de l'administration. Mais sachez qu'avant d'avoir un bail officiel, il est possible de faire une déclaration sur l'honneur pour confirmer votre résidence au Québec. Cette démarche est relativement simple, il suffit que la personne qui vous héberge déclare que vous habitez chez elle. Sur une feuille de papier, elle peut indiquer en vous nommant, que vous demeurez bien à son adresse. Le fonctionnaire exigera que cette déclaration soit signée devant un commissaire à l'assermentation. Une contrainte : votre loueur devra vous accompagner devant un commissaire. À noter que le personnel d'accueil de la RAMQ peut agir comme commissaire. Vous trouverez aussi cette aide dans une banque. Vous n'avez pas besoin de faire appel à un notaire ou à un avocat.

Tant que vous n'avez pas la carte d'assurance maladie québécoise, vous devrez payer vos consultations chez le médecin.

www.consulfrance-montreal.org

www.consulfrance-quebec.org

Consulat général de France à Montréal
1501, McGill College, Bureau 1000
Montréal (QC) H3A 3M8
Tél : (514) 878-4385
Télécopie : (514) 878-3981
Courriel : info@consulfrance-montreal.org

Consulat général de France à Québec
25, rue Saint-Louis
Québec (QC) G1R 3Y8
Tél : (418) 694-2294
Télécopie : (418) 694-1678
Courriel : info@consulfrance-quebec.org

République française
Liberté – Egalité – Fraternité

L'ACCÈS AUX SOINS DE SANTÉ EST DE PLUS EN PLUS DIFFICILE

AVEC LA PÉNURIE de personnel qui affecte sérieusement les professionnels de la santé partout dans le pays, les Québécois et les Canadiens ont de plus en plus de difficulté à avoir accès à un médecin de famille. En 2008, seulement 84 % de la population canadienne était suivie régulièrement par un médecin, contre 86 % en 2003. Au Québec, seulement 73% des citoyens ont accès à un suivi médical régulier.

SELON L'ENQUÊTE sur la santé dans les collectivités canadiennes, 43% des Canadiens sans médecin ne sont pas parvenus à en trouver un car aucun n'était disponible dans leur région ou aucun n'acceptait de nouveaux patients. Pour se faire soigner, la majorité des personnes sans médecin se tourne vers les cliniques sans rendez-vous (58 %). Ainsi pour 15 % d'entre elles, la meilleure solution reste les urgences rattachées aux hôpitaux.

AINSI SI VOUS SOUHAITEZ être suivi par un médecin de famille, il est conseillé de partir à sa recherche dès votre installation, sans attendre de tomber malade. En plus de contacter les diverses institutions médicales, n'hésitez pas à demander à vos contacts de vous référer à un médecin.

OÙ SE FAIRE SOIGNER AU QUÉBEC ?

Si vous n'avez pas encore de médecin de famille, sachez qu'il est possible de recevoir des soins dans les hôpitaux, les cliniques et les CLSC (Centres locaux de services communautaires), un réseau spécifique existant sur tout le territoire pour rendre les soins plus accessibles. En plus des consultations et des services de santé courants, les CLSC offrent de nombreux autres services gratuits (orientation, prévention, dépistage...). Pour trouver un médecin de famille, téléphonez dans les cliniques et les cabinets de médecins.

OÙ OBTENIR SON PERMIS DE CONDUIRE QUÉBÉCOIS ?

- **Société de l'assurance automobile du Québec**
  ➣ **www.saaq.gouv.qc.ca**
- **À Montréal ☎ 1-514-873-7620. À Montréal (accueil sur rendez-vous seulement) : 855, bd Henri-Bourassa Ouest, bur. 100 ; 965, bd Maisonneuve-Est, rez-de-chaussée.**
- **À Québec ☎ 1-418-643-7620.**
- **Ailleurs au Québec ☎ 1-800 361-7620 (numéro sans frais).**

En cas d'urgence. Au Canada, les médecins ne viennent pas à domicile à moins de dispenser des soins spécialisés. Si vous ne pouvez pas vous déplacer, utilisez la ligne de consultation téléphonique gratuite fonctionnant 24 heures sur 24 et 7 jours sur 7 de la ligne Info-santé du 811. Ce téléphone ne remplace pas le 911, qui est un numéro centralisé pour tous les types d'appels d'urgence (police, pompiers et ambulances). Lors d'une urgence médicale, vous pouvez vous rendre aux urgences d'un hôpital. Mais pour des problèmes mineurs, vous pouvez vous présenter dans une clinique médicale ou au CLSC de votre quartier ou de votre région. Pour trouver le numéro de téléphone du CLSC le plus proche de votre domicile, contactez dans la région de Montréal, l'agence de la santé et des services sociaux (www.sante montreal.qc.ca) au (514) 286-6500 ou consultez les Pages jaunes (www.msss.gouv.qc.ca).

☛ **Bonus Web.** Pour plus d'informations : www.immigrer.com/131

LE PERMIS DE CONDUIRE

Au Canada, chaque province délivre son propre permis de conduire, les règles ne sont pas les mêmes « d'un océan à l'autre ». Le Québec a signé un accord de réciprocité avec certains pays telle

LE CODE DE LA ROUTE

LES RÈGLES DE LA CONDUITE ROUTIÈRE au Québec et au Canada ressemblent à celles en vigueur en France, à quelques détails près. Il est obligatoire en tout temps de mettre sa ceinture de sécurité, même pour les passagers à l'arrière du véhicule. Les jeunes enfants doivent être installés dans des sièges auto approuvés par les autorités canadiennes tant qu'ils n'ont pas atteint la taille de 63 centimètres en position assise. Le dépassement de vitesse (limitation à 100 km/h sur les autoroutes) et l'alcool au volant ne sont pas tolérés au Canada. Ceci peut entraîner des amendes et même la révocation du permis de conduire. Par ailleurs, ne doublez jamais un autobus scolaire qui est arrêté et dont les clignotants arrière sont allumés. Votre véhicule doit se tenir à 5 mètres derrière et rester immobile tant que les intermittents clignotent et donc tant que les enfants sortent de l'autobus jaune. Il est interdit de stationner au coin d'une rue à côté d'un panneau arrêt, ainsi que devant une borne fontaine (généralement de couleur rouge, sur le trottoir). L'utilisation d'un téléphone portable au volant est interdite au Québec depuis le 1er juillet 2008, à moins d'avoir un système kit mains libres. Sachez que sur l'île de Montréal il est interdit de tourner à droite si le feu est rouge, manœuvre autorisée en banlieue et ailleurs au Québec. Lorsqu'il y a plusieurs arrêts à une intersection, le premier arrivé est le premier à pouvoir repartir ; en cas d'égalité celui qui est à droite a la priorité. Pour en savoir plus sur la sécurité routière, le code de la route, et le permis de conduire, voir le site de la société d'assurance automobile du Québec : www.saaq.gouv.qc.ca

la France afin de faciliter l'accès au permis de conduire québécois. Les détenteurs du permis français de type B doivent se présenter au bureau de la SAAQ (Société de l'assurance automobile du Québec) munis de leur permis et du visa canadien afin d'obtenir le document local. Sur place, une photo de vous est prise et vous devez régler les frais du permis, mais aucun examen n'est nécessaire pour les ressortissants français. Vous le recevrez quelques jours plus tard

par la poste. Afin d'éviter les délais d'attente pour obtenir le document, il est conseillé de téléphoner à la SAAQ dès votre arrivée afin de prendre un rendez-vous. Si vous êtes pressé et si vous connaissez votre date d'arrivée au Québec, vous pouvez prendre ce rendez-vous depuis la France. Pour le résident permanent, le permis de conduire français est valide pendant douze mois dès votre arrivée sur le territoire québécois. Le permis de conduire québécois n'est pas donné à vie et doit être renouvelé tous les deux ans pour moins de 100 $ CAN. L'immatriculation d'une voiture est à payer chaque année : le tarif est fonction du poids et non de la puissance de la voiture. Les étudiants, coopérants ou stagiaires étrangers peuvent conduire un véhicule au Québec avec le permis français pendant toute la durée de leur séjour. Les autres catégories de permis (camion, moto...) ne sont pas échangeables contre le permis québécois : pour tous ces autres types de permis, renseignez-vous à la SAAQ.
Un conseil, si vous n'avez pas passé votre permis de conduire, attendez d'être au Québec pour le passer, il vous coûtera bien moins cher.

☛ Pour plus d'informations sur le permis : www.immigrer.com/140

L'assurance automobile

Au Canada, il est obligatoire de prendre une assurance automobile pour son véhicule. Nous vous suggérons d'apporter le relevé d'informations de votre assureur du pays d'origine (voir encadré ci-après). Si vous comptez conduire votre véhicule au Québec, en plus de vous assurer, il est recommandé de devenir membre de la section québécoise de la CAA, l'association canadienne des automobilistes (www.caaquebec.com). Vous profitez ainsi en cas de problème du service d'assistance routière sur tout le territoire canadien et, sur demande, dans toute l'Amérique du Nord. Cette assistance offre une

ASSURANCE AUTO : TRANSFÉRER SON HISTORIQUE

LE MANQUE d'historique d'un immigrant, dans le domaine du crédit ou de l'assurance, peut causer quelques mauvaises surprises. Afin d'éviter toute situation embarrassante, n'oubliez pas d'apporter le "relevé d'informations" délivré par votre compagnie d'assurance auto de votre pays d'origine. Quelques compagnies d'assurance installées au Québec, comme Allstate, proposent un service adapté aux immigrants. « Lorsque vous arrivez au Québec, vous pouvez avoir à faire à des assureurs qui n'adapteront pas leurs services aux besoins des nouveaux arrivants ; vous pouvez alors vous retrouver avec des coûts pour la couverture d'assurance élevés, note Nicolas Bellier, immigrant français et directeur d'une agence Allstate de Montréal. Nous avons développé un système qui permet de reconnaître votre dossier de votre pays d'origine afin que vous ne soyez pas perçu en Amérique du Nord comme n'ayant aucune expérience. » En faisant reconnaître votre dossier, vous pourrez payer des frais plus adaptés à votre profil.

large gamme de services dépassant de loin le simple remorquage. Très pratique, surtout dans un pays aux conditions climatiques extrêmes.
☛ **Bonus Web.** Pour plus d'informations : www.immigrer.com/132

LA CARTE D'ASSURANCE SOCIALE NAS

Toute personne travaillant ou ayant l'intention de travailler au Canada doit avoir en sa possession la carte d'assurance sociale et un numéro d'assurance sociale, le NAS. Indispensable pour recevoir votre salaire, payer vos impôts, contribuer à votre régime de pen-

OÙ OBTENIR SA CARTE NAS ?

IL N'Y A PAS DE CARTE NATIONALE D'IDENTITÉ au Canada (ni de livret de famille), donc le NAS est la seule carte que possèdent tous les Canadiens, puisque la carte d'assurance maladie et le permis de conduire sont différents d'une province à l'autre. Selon la loi, vous n'êtes pas tenu d'avoir constamment sur vous une carte d'identité.

- **Le site internet sur le numéro d'assurance sociale du Canada ➢ www.servicecanada.gc.ca/fra/sc/nas ☎ 1-800-808-6352 (numéro gratuit au Québec).**

À Montréal

- **Immatriculation aux assurances sociales (pour les immigrants seulement), 276, rue Saint-Jacques, Montréal, Québec, H7Y 1N3, 4e étage (à côté de Immigration-Québec), de 8 h 15 à 16 h, sauf le mercredi, ouverture à 9 h 30.**
- **Service Canada, Centre-Ville/Sud-Ouest de Montréal, 1001, bd de Maisonneuve Est, Montréal, Québec, H2L 5A1, 2e étage ☎ 1-514-522-4444, métro Berri Uqam (sortie Place Dupuis), de 8 h 30 à 16 h.**

À Québec

- **Service Canada, 330, rue de la Gare-du-Palais, Québec, Québec, G1K 9E4, bureau satellite ☎ 1-418-681-2599, de 8 h 30 à 16 h.**

sion, souvent exigé pour ouvrir un compte bancaire, etc., le NAS est votre lien direct avec le milieu du travail au Canada.

COMMENT OBTENIR SA CARTE NAS

Afin d'obtenir cette carte, il faut remplir dès votre arrivée le formulaire de Développement des ressources humaines Canada. À l'aéroport et aux douanes, les autorités vous remettent normalement une brochure vous expliquant comment obtenir cette précieuse carte. Sinon vous pouvez en faire la demande au centre de ressources humaines le plus proche de votre lieu de résidence au Québec. Pour le trouver, vous pouvez passer par le site internet (www.rhdcc.gc.ca) ou encore consulter les Pages jaunes de l'annuaire téléphonique de votre ville. Vous recevez votre carte généralement moins d'un mois après votre demande.

La carte de résident permanent

Après les événements du 11 septembre 2001, le gouvernement canadien a décidé de renforcer la sécurité en introduisant une nouvelle carte d'identité pour les immigrants qui atteste de leur statut de résident permanent. La carte de résident permanent est une carte plastifiée au format portefeuille qui remplace l'ancien visa (c'est-à-dire la fiche IMM 1000). Elle coûte 50 $ CAN. Les résidents permanents doivent la présenter lorsqu'ils rentrent au Canada.

Lorsque vous vous installerez au Québec, les agents prendront votre photo dès votre passage en douane, et moins d'un mois plus tard, vous recevrez la carte à votre domicile. Si vous devez vous déplacer hors du Canada avant de l'avoir reçue, il vous faut trouver quelqu'un qui vous la fasse parvenir en courrier recommandé pour que vous puissiez revenir au pays sans problème.

Cette carte sera nécessaire jusqu'à l'obtention de la nationalité canadienne pour tous les retours au Canada. Vous pourrez obtenir la nationalité canadienne sur demande trois ans après votre arrivée au Canada. Les démarches prennent environ six mois. Si vous devez vous absenter du Canada pour de longues périodes, sachez que depuis le 28 juin 2002, les résidents canadiens doivent demeurer au

LES CONSULATS DE FRANCE AU QUÉBEC

Consulat général de France à Montréal, 1501 McGill College, bur. 1000, Montréal, Québec, H3A 3M8 ☎ 1-514-878-4385, fax : 1-514-878-3981 ➢ www.consulfrance-montreal.org

Consulat général de France à Québec, 25, rue Saint-Louis, Québec, Québec, G1R 3Y8 ☎ 1-418-694-2294, fax : 1-418-694-2297 ➢ www.consulfrance-quebec.org

Canada pendant 730 jours sur une période de cinq ans pour garder leur statut de résident permanent.

☛ Le site de la carte de résident permanent
➢ www.cic.gc.ca/francais/information/carte-rp/index.asp

L'IMMATRICULATION AU CONSULAT FRANÇAIS

Quoique facultative, l'immatriculation au consulat français de votre région peut vous être utile pour renouveler votre carte d'identité française, bénéficier d'une bourse d'études si votre enfant est inscrit dans un établissement scolaire français au Québec, vous inscrire sur la liste électorale et pour bien d'autres choses. Vous devez remplir une fiche de renseignements personnels avec votre nouvelle adresse au Québec. En échange, vous recevez une carte consulaire valable cinq ans. Pour vous immatriculer, vous devez fournir vos acte de naissance, carte d'identité française, passeport français, visa canadien, une preuve de résidence au Canada (bail, factures d'électricité…) et deux photos d'identité.

Se loger au Québec

Depuis plusieurs années, il est généralement assez facile de trouver un logement à Montréal et un peu partout au Québec. Après une courte crise du logement au début des années 2000, le marché locatif québécois est redevenu accessible et stable. En octobre 2011, la SCHL (Société canadienne d'hypothèque et de logement) notait que le taux d'inoccupation était de 2,5 % à Montréal et de 2,2 % dans tout le Canada. Les appartements disponibles pour la location sont plus nombreux à Montréal comparativement aux banlieues avoisinantes où les résidents sont généralement propriétaires. Mais attention, certaines villes québécoises connaissent des taux d'inoccupation des logements locatifs très bas, impliquant une plus longue recherche de logement. En effet, en octobre 2011, le taux d'inoccupation de la ville de Québec était de 1,6 %. Il est aussi difficile de trouver un logement à Val d'Or, Gaspé, Joliette, Rimouski, Saguenay et Sept-Iles. À l'inverse, il est facile de trouver un logement à Sherbrooke puisque le taux d'inoccupation était de 4,7 % en octobre 2011. De plus, sachez que les coûts de location et d'achat sont généralement beaucoup plus bas en dehors de l'île de Montréal.

Des logements moins chers au Québec

Le logement est considérablement moins cher au Québec que dans le reste du pays. En octobre 2011, la SCHL estimait le loyer moyen

LEXIQUE POUR S'Y RETROUVER DANS L'IMMOBILIER

- ***Appartement semi-meublé :*** **loué avec électroménager, généralement la cuisinière et le réfrigérateur, coût compris dans le loyer.**
- ***Appartement non meublé :*** **loué sans meubles et sans électroménager.**
- ***Bungalow :*** **maison de plain-pied complètement détachée, généralement en banlieue ou en périphérie du centre-ville.**
- ***Chauffé-éclairé (c.- é.) :*** **chauffage et dépenses en électricité inclus dans le loyer.**
- ***Condo :*** **un appartement généralement rénové dont l'occupant est le propriétaire.**
- ***Entrée laveuse/sécheuse :*** **le logement comprend des connexions pour une laveuse et une sécheuse mais pas ses électroménagers.**
- ***Duplex :*** **2 logements superposés.**
- ***Maison en rangée :*** **résidence qui fait partie d'une série de maisons collées les unes à côté des autres.**
- ***Maison jumelée*** **: résidence qui partage un mur mitoyen avec sa voisine ; aussi utilisé :** ***semi-détachée.***
- ***Multiplex :*** **5 logements et plus superposés.**
- ***Triplex :*** **3 logements superposés.**
- ***Quadruplex :*** **4 logements superposés.**
- ***Sous-sol ou demi sous-sol :*** **sous-sol converti en logement, doté ou non d'une entrée séparée.**

mensuel d'un appartement de deux chambres à 1 149 $ à Toronto, 1 237 $ à Vancouver, 1 084 $ à Calgary, 1 086 $ à Ottawa. La Corporation des propriétaires immobiliers du Québec (CORPIQ) a révélé que la Belle Province se place au deuxième rang au Canada, derrière Terre-Neuve, pour les loyers moyens les plus bas soit 615 $ pour un logement de deux chambres même si le loyer de ce type d'appartement à Montréal a augmenté de 28,9 % entre 2000 et 2009. C'est

SCHL CMHC
AU CŒUR DE L'HABITATION

donc au Québec qu'on trouve les loyers les plus faibles dans le logement locatif, en particulier à Trois-Rivières et à Saguenay (Chicoutimi) où un logement doté de deux chambres revient respectivement en moyenne à 547 $ et à 557 $ par mois ; il est de 577 $ à Sherbrooke, 711 $ à Gatineau-Ottawa, 718 $ à Québec et de 719 $ à Montréal.

Les mesures des appartements ne sont pas comptées en mètres carrés comme en France, mais plutôt en nombre de pièces. Ainsi, on parlera d'un 4 et demi pour un appartement qui a une cuisine, un salon et deux chambres. En Amérique du Nord, la demi-pièce représente la salle de bain et les toilettes, généralement dans une seule pièce. À moins de vivre dans un grand immeuble, les appartements sont habituellement loués non chauffés et non éclairés. Il est possible de téléphoner à Hydro-Québec afin de connaître la consommation mensuelle d'un appartement convoité, ainsi vous n'aurez pas de surprise pendant les longs mois froids d'hiver. Il faut souvent débourser environ 100 $ CAN par mois (en moyenne annuelle) pour éclairer et chauffer un appartement standard.

Les relations entre locataires et propriétaires

Au Québec, le propriétaire n'a pas le droit de vous demander une caution ou des loyers d'avance lors de la location d'un appartement. Nul besoin d'avoir un travail et de sortir des fiches de paie ou d'avoir la caution des parents pour trouver un toit. Le propriétaire doit simplement vérifier votre solvabilité. Pour cela, il peut téléphoner à un organisme national de crédit muni de votre numéro d'assurance sociale pour demander si vous avez des problèmes de crédit : l'interlocuteur répond par oui ou par non, mais ne donne aucun détail sur vos revenus. Le problème des nouveaux arrivants est le manque

EN CAS DE LITIGE

La Charte canadienne des droits et libertés interdit la discrimination fondée sur la couleur, les croyances religieuses, le sexe, l'âge ou les déficiences. Le propriétaire doit accepter le premier candidat solvable venu.

Vous avez un problème ou une question, la Régie du logement est là pour vous aider et vous informer gratuitement. Mise sur pied en 1980, la Régie, en plus de diffuser de l'information, est un tribunal qui a compétence en matière de bail résidentiel. Elle peut donc trancher des litiges en cas de problèmes entre un locataire et un propriétaire.

Régie du logement

- À Montréal : village olympique, pyramide Ouest (D), 5199, rue Sherbrooke Est, rez-de-chaussée, bur. 2095 et 2161 ☎ 1-514-873-2245.
- À Québec : place Québec, 900, bd René-Lévesque Est, bur. RC 120 ☎ 1-418-643-2245 ou 1-800-683-2245, de 8 h 30 à 16 h 30 ➣ www.rdl.gouv.qc.ca

d'historique de crédit et de travail, puisqu'ils viennent en chercher : il faut alors convaincre le propriétaire, lui montrer qu'on a de l'argent en banque pour son installation. Le propriétaire québécois s'entoure de moins de précautions que le propriétaire français, parce qu'au Québec, si vous ne payez pas votre loyer, vous êtes tout simplement mis dehors : aucune loi ne viendra, comme en France, vous garantir de rester au chaud pendant les mois d'hiver.

Les baux locatifs au Québec

Les baux sont annuels et la majorité d'entre eux débute le 1er juillet, jour de la fête du Canada, mais surtout du déménagement au

LA COLOCATION : UNE IMMERSION RAPIDE ET ÉCONOMIQUE

LA COLOCATION est un moyen très répandu depuis longtemps dans les pays anglo-saxons, autant chez les étudiants que chez les jeunes en général. Elle permet aux étudiants de sortir du nid familial, mais elle est aussi souvent utilisée par les adultes et les professionnels. Économique, ce style de vie peut être idéal pour s'intégrer dans un nouveau milieu. Surveillez les annonces dans les journaux avec les mentions « à partager » ou « cherche coloc ». Si vous comptez perfectionner votre anglais, la colocation avec un anglophone n'est pas une mauvaise idée. Les journaux étudiants et les « babillards » des universitaires (tableaux communautaires) sont idéaux pour trouver les offres de colocation. C'est également une solution pour entrer en contact avec des Québécois de souche et s'intégrer plus rapidement dans la société d'accueil.

DAVID AGHAPEKIAN qui est arrivé à l'âge de 23 ans à Montréal, recommande fortement aux immigrants français la colocation. Les premiers temps, il a habité avec trois colocataires québécois. « Ils m'ont fait découvrir des choses super, en matière de musique, de cinéma, de sport, de culture, se rappelle-t-il. J'ai eu beaucoup de plaisir avec eux et ils sont restés de très bons amis. » Pour lui, ce fut un excellent moyen de se familiariser avec la culture locale et un véritable cours accéléré des mœurs québécoises. « Il ne faut pas rater cette opportunité, pense-t-il, certains Français ont tendance à rester entre eux. »

LORS DE SES ÉTUDES à Chicoutimi en géographie, Emmanuelle Arth a eu plus d'une trentaine de colocataires, dont la majorité étaient des Québécois. « Pour une colocation réussie, il faut savoir respecter l'autre, affirme-t-elle. Il faut se répartir les tâches ménagères et surtout s'y atteler ! C'est lorsque quelqu'un faillit que ça part en vrille. » Du coup, un calendrier de ménages a été établi avec ses colocs. « Toutes les semaines, nous avions une partie de l'appartement à nettoyer. Il faut aussi ne pas manger la nourriture des autres dans le frigo et être silencieux lorsqu'on rentre à 3 heures du matin », conseille-t-elle.

Québec (impossible de circuler ce jour-là dans Montréal, ou ailleurs au Québec, sans tomber sur les camions de déménagement !). De nombreux baux débutent également en septembre. Cela dit, il est aussi possible de trouver un appartement en dehors de ces périodes, vous aurez même peut-être moins de concurrence. Le paiement du loyer se fait le premier du mois par chèque ou en espèces.

Si vous désirez quitter votre logement en cours de bail, vous pouvez le sous-louer et garder ainsi la possibilité d'y revenir. Cette procédure est tout à fait légale au Canada. Vous pouvez aussi faire une cession de bail, c'est-à-dire résilier votre bail et le passer à un autre locataire. En général, le locataire du logement s'arrange pour trouver rapidement un futur locataire qui reprendra son bail. Il en avertit le propriétaire et si celui-ci n'est pas satisfait du nouveau locataire, il doit aviser le locataire actuel de son refus. Certains propriétaires préfèrent choisir eux-mêmes les nouveaux locataires. Pour toutes ces formalités, adressez-vous à la Régie du logement.

TROUVER SON PREMIER LOGEMENT AU QUÉBEC

Il est fortement conseillé de prendre une location de courte durée lors de votre arrivée, pour vous laisser le temps de choisir un quartier ou une région selon vos goûts, vos priorités et votre futur lieu de travail. Les nouveaux arrivants débarquent souvent dans un hôtel bon marché, puis trouvent un appartement meublé pour quelques jours ou quelques semaines. De nombreuses locations de courte durée sont disponibles à la journée, à la semaine ou au mois pour une personne seule ou pour un couple. Le cas des familles est plus complexe, certaines ne peuvent se permettre deux déménagements en peu de temps. Sachez que dans le système scolaire public québécois, vous ne pouvez choisir l'école fréquentée par votre enfant, vous devez l'inscrire dans l'école francophone qui dépend de votre quartier, même si vous auriez préféré une autre école. Ainsi, il vaut mieux regarder à deux fois les écoles d'un quartier avant de choisir un lieu de vie. À moins de tout réserver à distance par téléphone et Internet, il reste toujours l'option d'envoyer un membre de la famille ou le couple en éclaireur quelque temps avant l'arrivée définitive pour choisir un lieu près des écoles des enfants, des parcs et du travail. Les universités québécoises offrent sur leur campus ou hors campus plusieurs petits appartements qui peuvent parfaitement convenir aux étudiants. L'été, ces logements sont souvent vides et peuvent être un bon endroit pour se loger quelques semaines. En plus des adresses pour des hébergements, consultez le site officiel de Tourisme Québec (www.bonjourquebec.com).

CHOISIR UN QUARTIER À MONTRÉAL

Originaire de Nancy, Christophe Humbert a choisi Montréal pour sa qualité de vie et son urbanité. « Mes parents, qui sont venus deux fois, sont toujours étonnés de constater qu'une ville grande comme Montréal peut être aussi calme, rapporte-t-il. C'est une ville à taille humaine, avec des aires de jeux pour les enfants et des espaces verts. Il y a moins de stress à Montréal qu'à Nancy ; pourtant c'est la deuxième ville francophone au monde. »

DEUXIÈME VILLE FRANCOPHONE... APRÈS PARIS

Montréal, deuxième ville francophone au monde après Paris (avec près de deux millions d'habitants) est une ville aimée par ses habitants. Cosmopolite, humaine et accessible, elle s'anime en été et se repose en hiver. Saviez-vous que c'est une île ? Eh oui, comme Manhattan, Montréal est bordée par les rives nord et sud d'une eau,

Une vie proche de tout

habitermontreal.qc.ca

LES QUARTIERS DE MONTRÉAL

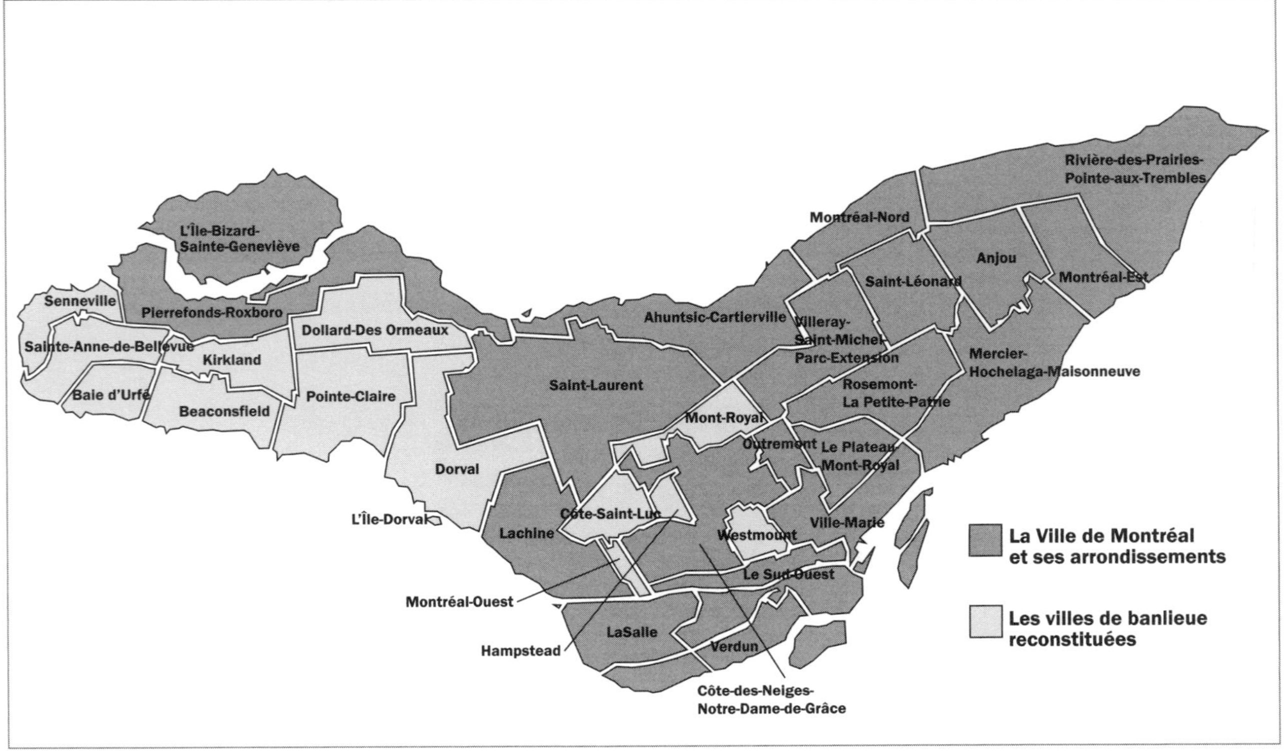

Rivière-des-Prairies-
Pointe-aux-Trembles
Montréal-Nord
Anjou
Montréal-Est
Saint-Léonard
L'Île-Bizard-
Sainte-Geneviève
Senneville
Pierrefonds-Roxboro
Ahuntsic-Cartierville
Villeray-
Saint-Michel-
Parc-Extension
Dollard-Des Ormeaux
Sainte-Anne-de-Bellevue
Kirkland
Mercier-
Hochelaga-Maisonneuve
Saint-Laurent
Rosemont-
La Petite-Patrie
Baie d'Urfé
Beaconsfield
Pointe-Claire
Mont-Royal
Outremont
Le Plateau-
Mont-Royal
Dorval
L'Île-Dorval
Côte-Saint-Luc
Ville-Marie
Lachine
Westmount
Le Sud-Ouest
Montréal-Ouest
LaSalle
Hampstead
Verdun
Côte-des-Neiges-
Notre-Dame-de-Grâce

La Ville de Montréal
et ses arrondissements

Les villes de banlieue
reconstituées

mais pas n'importe laquelle : il s'agit d'un des plus grands fleuves d'Amérique du Nord, le Saint-Laurent.

Des quartiers et banlieues calmes

Montréal est divisée d'ouest en est par la rue Saint-Laurent. Généralement, la partie ouest de la ville est habitée par une population principalement anglophone et l'est par des francophones, mais cette répartition a tendance à évoluer. En dehors des quartiers centraux, peuplés et fort populaires, de nombreux arrivants choisiront de s'installer dans l'ouest de l'île communément appelé le West Island pour la tranquillité et la verdure des villes comme Dorval ou Pointe-Claire. Des Montréalais vivent aussi en banlieue nord ou sud de l'île, comme à Laval ou à Longueil, en passant par le quartier de Saint-Lambert ou Saint-Bruno. Il est à noter que toutes les banlieues au Québec sont vertes, paisibles et très sûres. Elles offrent un cadre de vie calme et accueillant pour les jeunes familles qui veulent s'y installer.

Centre-ville ou extérieur ?

Si vous n'avez pas de véhicule, n'oubliez pas de choisir un logement facilement accessible par les transports en commun. Une fois l'hiver venu, il vaut mieux ne pas avoir à marcher un kilomètre pour rejoindre un arrêt d'autobus ou une bouche de métro.

Montréal, quartier par quartier

Voici une présentation sommaire des quartiers au centre de l'île de Montréal (voir page suivante). Vous pourrez, par ailleurs, découvrir les quartiers plus excentrés, ainsi que les banlieues entourant l'île. Au cœur de Montréal, comme dans les quartiers que nous vous présentons ci-après, vous pouvez très bien vivre sans voiture en utilisant le réseau de transports en commun.

Le centre-ville. Pris entre les gratte-ciel et l'animation des rues, le centre-ville est le plus peuplé des quartiers de Montréal. Comme on peut l'imaginer, les loyers sont plus chers qu'ailleurs dans ce quartier cosmopolite. Il est possible d'habiter dans un des nombreux immeubles haut perchés qui offrent des vues sur toute la ville.

Côte-des-Neiges. À l'ouest d'Outremont se trouve Côte-des-Neiges, un quartier habité par de nombreux immigrants récents et par des étudiants de l'université de Montréal. Cosmopolite, il offre des loyers plus abordables qu'ailleurs. Le quartier est largement pourvu en hôpitaux, services et restaurants.

Ghetto McGill. Pris entre le centre-ville et le Plateau, le Ghetto McGill, comme on le surnomme, est le quartier des étudiants de l'université McGill. Anglophone, avec de nombreux étudiants américains et canadiens-anglais, le ghetto McGill est à deux pas du boulevard Saint-Laurent et de la vie nocturne de Montréal. De nombreux étudiants se partagent les belles maisons victoriennes qui longent les avenues de ce quartier.

Latin. Le quartier Latin est celui des étudiants de l'université du Québec à Montréal et du CEPEG du Vieux-Montréal autour de la rue Saint-Denis et de la rue de Maisonneuve au sud de Sherbrooke. Les cafés, restaurants et bars surplombent le quartier animé jour et nuit.

Notre-Dame-de-Grâce. Ce quartier chic de l'ouest de Montréal est communément appelé NDG (avec la prononciation à l'anglaise). Les nombreuses résidences anglaises y sont entourées d'arbres centenaires. La population du quartier est un mélange réussi entre francophones et anglophones. Le prix des maisons a récemment doublé, mais il reste que l'endroit est paisible. Quelques appartements sont

MOINS CHERS, MOINS SOLLICITÉS

CERTAINS QUARTIERS DE MONTRÉAL sont plus abordables et moins peuplés que d'autres. En 2010, le taux d'inoccupation se situait à 2,3 % à Verdun et dans le sud-ouest et à 2,4 % dans le quartier Hochelaga-Maisonneuve. Traditionnellement, les quartiers les moins chers de Montréal se situent dans le sud-ouest de l'île comme Verdun, Lachine ou plus à l'est et dans le nord à Pointe-aux-tremples, Rivières-des-Prairies, Montréal-est. Et en banlieue nord de Montréal, c'est à Pont-Viau à Laval que l'on peut trouver des logements très attractifs en termes de prix.

Les quartiers les moins chers sont le sud-ouest de l'île, ainsi que Pointe-aux-Trembles, Rivière-des-Prairies, Montréal-Est et Pont-Viau à Laval en banlieue nord de Montréal.

disponibles dans les duplex, c'est-à-dire des maisons qui comptent deux appartements.

Mile-End. Entre Outremont et le Plateau, le quartier cosmopolite du Mile-End avec ses communautés grecque et juive se caractérise par un mode de vie très décontracté. La rue Saint-Viateur offre une douceur de vivre, surtout pendant la belle saison. Ce quartier sans prétention présente un cadre de vie très agréable avec ses petits cafés et restaurants fort sympathiques.

Outremont. Quartier chic francophone de Montréal, Outremont abrite de nombreuses résidences individuelles luxueuses entre la verdure et la quiétude des lieux. Cette ancienne ville de l'île de Montréal est à la croisée des chemins, entre le Mont-Royal, le centre-ville et le nord de la ville. Le quartier est un lieu de prédilection pour les immigrants français, puisqu'il s'y trouve de nombreuses écoles secondaires privées, l'équivalent des lycées, dont les collèges Stanislas et Marie-de-France qui proposent le cursus de l'Éducation nationale française. Une importante communauté de juifs hassidiques habite le quartier depuis des années. Les rues Bernard et Laurier abondent en bons petits restaurants et cafés fréquentés par les bourgeois et les gens du milieu artistique.

Plateau Mont-Royal. Le quartier le plus branché de Montréal. « Le Plateau » est souvent adoré par les Français qui tombent littéralement sous le charme de son ambiance décontractée, de ses petits cafés, terrasses et restaurants sympathiques aux couleurs vives. Le quartier décrit par l'écrivain Michel Tremblay dans *Chroniques du Plateau-Royal* attire aujourd'hui beaucoup de jeunes gens. De nombreuses boulangeries artisanales, boutiques aux concepts avant-gardistes, artistes, étudiants et bohèmes ont choisi de s'y établir. Les rues Saint-Denis et Mont-Royal traversent le quartier. Charmant surtout pendant la saison estivale, le quartier compte cependant peu de logements libres et les prix ont augmenté considérablement ces dernières années. Pour y trouver votre nid, vous devrez donc compter sur la chance et sur les contacts que vous pourrez créer ou choisir la colocation fort répandue dans ce quartier.

Rosemont. Tout juste au nord du Plateau, ce quartier populaire de Montréal est en train de subir une véritable petite révolution. Peu à peu, ce Nouveau Plateau voit s'installer des petits cafés et restos, branchés mais sans prétention, qui savent ravir leur clientèle. Moins chers et plus abordables que sur le Plateau, les appartements et les maisons individuelles abondent dans ce quartier à l'architecture modeste.

Saint-Henri. Autre quartier populaire de Montréal qui se transforme petit à petit. Le taux d'inoccupation et le prix abordable des loyers en font un quartier séduisant. La réouverture du canal Lachine et l'accès au marché public Atwater le rendent d'autant plus attractif pour les

LES LIENS INTERNET DES QUARTIERS ET BANLIEUES DE MONTRÉAL ET QUÉBEC

- **Arrondissements (divers quartiers de Montréal) ➢ www.arrondissement.com**
- **Le quartier d'Ahunstic ➢ www.ahuntsic.com**
- **Le quartier Notre-Dame-de-Grâce ➢ www.n-d-g.com**
- **Le quartier du Plateau Mont-Royal ➢ www.bonjourplateau.com**
- **La rue Mont-Royal ➢ www.mont-royal.net**
- **La rue St-Denis ➢ www.la-rue-st-denis.com**
- **Outremont ➢ www.outremont.org**
- **Ville de Montréal ➢ www.ville.montreal.qc.ca**
- **Vieux-Port de Montréal ➢ www.quaisduvieuxport.com**
- **Ville de Laval ➢ www.ville.laval.qc.ca**
- **Ville de Longueil ➢ www.longueuil.ca**
- **Ville de Verdun ➢ www.ville.verdun.qc.ca**
- **Ville de Québec ➢ www.ville.quebec.qc.ca**
- **Ville de Québec, quartiers ➢ www.telegraphe.com/quebec**
- **Saint-Roch Québec ➢ www.quartiersaintroch.com**
- **Office du tourisme de Québec ➢ www.quebecregion.com**

Montréalais. De nombreux projets de construction se développent dans ce quartier du sud-ouest.

Le Village. Le quartier gay de Montréal est l'un des plus importants au monde. Autour de la rue Sainte-Catherine et délimité par les rues Amherst et Papineau, le Village propose de nombreux restaurants, cafés, bars et boutiques à la mode. Un des cœurs de la vie nocturne montréalaise. Dans les rues parallèles, de nombreux appartements sont occupés par des gens appartenant ou non à la communauté.

Villeray. Au nord de Rosemont, ce quartier tranquille offre des appartements spacieux plus abordables que vers le centre-ville. Éloigné de l'animation nocturne, Villeray profite de la proximité du marché Jean-Talon et du quartier italien de la « Petite Italie » en proposant des produits frais et cosmopolites à tous les fins gourmets. Il n'existe que trois marchés de ce type à Montréal.

Verdun. Verdun compte plus de logements disponibles à moindre prix que bien d'autres quartiers de Montréal : c'est ici en effet qu'on trouve un des taux d'inoccupation les plus élevés de la ville. Ce traditionnel quartier populaire a connu quelques développements dernièrement, offrant de nombreux appartements de luxe et autres condominiums (appartements en général rénovés dont l'occupant est propriétaire) avec vue sur le Saint-Laurent. Non loin, l'île des Sœurs propose de belles résidences et de luxueux immeubles où l'environnement est vert et paisible.

Le Vieux Montréal. Le Vieux Montréal, lieu d'affaires dynamique le jour et quartier résidentiel plutôt cossu le soir, accueille aussi la Cité du multimédia et de nombreuses entreprises de haute technologie. La proximité du port, de la piste cyclable, les vues imprenables sur le fleuve et la ville, la beauté des lieux, son architecture ancienne et la qualité de ses grands restaurants en font un lieu de prédilection pour les globe-trotters urbains et les amoureux du passé. Mais le prix d'un condo avec vue sur le fleuve n'est pas accessible à toutes les bourses : il s'agit de l'un des quartiers les plus chers de Montréal.

Choisir un quartier à Québec

Pour David Fourchon et sa compagne le choix de Québec s'est naturellement imposé lors du voyage de repérage. Arrivés de Paris, ils ne voulaient pas vivre dans une grande métropole. « Montréal, même si ce n'est pas Paris, c'était tout de même la folie pour moi, affirme-t-il. La ville de Québec, correspond pile à la taille de ville que je peux apprécier aujourd'hui. Il n'y a pas de stress et de trafic et nous sommes près de la nature. En plus, c'est joli. » En effet, sa compagne Aurélie est littéralement tombée sous le charme du Vieux Québec. « Le côté européen de Québec a complètement séduit ma copine, affirme-t-il. Ça a été le parfait compromis pour nous, moi je ne voulais pas une très grande ville, et Aurélie ne voulait pas une trop petite ville donc il fallait une ville moyenne. » Ils sont aujourd'hui installés dans leur nouvelle maison de Beauport, non loin du coeur de Québec.

« Au Québec, on se marie avec Montréal, mais on couche avec Québec, affirme Audrey Parily qui a véritablement adopté la ville. À Québec, il n'y a pas le stress. D'où je viens, Lyon, j'étouffais. À Québec, je respire. »

D'entrée de jeu, Jessica Abdelmoumene aurait préféré faire son stage de fin d'étude à Montréal, mais finalement elle ne regrette pas cette découverte. « J'ai adoré vivre à Québec, affirme-t-elle. Ce que j'aime, c'est le rapport moins impersonnel entre les gens. Tu reconnais quelqu'un. Tu lui dis bonjour. Il y a toujours un ami d'un ami qui connaît ton ami. Je trouve cela agréable. »

En 2008, Québec a fêté ses 400 ans. La ville historique demeure le cœur administratif de la province québécoise. Le Vieux Québec a de quoi séduire de nombreux Européens, d'ailleurs il attire chaque année des touristes du monde entier. Plus petite et moins cosmopolite que Montréal, elle offre un cadre de vie plus paisible, homogène et en toute sécurité avec un accès facile à la nature. Dans la lignée des fusions municipales dans la province, à Québec aussi est née une nouvelle ville « administrative » le 1er janvier 2002.

Les quartiers de Québec

En ce qui concerne le logement, Québec n'est pas nécessairement moins cher que Montréal. Entre la Basse-Ville et la Haute-Ville vous avez le choix, et vous pouvez aussi profiter des banlieues qui offrent de nombreuses et belles habitations. Si vous choisissez de vous établir hors de la Basse-Ville ou de la Haute-Ville, il faudra faire l'acquisition d'une voiture pour vous déplacer.

☛ Ville de Québec, section Immigrants : www.ville.quebec.qc.ca/immigrants

Le Vieux Québec. Dans un cadre historique, le Vieux Québec, traversé par la rue Saint-Jean et la rue Saint-Louis, regroupe l'animation culturelle de la capitale. Avec son château Frontenac, la vue splendide sur le fleuve et ses divers monuments et édifices historiques, le Vieux Québec ne manque pas d'attraits pour les amoureux de l'histoire et de l'architecture. De nombreux travailleurs convergent vers ces lieux pour y travailler dans l'hôtellerie, la restauration et les magasins, ainsi que dans la fonction publique. Vous l'aurez compris, les appartements sont recherchés et plus chers qu'ailleurs dans la ville, à moins d'opter pour un appartement non rénové.

La Haute-Ville. En dehors du Vieux Québec *intra-muros*, d'autres quartiers de la Haute-Ville dont Montcalm, Saint-Jean-Baptiste et Saint-Sacrement, sont situés à deux minutes du Vieux Québec et proposent un cadre de vie très intéressant. De l'autre côté des portes et des fortifications, en traversant l'autoroute Dufferin, le quartier Saint-Jean-Baptiste couvre un lieu pittoresque avec sa Grande Allée, ses nombreux restaurants et bars et la présence de l'Assemblée nationale du Québec. Hors de l'allée centrale, la location d'appartements est plutôt abordable. L'ambiance est plus

LES QUARTIERS DE QUÉBEC

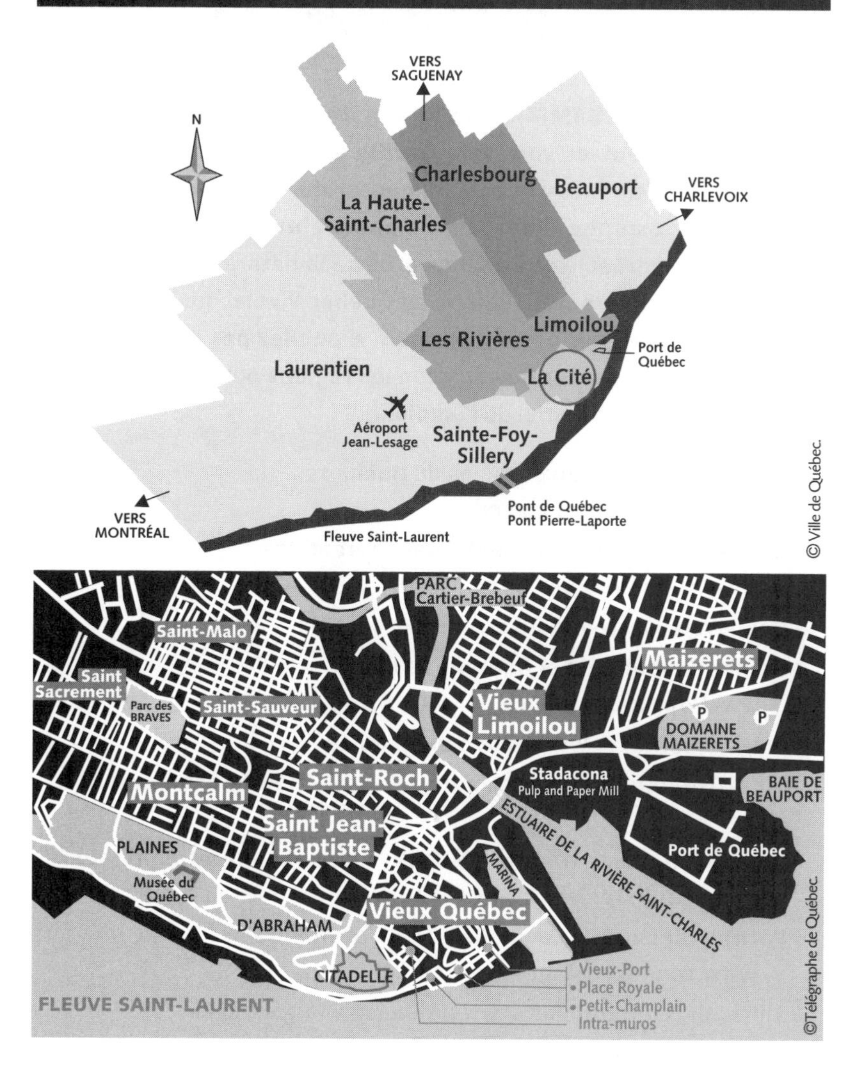

bohème et beaucoup d'étudiants y habitent en colocation. Le quartier Montcalm où se situe le musée du Québec compte également la belle avenue Cartier avec ses restaurants et cafés sympathiques. Le quartier Saint-Sacrement entre le quartier Montcalm et Sillery

DÉCOUVRIR LES RÉGIONS DU QUÉBEC

PLUS DE 80 % DES IMMIGRANTS s'installent dans la région de Montréal, les autres vont vers la ville de Québec. Les villes de Sherbrooke et Gatineau accueillent aussi leur lot de nouveaux arrivants chaque année. Pourquoi ne pas pleinement profiter d'un cadre de vie agréable et être plus près de la nature en vous installant dans les différentes régions du Québec ? Voici quelques liens vers des villes et régions à découvrir. N'oubliez pas de visiter les pages sur le marché du travail selon les régions pour avoir des présentations sur le potentiel de l'emploi.

- Association des beaux villages du Québec
  ➢ www.beauxvillages.qc.ca
- Centre d'intégration en emploi des Laurentides
  ➢ www.cielaurentides.com
- Charlevoix ➢ www.tourisme-charlevoix.com
- Granby (Montérégie et Cantons de l'Est)
  ➢ www.ville.granby.qc.ca
- Magog (Estrie) ➢ www.ville.magog.qc.ca
- Mont-Tremblant (Laurentides) ➢ www.villedemont-tremblant.qc.ca
- Présentation des régions (MICC) ➢ www.immigration-quebec.gouv.qc.ca/fr/region/index.html
- Portrait régional de Lanaudière (nord de Montréal)
  ➢ www.connexion-lanaudiere.ca
- Shawinigan (Mauricie) ➢ www.ville.shawinigan.qc.ca
- Solidarité rurale ➢ www.ruralite.qc.ca
- Sherbrooke ➢ www.ville.sherbrooke.qc.ca
- Gatineau ➢ www.ville.gatineau.qc.ca
- Saguenay Lac Saint-Jean (nord de Québec) ➢ www.saguenaylacsaintjean.gouv.qc.ca

(...)

(...)

- **Saint-Hyacinthe (Montérégie) ➢ www.ville.st-hyacinthe.qc.ca**
- **Victoriaville (Bois-francs) ➢ www.ville.victoriaville.qc.ca**
- **Trois-Rivières (entre Montréal et Québec) ➢ www.v3r.net**

(plus à l'ouest) est un lieu résidentiel bordé par de grands arbres. Ces deux derniers quartiers sont plus BCBG et les loyers des appartements sont plus chers, surtout dans Montcalm près des Plaines d'Abraham.

Basse-Ville : Limoilou, Saint-Roch. En descendant du Vieux Québec, vous vous trouvez dans le Petit-Champlain, un quartier touristique de la Basse-Ville qui a été récemment rénové, avec la Place Royale, le musée de la Civilisation, la rue Saint-Paul et ses antiquaires. Au-delà de ce quartier, se trouve celui de Saint-Roch qui a subi de nombreuses transformations ces dernières années. À deux pas du Vieux Québec, ce quartier populaire est fréquenté par une population d'artistes, d'universitaires et d'entrepreneurs de haute technologie qui profitent de la proximité des nombreux restaurants, cafés, bistros et lieux de divertissement. Près du centre-ville, lui aussi, le quartier populaire de Limoilou est animé par la population estudiantine du secteur. Familles et jeunes se côtoient tout en profitant du parc Cartier-Brébeuf. De nombreuses compagnies sont aussi installées dans ce quartier qui est l'un des plus abordables de la ville de Québec.

Sillery et Sainte-Foy. À l'ouest du Vieux Québec se trouvent Sillery et Sainte-Foy. Les résidents y bénéficent d'un cadre de vie paisible avec de belles maisons individuelles. On y rencontre une forte concentration d'écoles privées et on peut profiter du bois de Coulonge. L'arrondissement longe le fleuve Saint-Laurent sur

10 kilomètres, avec de nombreux accès publics par des parcs. Les résidents ont le choix entre les centres commerciaux de la place Laurier, Sainte-Foy et de la place de la Cité. Le quartier de Sainte-Foy accueille l'université Laval. Quelques maisons sont à louer dans ces quartiers, mais elles ne figurent pas parmi les moins chères de la ville.

Charlesbourg, Beauport. Situées au nord-est du Vieux Québec, les anciennes villes de Charlesbourg et de Beauport sont d'une grande quiétude. La sécurité et le calme des lieux assurent un mode de vie idéal pour les familles. Un véritable arrondissement résidentiel qui a aussi un parc industrialo-commercial avec des dizaines d'entreprises comme à Charlesbourg. Le quartier de Beauport offre des kilomètres de vue sur le Saint-Laurent. La baie de Beauport et le parc de la Chute-Montmorency ainsi que celui de la Rivière-Beauport présentent un cadre de vie proche de la nature.
☛ **Bonus Web.** Pour plus d'informations : www.immigrer.com/99

COMMENT CHERCHER UN LOGEMENT AU QUÉBEC

Les agences immobilières québécoises sont plus rares pour trouver des locations ; il faut donc user seul de stratagèmes. Arrivée en juillet 2009, Annabel Maussionette a déniché son logement dans le journal *La Presse* qui publie de nombreuses annonces. Cette mère de trois enfants a trouvé un appartement de 90 mètres carrés au cœur du quartier portugais du plateau. « Je n'avais pas de garantie à présenter puisque je n'avais pas encore de travail, dit-elle. Mais cela ne semblait pas poser problème à mes propriétaires ». Depuis, toute la famille habite ce bas de duplex, un 5 et demi avec 3 chambres fermées et un jardin partagé pour 1 000 $ par mois.

Suivez les pistes dans les journaux, sur Internet... et sillonnez les rues

Les journaux restent une bonne référence pour trouver un appartement. Le mot d'ordre est la rapidité, il faut téléphoner dès que vous apercevez une annonce qui vous intéresse, surtout si vous cherchez pour le 1er juillet. Surveillez la sortie des journaux du mercredi et du samedi et scrutez les petites annonces. En plus des journaux comme *La Presse* et *Le Journal de Montréal* à Montréal ou *Le Soleil* à Québec, vous pouvez consulter dans les deux villes le journal gratuit *Voir* dès sa parution le jeudi matin à 9 heures. Vous pouvez avoir accès aux annonces sur le site internet de *Voir* ; vous pouvez aussi les recevoir par e-mail en vous inscrivant. Pour avoir la primeur des offres d'appartements de ce journal sur le logement, il est possible de passer par son service payant.

Les sites internet des journaux ou les portails spécialisés sont désormais une solution idéale pour trouver un appartement. Nous vous suggérons quelques liens ci-après.

Ratisser les rues s'avère également très porteur : vous y découvrirez des trésors. Choisissez un quartier et sillonnez-le, surveillez les affiches « À louer ». Parlez aux passants, on ne sait jamais, ils pourraient avoir un ami qui cherche à louer un appartement. Armez-vous d'un téléphone cellulaire, louez une voiture, votre « chasse » sera encore mieux organisée. Certains organismes d'aide aux immigrants peuvent vous orienter dans votre recherche de logement, certains comme l'Union française ont même des banques de données de propriétaires. Vous pouvez aussi vous reporter au chapitre intitulé « Trouver du travail sur place » (page 128) qui comprend un développement sur « Les Centres d'aide et les organismes pour les nouveaux arrivants » (voir dans la partie 2, page 144).

LOGEMENT : SE RENSEIGNER SUR INTERNET

LIENS SUR LE LOGEMENT

- **ACAM** ➢ www.acam.qc.ca ; annonces classées de l'immobilier à Montréal.
- **Appartalouer.com** ➢ www.appartalouer.com
- **Appart-zone.com** ➢ www.appart-zone.com
- **Craiglist** ➢ http://geo.craigslist.org/iso/ca/qc
- **Cvendu** ➢ www.cvendu.ca (petites annonces de plusieurs journaux québécois)
- **Le Devoir** ➢ www.ledevoir.com/fichiers_annonces_classees/2011_01_17.pdf
- **Easyroommate** ➢ http://ca.easyroommate.com
- ***The Gazette*** ➢ http://montrealgazette.oodle.com (quotidien anglophone de Montréal).
- **Journal de Montréal** ➢ www.vitevitevite.com
- **Kijiji** ➢ http://montreal.kijiji.ca
- **Les Pac** ➢ www.lesPAC.com
- **La Régie du logement du Québec** ➢ www.rdl.gouv.qc.ca
- **Smartapart** ➢ www.smartapart.com
- **tout montréal** ➢ www.toutmontreal.com/logements
- **Union française**, 429, rue Viger Est, Montréal, Québec, H2L 2N9 ☎ 1-514-845-5195 ➢ www.unionfrancaise.ca
- ***Voir*** ➢ www.cherchetrouve.ca

POUR UNE LOCATION DE COURTE DURÉE

À Montréal

Hébergements pas chers (moins de 70 $ CAN)

- **Auberge alternative**, 358, rue Saint-Pierre ☎ 1-514-282-8069 ➢ www.auberge-alternative.qc.ca
- **Auberge de jeunesse de Montréal**, 1030, rue Mackay ☎ 1-514-843-3317 ➢ www.hostellingmontreal.com
- **L'Abri du voyageur**, 9, rue Sainte-Catherine Ouest ☎ 1-514-849-2922 ➢ www.abri-voyageur.ca

(...)

(...)

- **B&B Relais Montréal Hospitalité, 3977, av. Laval ☎ 1-514-287-9635 ➢ www.martha-pearson.com**
- **Chambres Vacances Canada, 4 saisons, 5155 de Gaspé ☎ 1-514-270-4459.**
- **Collège Français, 185, av. Fairmount Ouest ☎ 1-514-495-2581 (de mai à août).**
- **Gîte du parc Lafontaine, 1250, rue Sherbrooke Est ☎ 1-514-522-3910 ➢ www.hostelmontreal.com**
- **Gîte du Plateau Mont-Royal, 185 Sherbrooke Est, H2X 1C7 ☎ (514) 284-1276 ➢ www.hostelmontreal.com**
- **Hôtel Pierre, 169, rue Sherbrooke Est ☎ 1-514-288-8519.**
- **Manoir Ambrose, 3422, rue Stanley ☎ 1-514-288-6922 ➢ www.manoirambrose.com**
- **Les résidences Maria-Goretti, 3333, Côte-Sainte-Catherine ☎ 1-514-731-1161 (pour femmes seulement).**
- **Les résidences des étudiants de l'université McGill, 3935, rue Université ☎ 1-514-398-5200 ➢ www.mcgill.ca/students/housing/summer (de mai à août).**
- **Les résidences des étudiants de l'université de Montréal, Les Studios Hôtel, 2450, bd Édouard-Montpetit, Montréal ☎ 514-343-8006 ➢ www.studioshotel.ca (de mai à août).**
- **Les résidences universitaires de l'UQAM, 303, rue René-Lévesque Est, Montréal, Québec H2X 3Y3 ☎ 1-514-987-6669 ➢ residences-uqam.qc.ca (de mai à août).**
- **YMCA centre-ville, 1450, rue Stanley ☎ 1-514-849-839 ➢ www.ymcamontreal.qc.ca**
- **YWCA, 1355, rue René-Lévesque Ouest ☎ 1-514-866-9941 ➢ ydesfemmesmtl.org (pour femmes).**

Autres hébergements abordables (entre 70 $ CAN et 130 $ CAN)

- **Armor Manoir Sherbrooke, 157, rue Sherbrooke Est ☎ 1-514-845-0915, 1-800-203-5485 ➢ www.armormanoir.com**
- **Auberge jardin d'Antoine, 2024, rue Saint-Denis ☎ 1-514-843-4506 ➢ www.hotel-jardin-antoine.qc.ca**

(...)

LOGEMENT : SE RENSEIGNER SUR INTERNET

- **Hôtel Casa Bella, 264, rue Sherbrooke Ouest ☎ 1-514-849-2777 ➢ www.hotelcasabella.com**
- **Hôtel de Paris, 901, rue Sherbrooke Est ☎ 1-514-522-6861, 1-800-567-7217 ➢ www.hotel-montreal.com**
- **Hôtel du nouveau forum, 1320, rue Saint-Antoine Ouest ☎ 1-514-989-0300 ➢ www.nouveau-forum.com**
- **Hôtel Le Plateau, 438, av. Mont-Royal Est ☎ 1-514-982-1734.**
- **Hôtel Montréal Centrale, 1586, rue St Hubert ☎ 514-843-5739 ➢ www.hotelmontrealcentrale.com**
- **Hôtel Travelodge, 50, bd René-Lévesque Ouest ☎ 1-514-874-9090 ➢ www.travelodge.ca**

***Autres organismes offrant des locations à moyen et long terme :* il est possible d'y trouver des appartements meublés pour une semaine, un mois ou à long terme.**

- **Francine Leblanc, 1175, rue Bernard Ouest, bur. 301, Outremont, Montréal ☎ 1-514-736-3039 ➢ www.francineleblanc.com**
- **Logis Montréal, 1201, rue Sainte-Catherine Est ☎ 1-514-844-8416 ➢ www.logis-montreal.com**
- **Arianne, 1600, rue Notre-Dame Ouest, Suite 312 ☎ 1-514-482-2200 ➢ www.ariannerelocation.com**

À Québec

- **Kijiji Québec ➢ http://quebec.kijiji.ca**
- **Vos classées ➢ www.vosclassees.ca (petites annonces du journal *Québec Hebdo*)**
- **Le journal de Québec ➢ http://lejournaldequebec.vitevitevite.ca/**

Hébergements pas chers (moins de 70 $ CAN)

- **Auberge de jeunesse de la paix, 31, rue Couillard ☎ 1-418-694-0735. ➢ www.aubergedelapaix.com**
- **Auberge Michel-Doyon, 1215, chemin Sainte-Foy ☎ 1-418-527-4408, 1-888-43-DOYON ➢ www.aubergemicheldoyon.com** *(...)*

(...)

- Centre international de séjour de Québec, auberge de jeunesse, 19, rue Sainte-Ursule ☎ 1-418-694-0755 ➢ www.cisq.org
- Le Manoir des Remparts, 3 1/2, rue des Remparts ☎ 1-418-692-2056 ➢ www.manoirdesremparts.com
- YMCA de Québec, 855, rue Holland ☎ 1-418-683-2155 ➢ www.ywcaquebec.qc.ca (pour femmes).
- Les résidences de l'université Laval, Sainte-Foy ☎ 1-418-656-2921 ➢ www.residences.ulaval.ca

Autres hébergements abordables

- Auberge Douceurs belges, 4335, rue Michelet, Les Saules, Québec G1P 1N6 ☎ 1-418- 871-1126 ➢ www.douceursbelges.ca
- Auberge La Camarine, 10947, bd Sainte-Anne, Beaupré, Québec G0A 1E0 ☎ 1-418- 827-5703 ➢ www.camarine.com
- Auberge L'Autre jardin, 365, bd Charest Est ☎ 1-418-523-1790, 1-877-747-0447 ➢ www.autrejardin.com.
- Auberge du Trésor, 20, rue Sainte-Anne ☎ 1-418-694-1876 ➢ www.aubergedutresor.com
- B&B Des Grisons, 1, rue Des Grisons ☎ 1-418-694-1461 ➢ www.bbcanada.com/2608.html
- Appartement-hotel Bonséjours, 237, St-Joseph Est, Vieux-Québec ☎ 1-418-380-8080 et 1-866-892-8080 ➢ www.bonsejours.com
- Les angéliques, les Appartements et studio Sainte-Angèle, 30 rue Sainte-Angèle, Vieux-Québec ☎ 1-418-717 4229 ➢ www.lesangeliques.com
- B & B Couette et Café à la Québécoise, 305 rue Dorchester, Québec ☎ 1-418-529-2013 ➢ www.cetcqc.com

Autres organismes offrant des locations à moyen ou long terme à Québec :

- Antre-amis, 53 rue d'Auteuil, Québec ☎ 1-418-694-1113 et 1-888-453-4010 ➢ www.antre-amis.com
- Appartements Laberge ➢ www.laberge.qc.ca

(...)

LOGEMENT : SE RENSEIGNER SUR INTERNET

- **Appartements Logibourg, 955 Fernand-Dufour, Québec, Québec ☎ 1-418-623-4006 ➢ http://www.logisbourg.com**
- **La Pergola, 405, bd René-Lévesques ouest, Québec ☎ 1-418-681-1428 ➢ www.appartementslapergola.com**

☛ Bonus Web. Pour d'autres informations : www.immigrer.com/98

ACHETER UN LOGEMENT OU UNE MAISON

Le marché de l'immobilier de Montréal a beaucoup évolué ces dernières années. En effet, le coût des maisons a augmenté de 134 % entre 2001 et 2009 dans la métropole québécoise. Malgré cela, l'accès au marché de l'immobilier montréalais est parmi les plus abordables des grandes agglomérations canadiennes en Amérique du Nord d'un million d'habitants et plus. Aussi, avec la crise financière, Montréal est le seul marché métropolitain au Canada qui n'a pas connu de baisse de prix des maisons, comme ce fut le cas aux États-Unis et dans le reste du Canada où, de juin 2008 à juin 2009, les prix ont reculé de 10,7 % à Vancouver, de 12,5 % à Calgary, de 5,6 % à Toronto et de 0,4 % à Halifax. Selon la SCHL, en 2011, le prix moyen des maisons dans la région de Montréal était de 275 000 $ CAN et de 217 150 $ CAN à Québec. Au Canada, en mars 2011, Vancouver se retrouve en tête pour les maisons les plus chères avec un coût moyen de 786 000 $ CAN, suivis par Toronto à 456 000 $ CAN et Calgary à 399 000 $ CAN.

Si vous avez envie d'acquérir une propriété, vous pouvez faire appel aux différentes agences immobilières, où leurs agents se feront un

DEVENIR PROPRIÉTAIRE : DES LIENS POUR SE RENSEIGNER

- **Du Proprio ➢ www.duproprio.com**
Ce site s'est donné comme mission d'offrir *via* Internet un service immobilier complet : vendre, louer ou acheter une propriété « sans agent immobilier et sans payer de commission »
- **Go Proprio ➢ www.goproprio.com**
- **Proprio Direct ➢ www.propriodirect.com**
- **Micasa ➢ http://micasa.canoe.com/**

Et encore :
- **La Société canadienne d'hypothèques et de logement ➢ www.cmhc-schl.gc.ca et www.schl.ca/nouveaux arrivants**
- **MLS ➢ www.mls.ca**
- **Multi Prêts ➢ www.multi-prets.com**
- **Ordres des évaluateurs agréés du Québec ➢ www.oeaq.qc.ca**
- **Chambre des notaires du Québec ➢ www.cdnq.org**
- **Guide Habitation (projets immobiliers de Québec) ➢ www.guide-habitation.ca**

plaisir de vous orienter dans vos démarches et de vous assister lors de l'achat d'une propriété. Voici quelques grands noms d'agences : Remax, La Capitale, Century 21, Sutton, Royal Lepage.

N'oubliez pas de comparer les différentes hypothèques et de rencontrer plusieurs agents immobiliers avant de faire votre choix. Pour l'hypothèque, vous pouvez aller voir votre banque ou encore un courtier hypothécaire comme Multi-Prêts. Pour prendre une hypothèque, il vous faudra obtenir un crédit auprès d'une institution financière. Vous devrez présenter une déclaration fiscale ou une lettre de votre employeur définissant votre salaire, statut… afin de faire une

Vécu

Deux expériences d'achat de maisons

AURÉLIE DEHLING A À PEINE TRENTE ANS et a déjà acheté 4 condos et une maison unifamiliale au coeur de Montréal. Arrivée en 2004, elle a acheté rapidement un premier condo dans lequel elle a habité avec son conjoint. « Ici c'est beaucoup plus facile d'acheter, dit-elle. On a acheté dans des quartiers un peu délabrés, mais les appartements ont rapidement pris de la valeur. Le système de financement est plus simple qu'en France. Dès que le premier achat a pris de la valeur, j'ai utilisé le surplus pour acheter un autre logement. Aujourd'hui, ça s'autofinance. » Aurélie est aussi devenue propriétaire en 2009 d'une maison sur trois niveaux avec 200 mètres carrés de jardin pour 550 000 $ au cœur du quartier gay de Montréal.

POUR SA PART, CHRISTOPHE HUMBERT, qui est arrivé en 2007, a acheté une maison en 2009 dans le quartier Rosemont, juste à côté de Villeray. « On cherchait à acheter un rez-de-chaussée de duplex ou de triplex. Et finalement nous avons acheté une maison complète *via* un site d'annonces sur Internet, dit-il. L'achat, j'ai trouvé cela simple et compliqué à la fois. L'immobilier va très vite, tu peux être propriétaire en une semaine ; il fallait juste s'y retrouver dans toute la terminologie locale. » Christophe a payé sa maison de 130 mètres carrés sur deux niveaux 220 000 $. Elle comporte trois chambres fermées et un terrain avant de 240 mètres carrés. Les frais de notaire lui sont revenus à 1 600 $.

demande de prêt. Le taux hypothécaire peut être négocié sur différentes échéances : un an, deux ans, trois ans et plus. En général, lorsque vous présentez une offre d'achat à un vendeur, celle-ci est conditionnelle à l'obtention du financement de l'hypothèque par l'institution financière. Et vous devrez payer la taxe de mutation dite « taxe de bienvenue » calculée sur la valeur de la résidence.

☛ **Bonus Web.** Pour d'autres informations : www.immigrer.com/133

Installation : les démarches à accomplir

Vous avez trouvé un appartement. Il vous reste à accomplir quelques démarches pour vous installer dans les meilleures conditions. Première formalité : prendre une assurance habitation. Puis vous allez sans doute vouloir vous abonner rapidement aux différents services, pour avoir l'électricité, le gaz, le téléphone, Internet, etc. Nous vous présentons dans ce chapitre toutes les aides et les astuces pour faciliter ces étapes.

Prendre une assurance habitation

L'assurance résidentielle n'est pas obligatoire au Québec mais elle est fortement recommandée afin de protéger vos biens en cas de vol, incendie ou vandalisme. Dans la jungle des compagnies d'assurances, il est primordial de bien comparer les différents contrats avant de signer avec une compagnie. Vous pouvez les contacter et leur demander de vous faire parvenir les modalités de leurs contrats d'assurance. Afin de trouver la meilleure assurance possible en fonction de vos besoins, il est nécessaire de bien évaluer vos biens. Portez une attention particulière aux clauses d'exclusion et de valeur à neuf, c'est-à-dire si vous choisissez d'assurer vos biens et d'être remboursé à hauteur de leur valeur à neuf en cas de réclamation. Ne signez qu'après avoir bien

ASSURANCE HABITATION : OÙ COMPARER LES PRIX ?

- **Allstate ➢ www.allstate.ca**
- **Axa ➢ www.axa.ca**
- **Bureau d'assurance du Canada ➢ www.ibc.ca**
- **Chubb ➢ www.chubb.com/international/canada/fr/index3.html**
- **Desjardins ➢ www.desjardinsassurancesgenerales.com**
- **La Capitale ➢ www.lacapitale.com**
- **Meloche ➢ www.melochemonnex.com**
- **Wawanesa ➢ www.wawanesa.com**

lu et compris le contrat. N'hésitez pas à prendre conseil auprès de votre entourage, surtout auprès de ceux qui ont eu recours à un assureur.
☛ **Bonus Web.** Pour plus d'informations : www.immigrer.com/134

LE BRANCHEMENT À L'ÉLECTRICITÉ ET AU GAZ

Créée en 1944, Hydro-Québec, la compagnie d'électricité nationalisée dans les années 60, gère cette énergie grâce aux nombreux barrages hydroélectriques répartis sur le territoire. Ainsi, les Québécois profitent d'un des tarifs de consommation électrique les plus bas au monde. Il est possible de connaître le coût approximatif de votre futur logement en contactant Hydro-Québec. Pour y ouvrir un compte, il suffit de leur téléphoner.
☛ Hydro-Québec ➢ www.hydroquebec.com ; Montréal : ☎ 1-514-385-7252. Partout ailleurs au Québec : ☎ 1-888-385-7252.

SE MEUBLER PAS CHER

EN DEHORS DE MAGASINS comme Ikéa offrant des meubles neufs à prix abordables, il est aussi possible de se procurer des meubles d'occasion. Tout le réseau du recyclage (meubles, vêtements et autres) est assez développé au Québec. C'est très facile également de s'équiper en appareils électroménagers d'occasion, vendus, par exemple, dans la rue Papineau de Montréal. Une adresse à retenir, car de nombreux appartements sont loués sans ces appareils.

Voici quelques adresses classiques :

- L'Armée du Salut
  ➣ www.armeedusalut.ca
- Le Village des valeurs
  ➣ www.villagedesvaleurs.com
- Le guide du réemploi de l'île de Montréal
  ➣ www.ville.montreal.qc.ca/reemploi
- Le guide du réemploi de la ville de Québec :
  ➣ www.reduiremesdechets.com
- Recyc-Québec
  ➣ www.recyc-quebec.gouv.qc.ca

Au printemps et aux environs du 1er juillet, surveillez les « ventes de garages » annoncées sur les poteaux électriques ou de téléphone dans différents quartiers.

LORS DU GRAND MÉNAGE de printemps ou dans la perspective d'un déménagement, les résidents organisent eux-mêmes, en toute quiétude, ces bazars improvisés dans les arrière-cours de leurs immeubles. On y trouve de tout à des prix fort intéressants : lits pliants pour bébé, fauteuils, bicyclettes, jouets, vêtements, armoires, cannes à pêche...

IL EXISTE DES ÉCOCENTRES ou des déchetteries dans la plupart des villes québécoises, on peut y déposer ses vieux objets et ses résidus toxiques comme y trouver des objets usagés très bon marché. Renseignez-vous après de votre municipalité.

ET N'OUBLIEZ pas les petites annonces, de LesPAC.com à Kijiji.ca en passant par les annonces des journaux et les sites internet qui regorgent d'occasions à ne pas manquer !

La compagnie pour l'énergie au gaz est Gaz métropolitain. Pour ouvrir un compteur :

☛ À Montréal : 1717, rue du Havre, Montréal, Québec, H2K 2X3, ☎ 1-514-598-3222.

☛ À Québec : 2300, rue Jean-Perrin, Québec, Québec, G2C 1K8, ☎ 1-418-842-9960.

☛ Le reste du Québec : ☎1-800-361-4568 (numéro sans frais), site internet : www.gazmet.com

LE BRANCHEMENT AU TÉLÉPHONE

Plusieurs compagnies (Bell Canada – la compagnie nationale, Sprint Canada, etc.) proposent les services de téléphonie locale depuis la déréglementation dans ce domaine. Elles offrent un tarif fixe mensuel pour un nombre illimité d'appels locaux, quel que soit le temps d'utilisation. Et les mêmes conditions s'appliquent si vous passez par la ligne de téléphone pour accéder à Internet. À Montréal, sont considérés comme appels locaux les numéros qui débutent par 514, 438 et 450, ce qui inclut l'île de Montréal et les banlieues nord et sud. Vous avez plusieurs possibilités pour les appels internationaux. De nombreux arrivants prennent un abonnement chez une compagnie de téléphone interurbain qui offre d'intéressantes réductions pour la ligne résidentielle ou utilisent aussi en plus, pour les longues conversations, les cartes d'appel vendues chez les dépanneurs et dans tout magasin de quartier.

Rappel des numéros pour l'installation

- **Bell Canada ☎ 514-310-2355 ou 1-800-668-6878 (partout dans le pays)**
- **Vidéotron ☎ 514-380-2967 ou 1-866-380-2967.**
- **Hydro-Québec île de Montréal ☎ 514-385-7252 ou partout au Québec ☎ 1-888-385-7252.**
- **Bell internet ☎ 1-800-773-2121 (partout dans le pays).**

Aussi, un nombre grandissant d'immigrants utilisent le service de Skype sur Internet pour téléphoner ou encore faire des vidéos conférences avec l'étranger ou même pour des appels locaux ou nationaux. Le service est gratuit d'ordinateur à ordinateur. Si vous voulez contacter quelqu'un par téléphone, il faut ouvrir un compte chez Skype. Les tarifs sont très intéressants.

Les téléphones cellulaires

Les téléphones portables sont communément appelés « cellulaires » au Québec. La norme GSM ne fonctionne pas en Amérique du Nord, ainsi ne pensez même pas apporter votre portable d'Europe. Les téléphones achetés en Europe, même les bimodes ne fonctionnent pas sur le territoire québécois. Quelques grandes compagnies (Fido, Bell-mobilité, Telus et Rogers) se divisent le marché de la téléphonie et proposent des téléphones avec des forfaits, allant des abonnements à la carte au service illimité en passant par une couverture analogique ou numérique. En général, le service de base pour 200 minutes par mois coûte autour de 25 $ CAN. Mais attention, votre forfait mensuel peut considérablement augmenter, si vous ajoutez au service de base un afficheur, un répondeur, une mise en attente, etc.

Il est aussi possible d'acheter des téléphones cellulaires qui fonctionnent à la carte. Ainsi vous payez d'avance votre consommation, ceci permet de gérer son budget et de faire des économies. Sachez qu'en Amérique du Nord, l'utilisateur du téléphone paie pour les communications dans les deux sens, aussi bien lorsqu'il reçoit que lorsqu'il émet. En revanche, celui qui compose d'un téléphone fixe un numéro de cellulaire ne paiera aucun frais supplémentaire. Certaines compagnies comme Vidéotron proposent un service intéressant pour ceux qui ont besoin de deux téléphones. Aussi les appels sont gratuits

TÉLÉPHONE, INTERNET : OÙ SE RENSEIGNER ?

- **Bell Canada ➢ www.bell.ca (téléphonie, Internet, télévision et satellite)**
- **ColbaNet ➢ www.colba.net (téléphonie et Internet)**
- **Fido ➢ www.fido.ca (téléphonie)**
- **Telus ➢ www.telus.com (téléphonie et Internet)**
- **Koodoo ➢ www.koodomobile.com (téléphonie)**
- **Telnet communications ➢ www.telnetcommunications.com (téléphonie et internet)**
- **Radioactif ➢ www.radioactif.com (Internet)**
- **Rogers ➢ www.rogers.com (téléphonie et Internet)**
- **Telus ➢ www.telusmobilite.com (téléphonie, câble télé et Internet)**
- **Shaw ➢ www.shawdirect.ca (satellite télé)**
- **Sprint Canada ➢ www.sprint.com (téléphonie et Internet)**
- **Vidéotron ➢ www.videotron.ca (téléphonie, télévision, câble télé et Internet)**
- **Vif ➢ www.vif.net (téléphonie et Internet)**
- **Virgin ➢ www.virginmobile.ca (téléphonie)**
- **Yak ➢ www.yak.ca (téléphonie et Internet)**

entre tous les abonnés de Vidéotron, comme le partage de voix et de données.

☛ **Bonus Web.** Pour plus d'informations : www.immigrer.com/141

LE BRANCHEMENT AU CÂBLE TÉLÉVISION ET INTERNET

De nombreux Québécois sont branchés au câble télé. Chez Vidéotron qui est un des principaux fournisseurs de service, il est possible de recevoir TV5 et d'autres chaînes européennes comme

LES CYBERCAFÉS AU QUÉBEC

À Montréal

- **CyberGround NetCafé, 3672, bd Saint-Laurent ☎ 1-514-842-1726**
- **Café Cybermac, 1425, rue Mackay ☎ 1-514-287-9100.**
- **Café Jeunesse, 330, rue Émery ☎ 1-514-762-4449 (accès gratuit).**
- **Café Planète, 163, av. Mont-Royal Ouest ☎ 1-514-844-2233.**
- **Internet connection, 1835, av. Mont-Royal Est ☎ 1-514-525-5999.**
- **L'Original international, 4473, rue Saint-Denis ☎ 1-514-842-2790.**
- **Le Point Vert, 4040, rue Saint-Laurent ☎ 1-514-982-9195.**
- **Île sans fil (gratuit) ➢ www.ilesansfil.org**

À Québec

- **Café Internet du Palais Montcalm, 995, Place d'Youville, Québec, Québec ☎ 1-418-692-4909 ➢ www.palaismontcalm.ca**
- **Tribune Café, 950, Saint-Jean, Québec,Québec, G1R 1R5 ☎ 1-418-694-0051.**

Partout au Québec

- **Les cafés Second Cup ➢ www.secondcup.com**
- **Les cafés Press Café ➢ www.pressecafe.com**
- **Les Cafés Dépôt ➢ www.cafedepot.com**

EuroNews, Paris Première, Planète. Vous pouvez aussi capter la télévision par satellite chez shaw et Bell Express Vu. De nombreux Québécois regardent la télé en différé *via* les sites consacrés aux émissions de télévisions comme tou.tv (productions télés de Radio-Canada) qu'on ne peut regarder qu'à partir du Canada. Un bon moyen de prendre un bain de culture locale.

Pour l'accès internet, de nombreuses entreprises offrent la connexion par l'ADSL ou modem câble telles de grandes compagnies comme Bell et Vidéotron, mais aussi des plus petites compagnies comme Vif,

Radioactif, Colba, etc. Pour un peu plus d'une vingtaine de dollars par mois, vous pouvez avoir un accès au réseau. La plupart des opérateurs téléphoniques cellulaires comme Rogers et Vidéotron offrent également un service d'accès au web *via* 3G (par clé USB ou par *smartphone*).

Où trouver un cybercafé ?

Si vous ne comptez pas prendre tout de suite un abonnement à Internet, sachez qu'il est possible de naviguer gratuitement dans certains lieux publics. La navigation sur la Toile est gratuite dans les réseaux des bibliothèques municipales pour les résidents, dans certains bureaux de poste et dans les centres communautaires. Les cybercafés proposent plutôt des offres très axées sur les jeux. De nombreux cafés de Montréal et ailleurs au Québec offrent la connexion haut débit sans fil et gratuite à tous leurs clients, il suffit d'avoir son ordinateur portable. La connexion au réseau sans fil (WiFi en France) n'est jamais reliée à un forfait de téléphone cellulaire mais gérée par les cafés et restaurants eux-mêmes. Un code d'accès au réseau est souvent requis ; il vous est donné sur votre facture de consommation. En fait, l'accès à l'Internet sans fil gratuit est beaucoup plus répandu au Québec et en Amérique du Nord en général qu'outre-mer. Il est assez facile de trouver des points d'accès gratuit au centre-ville des villes nord-américaines. Dans le centre-ville de Montréal, sur le Plateau ou dans le quartier latin près du métro Berri-UQAM et près de toutes les universités, vous trouverez de nombreux cafés où la clientèle jeune et étudiante sirote un café tout en surfant sur Internet. Sachez reconnaître les principaux grands noms des chaînes de cafés de Montréal qui offrent souvent ce service : Café Dépôt, Java U, Tribune Café, Café Vienne, Café La Brûlerie, Second Cup, Starbucks Café, Café République, etc.

☛ Le site Île sans fil offre la carte des points d'accès
➢ www.ilesansfil.org

Se déplacer au Canada

L'Amérique du Nord demeure le royaume de la voiture. Le prix peu élevé des véhicules (à l'achat comme en location) et de l'essence explique qu'elle reste le principal moyen de déplacement pour les courtes distances. Vous êtes au royaume de la grosse « américaine ». Si vous en êtes amateur, réjouissez-vous ! Mais pour voyager à travers tout le territoire canadien ou pour vous déplacer en centre-ville, il existe d'autres solutions.

Se déplacer d'une province à l'autre

Même si le Canada est né en 1867 du besoin de relier par train les différentes régions du pays, le réseau d'aujourd'hui n'est pas aussi développé ou utilisé qu'en Europe. Aucun train à grande vitesse, TGV ou autres, ne parcourt le territoire canadien. VIA Rail, la principale compagnie de chemin de fer au Canada propose néanmoins plusieurs trajets. Si les billets sont souvent assez chers, vous trouverez cependant à leur bord un excellent service et une tranquillité assurée.

Vu l'immensité du territoire, les Canadiens choisissent plutôt l'avion pour les grandes distances et utilisent au Québec principalement les aéroports Trudeau à Montréal et Jean-Lesage à Québec. Il existe aussi un réseau bien développé de compagnies d'autobus qui relie entre elles à des prix raisonnables les grandes et petites villes du pays. Le réseau autobus est beaucoup plus utilisé que celui des

DES SERVICES PRÉCIEUX POUR VOUS ORIENTER

LA SOCIÉTÉ DE TRANSPORT DE MONTRÉAL a mis en place Infobus et son centre de renseignements, une ligne d'aide au trajet. Infobus est un service téléphonique automatisé qui vous permet de connaître l'horaire exact de l'autobus qui passe à un arrêt. Chaque arrêt d'autobus est dôté d'un numéro de téléphone distinct, il suffit de le composer pour connaître le prochain passage de l'autobus, ce qui constitue un service très pratique, surtout en hiver.

L'AUTRE SERVICE est celui du centre de renseignement A-U-T-O-B-U-S (514-288-6287) qui vous permet de trouver le meilleur trajet entre un point A et un point B. Ce numéro téléphonique est très pratique pour les nouveaux arrivants afin de s'orienter dans la ville et ne pas perdre de temps. N'hésitez pas à l'utiliser.
Sur Internet, en plus de Google Maps, vous pouvez aussi organiser vos déplacements rapidement en utilisant le calculateur de trajets de la STM : www.stm.info/azimuts

trains. Les principales compagnies d'autobus sont Orléans, Gray Line et Voyageur.

LES TRANSPORTS EN COMMUN AU QUÉBEC

Pour quelques dizaines de dollars par mois vous pouvez obtenir une carte de transport en commun dans plusieurs villes québécoises. La grande région de Montréal compte trois réseaux de transport en commun, celui de l'île de Montréal (Réseau de transport de Longueil), du nord et du sud (Société de transport de la rive sud de Montréal et

QUATRE CONSEILS POUR ROULER TRANQUILLE

1. POUR ROULER ÉCONOMIQUE OU ÉCOLOGIQUE. Il existe des solutions alternatives et moins onéreuses pour circuler. L'organisme Communauto permet à ses membres de partager l'accès à une voiture. Et Allo-Stop offre un bon service « sécuritaire » (sûr) de covoiturage entre la plupart des villes québécoises importantes.

2. ASSUREZ-VOUS. Pensez aussi à prendre une assurance automobile dès l'immatriculation de votre véhicule.

3. JAMAIS SANS SA PELLE. Si vous avez à faire de longs trajets pendant l'hiver, assurez-vous d'avoir toujours une pelle pour déneiger et une couverture chaude au cas où.

4. ABONNEZ-VOUS à CAA Québec, vous achèterez ainsi la tranquillité d'esprit si vous êtes souvent sur la route (voir page 325). En plus des réductions, des magazines, vous bénéficiez de dépannages gratuits et rapides inclus avec le forfait de base. Très pratique surtout en hiver.

➢ www.caaquebec.com

Si une tempête se prépare, il est nécessaire de bien s'informer sur l'état des routes et sur les prévisions météorologiques.

Vous pouvez utiliser la ligne d'information continue en transport du Québec (soit le 5-1-1) de partout à travers la province. Ce service téléphonique vous communiquera les dernières informations sur l'état des routes en cas de températures difficiles ou imprévus.

☛ Plusieurs sites pour vous indiquer la circulation et les travaux routiers dans Montréal et sa région :

Québec 511 ➢ www.quebec511.gouv.qc.ca

Radio Circulation ➢ www.radiocirculation.net

Zone cone ➢ zonecone.ca

Société de transport de Laval). Le réseau de trains de banlieue (Agence métropolitaine de transport) de la région de Montréal est une solution de rechange de plus en plus utilisée pour conduire en toute sécurité les habitants des municipalités limitrophes vers le cœur de la ville. Montréal a son métro depuis 1967, l'année de l'exposition universelle dans la ville. Les horaires précis des autobus et trains sont disponibles

LES SITES SUR LE TRANSPORT

- **Aéroport de Québec ➢ www.aeroportdequebec.com**
- **Aéroport de Montréal ➢ www.admtl.com**
- **Agence métropolitaine de transport ➢ www.amt.qc.ca**
- **Amigo express (covoiturage) ➢ www.amigoexpress.com**
- **Autobus Orléans ➢ www.orleansexpress.com**
- **Autobus Gray line ➢ www.grayline.ca**
- **Autobus Greyhound ➢ www.greyhound.ca**
- **Avis ➢ www.avis.com**
- **Budget ➢ www.budget.ca**
- **Covoiturage Allo-Stop ➢ www.allostop.com**
- **Communauto (partage de voiture) ➢ www.communauto.com**
- **Conditions des routes au Québec ➢ www.quebec511.gouv.qc.ca**
- **Discount ➢ www.discountcar.qc.ca**
- **H Grégoire (achat de voiture) ➢ www.hgregoire.com**

Les mégacentres d'autos d'occasion du Canada.

- **Hertz ➢ www.hertz.com**
- **Société de transport de Montréal ➢ www.stm.info**
- **Réseau de transport de Longueil (rive sud de Montréal) ➢ www.rtl-longueuil.qc.ca**
- **Société de transport de Laval ➢ www.stl.laval.qc.ca**
- **Réseau de transport de la capitale ➢ www.rtcquebec.ca**
- **Thrifty ➢ cf.thrifty.com**
- **Traversiers du Québec ➢ www.traversiers.gouv.qc.ca**
- **Via Rail ➢ www.viarail.ca**
- **Via Route ➢ www.viaroute.com**

dans les gares, à la station de métro Berri-Uqam ou encore sur les sites internet de ces sociétés. Pour des raisons de sécurité, sachez que le soir, les passagères des autobus peuvent demander au chauffeur de les déposer à un coin précédant ou suivant un arrêt identifié. L'arrêt doit évidemment être sur le chemin du conducteur.

Dans la ville de Québec ou ailleurs, vous ne trouverez pas de services de métro mais des circuits d'autobus organisés pour transporter les travailleurs et les étudiants d'un côté à un autre de la ville.

LOUER OU ACHETER UNE VOITURE

Dans une ville comme Montréal ou dans la Haute-Ville et la Basse-Ville à Québec, il n'est pas indispensable d'avoir une voiture, surtout lorsque vous êtes au cœur de la ville, non loin d'un métro. Mais si vous comptez vous procurer un véhicule, vous avez le choix entre plusieurs marques américaines et japonaises, et aussi quelques concessionnaires européens (principalement à Montréal). De nombreux garages vendent des voitures d'occasion, il est évidemment conseillé d'acheter avec prudence ce type de véhicule. Les voitures neuves peuvent s'acheter ou se louer à des taux d'intérêt très bas, autour de 0,9 % pour les marques américaines.

Communauto, l'autre façon de louer

Une autre solution pratique, avantageuse, économique et même écologique est de devenir abonné de Communauto. En y adhérant, vous avez accès à une voiture quelques heures par semaine ou encore quelques jours par mois à très peu de frais. Il ne s'agit pas d'une agence de location ordinaire mais vraiment d'une nouvelle façon de se partager la disponibilité d'une voiture. Une fois abonné, vous réservez sur leur site web (voir l'encadré) ou par le téléphone et vous vous rendez dans un des nombreux parcs automobiles du centre-ville pour retirer votre voiture, à la façon d'un libre-service sans passer par un préposé.

H.Grégoire représente le plus grand centre de parc automobile au pays avec des véhicules presque neufs dont une grande sélection de 4 x 4 (Vus au Québec), camionnettes, véhicules de prestige, etc. Les centres ouverts tous les jours offrent des prix fixes sans négociations, accompagnés d'une très bonne garantie. Comme Locations d'auto et de camions Discount, H.Grégoire est récipient du prix du choix des consommateurs (ccaward), une mention reconnue au Canada pour la satisfaction des consommateurs. Le site web www.hgregoire.com offre une bonne idée des véhicules disponibles dans les 9 mégacentres.

La location, une solution pratique

La location à long terme est une option très répandue en Amérique du Nord. Elle permet au client d'avoir constamment une voiture neuve et d'en changer tous les deux ans. Vous versez une somme initiale et, en fonction de celle-ci, des mensualités qui se rapprochent beaucoup du coût d'achat. Habituellement, le contrat de base comprend environ 20 000 à 25 000 kilomètres par an. Il est possible de « briser » votre contrat si vous voulez changer de voiture, mais à condition de trouver une personne intéressée par votre véhicule. Informez-vous sur cette possibilité car elle vous permet d'avoir une voiture fiable : un facteur important dans un pays si marqué par son climat. Un site internet peut vous accompagner dans le transfert de bail afin de trouver preneur pour votre bail de location : http://byebyebail.ca

La location à court terme de voiture est beaucoup plus abordable qu'en Europe. Vous pouvez réserver, sur Internet ou par téléphone, une voiture qui vous attendra lors de votre arrivée à l'aéroport. Voici quelques noms de compagnies de location de voiture : Avis, Budget, Discount, Hertz, Thrifty, Via Route.

☛ **Bonus Web.** Pour plus d'informations : www.immigrer.com/135

Ne vous garez pas n'importe où

Si vous habitez un quartier très peuplé, vous songerez peut-être à vous procurer une vignette de stationnement : adressez-vous à votre ville pour ces autocollants qui pour environ 35 $ CAN par an vous permettent de bénéficier de quelques places réservées. Les inspecteurs ne plaisantent pas si vous avez garé votre voiture au mauvais endroit, dépassé la limite de temps payé au parcmètre ou si vous avez laissé votre véhicule dans un espace réservé aux handicapés. En Amérique du Nord, c'est la tolérance zéro sur ces sujets.

Le transport en vélo et autres deux-roues

Les amateurs de vélo sont de plus en plus nombreux à circuler dans les villes québécoises. Beaucoup de Montréalais empruntent quotidiennement les kilomètres de pistes cyclables pour aller travailler pendant la belle saison. Certains téméraires vont même jusqu'à pédaler pendant l'hiver sur la neige et la glace. La ville de Montréal compte étendre dans les prochaines années son réseau cyclable pour que toute la famille, petits et grands, puisse circuler en sécurité. Les mobylettes et motocyclettes sont présentes dans les rues pendant le printemps, l'été et l'automne.

Chaque année au mois de juin, Montréal accueille la féria du vélo qui consiste en un tour de l'île pour les petits comme les grands cyclistes. Aussi, la ville de Montréal a mis en place en 2009 un système de libre-service de vélos pour la belle saison. Dans les secteurs centraux de la métropole, il est possible de louer un BIXI (vélo en libre-service de Montréal) pour un déplacement entre deux stations de vélo. Une expérience qui s'est soldée par un franc succès avec plus d'un million de déplacements dès la première année de son lancement.
☛ Pour en savoir plus ➢ http://montreal.bixi.com/

Vos finances au Québec

Pour apporter de l'argent de votre pays d'origine au Québec, s'il s'agit de petites coupures pour la vie de tous les jours au début, il est conseillé de passer à un bureau de change avant votre départ et de retirer quelques billets en dollars canadiens. Ensuite, pour de plus gros montants, apportez des chèques de voyage comme les chèques American Express que vous pourrez facilement échanger dans un bureau du centre-ville de Montréal et ainsi avoir rapidement de l'argent liquide. Pour les plus grosses sommes, vous pouvez songer à un transfert de banque à banque dès que vous aurez ouvert un compte au Québec. Il faut alors compter quelques semaines avant de pouvoir toucher son argent. En cas de gros problème urgent, vous pouvez toujours passer par des guichets internationaux de transfert d'argent comme Western Union, dont plusieurs agences sont installées au Québec, principalement à Montréal.

Ouvrir un compte bancaire

Lors de l'ouverture de votre compte, il faut présenter votre Certificat de sélection ou d'acceptation du Québec (CSQ, CAQ ou tout autre document certifiant le cadre officiel de votre installation) et une copie de votre bail. Le NAS (Numéro d'assurance sociale) n'est pas obligatoire pour ouvrir un compte, mais de nombreuses banques le demandent. Sachez que certaines banques sont réticentes à ouvrir un compte à un immigrant, à cause des problèmes de blanchiment d'argent. Les

CARREFOUR DESJARDINS : SERVICES ADAPTÉS AUX NOUVEAUX ARRIVANTS

LE CARREFOUR DESJARDINS est installé au centre ville de Montréal à deux pas de Tourisme Québec, coin Peel et Sainte-Catherine. Avec ce point de service vous pouvez aisément :

- ouvrir un compte bancaire (à distance *via* Internet),
- déposer de l'argent avant même votre arrivée au pays,
- effectuer des transferts de fonds,
- obtenir un chéquier, une carte de crédit (sous certaines conditions).

Tout ceci est réalisable à distance en fournissant par courrier électronique une copie de votre visa (permanent, temporaire ou de travailleur) et de votre passeport. Lors de votre arrivée au Canada, vous devrez vous présenter au Carrefour avec l'original de ces pièces pour valider votre identité.

L'équipe du Carrefour Desjardins est multilingue et spécialisée pour la clientèle des nouveaux arrivants et communautés culturelles. Cette équipe saura répondre à vos questions et vous accompagner dans votre démarche.

Le Carrefour Desjardins offre des ateliers sur des sujets d'actualité financière et sur les valeurs de la coopération propres à Desjardins. On vous expliquera le système bancaire canadien dans son ensemble (comment acquérir une propriété, comment se bâtir un capital).

Reconnu pour son expertise et son envergure, Desjardins est la plus importante institution financière au Québec.

CARREFOUR DESJARDINS
1241, rue Peel, Montréal
Tél. : 514 875- 4266 ou 1 877 875-1118
➢ desjardins.com/carrefour

guichetiers vous poseront quelques questions afin d'éclaircir la situation. Le réseau des Caisses Desjardins est assez ouvert aux besoins des nouveaux arrivants et facilite l'ouverture d'un compte : il n'exige pas

LES SERVICES AUX IMMIGRANTS DE LA BANQUE ROYALE

CETTE INSTITUTION FINANCIÈRE offre non seulement des services bancaires aux immigrants mais aussi de nombreux conseils pratiques lors de l'arrivée au Canada, et ceci en plusieurs langues. Le forfait « Bienvenue au Canada » pour les résidents permanents comprend, entre autres, un compte bancaire courant gratuit pendant douze mois, une carte de crédit, la location gratuite d'un coffre pendant un an, etc. Une formule pour les étudiants est aussi disponible. Il est également possible d'ouvrir des comptes à distance pour le transfert de fonds à l'arrivée. De nombreuses succursales offrent des séminaires d'information en plusieurs langues sur différents sujets.

☛ Pour en savoir plus :
- **www.rbc.com/francais/canada/index.html**
- **www.rbc.com/francais/canada/forfaits-bancaires/index.html**

de NAS (mais vous devrez le présenter dès que vous l'aurez) et ne demande que deux justificatifs. Il faut au préalable prendre un rendez-vous pour l'ouverture d'un compte. Il est pratiquement impossible d'ouvrir un compte bancaire à partir de l'étranger à moins d'être fortuné. Il faut donc être sur place pour faire ces démarches.

LA CARTE INTERAC

Il est important de bien choisir sa banque car les tarifs des transactions, chèques et autres services peuvent varier grandement d'un établissement à l'autre. Afin de limiter les frais de transactions et d'opérations diverses sur votre compte *via* votre carte de débit (Interac) ou vos chèques, il est possible de prendre des forfaits mensuels.

CARTE INTERAC : DES CONSEILS POUR BIEN L'UTILISER

ÉVITEZ LES GUICHETS AUTOMATIQUES « ATM » qui sont surtout installés dans les petites épiceries (dépanneurs) et restaurants ; il s'agit d'une compagnie privée dont les tarifs de transactions sont exorbitants.

LORS D'UN PAIEMENT PAR CARTE de débit chez le commerçant, vous pouvez en profiter pour retirer de l'argent, directement à la caisse, ceci sans même passer à la banque ou par un guichet.

Lors de l'ouverture de votre compte, vous pouvez avoir accès à une carte Interac directement reliée à votre compte bancaire (les retraits s'effectuent en temps réel), accompagnée d'un code confidentiel, appelé NIP (Numéro d'identification personnel). Avec cette carte, il est impossible d'avoir un crédit, vous ne pouvez dépenser que ce que vous avez déjà sur votre compte en banque. Cette carte n'induit pas de frais mensuels d'utilisation, mais les transactions sont payantes si vous effectuez des opérations ailleurs qu'au guichet automatique des succursales de votre banque (ce qui correspond au distributeur de billets en France). Le réseau Interac (www.interac.org) est solidement implanté partout en Amérique du Nord : lorsque vous ferez vos courses, vous pourrez facilement payer par carte de crédit ou avec la carte Interac.

Les carnets de chèques

Si vous voulez ouvrir un compte-chèques, il est important de le préciser lors de l'ouverture d'un compte. Les carnets de chèques sont payants, et chaque chèque l'est aussi. En fait, le paiement par chèque n'est pas très répandu au Québec, ni d'ailleurs au Canada : peu de commerçants

LES PRINCIPALES BANQUES DU CANADA

- **Banque canadienne impériale de commerce (CIBC) ➢ www.cibc.com**
- **Banque de Montréal ➢ www.bmo.ca**
- **Banque HSBC du Canada ➢ www.hsbc.ca**
- **Banque laurentienne ➢ www.banquelaurentienne.ca**
- **Banque nationale du Canada ➢ www.bnc.ca**
- **Banque royale ➢ www.rbcbanqueroyale.com**
- **Banque Scotia ➢ www.scotiabank.ca**
- **Banque Toronto-Dominion ➢ www.td.com**
- **Mouvement des caisses Desjardins ➢ www.desjardins.com**

acceptent ce type de paiement. Les Québécois utilisent principalement le chéquier pour payer le loyer, le téléphone et l'électricité. Une fois installé, vous pourrez même facilement payer ces factures sur Internet, une pratique de plus en plus répandue en Amérique du Nord. Il faut savoir que les services de consultation et de paiement de compte par Internet sont gratuits. Les transactions se font en temps réel.

☛ **Bonus Web.** Pour d'autres informations : www.immigrer.com/136

OBTENIR SA PREMIÈRE CARTE DE CRÉDIT

La première carte de crédit n'est pas facile à obtenir, parce que le nouvel arrivant n'a pas d'historique de crédit au Canada. Renseignez-vous auprès de l'entreprise où vous êtes embauché au Québec, certaines ont des programmes de cartes de crédit pour leurs employés. Votre banque pourra également vous en proposer, mais à condition d'évaluer votre crédit. Les principales cartes sont les suivantes : Visa, Mastercard et American Express. L'utilisation des cartes de crédit est très répandue au Québec. Contrairement à l'usage en Europe comme en France, les

LES SERVICES AUX IMMIGRANTS DE LA BANQUE NATIONALE

TOUTES LES SUCCURSALES de la banque nationale du Canada proposent des services spécifiques aux immigrants. En effet avec l'offre de bienvenue pour les nouveaux arrivants, l'établissement financier propose des facilités aux nouveaux venus. Cette dernière comprend des rabais et des services sur l'ouverture de compte, l'accessibilité à une carte de crédit ainsi qu'à d'autres produits financiers. Les étudiants y trouvent aussi leur compte.

LA BANQUE NATIONALE offre également des conférences d'appoint sur les réalités du système bancaire canadien dans plusieurs organismes en aide aux immigrants et dans des entreprises embauchant des nouveaux venus. Les immigrants entrepreneurs peuvent aussi y être accompagnés, surtout dans les cas de succession d'entreprise entre deux propriétaires. Par ailleurs, la banque offre des services aux immigrants investisseurs. Pour ces derniers, sachez que la banque a un bureau de représentation à Paris.

☛ **Pour en savoir plus,** veuillez consulter leur site web :
➢ bnc.ca/immigrer

cartes nord-américaines ne sont pas affiliées à votre compte bancaire mais à un compte de crédit qui émane d'un autre organisme.

Pour vous aider à contourner le problème de l'historique de crédit, il est aussi conseillé de se munir d'une simple attestation de sa banque d'origine indiquant la gestion normale de ses comptes ainsi que des derniers relevés bancaires. Voir aussi l'encadré ci-après pour une autre alternative.

En fait, le détenteur d'une carte Visa ou Mastercard reçoit chaque mois un relevé de son compte et la date d'échéance du paiement.

COMMENT OBTENIR PLUS RAPIDEMENT SA CARTE DE CRÉDIT ?

VOUS POUVEZ AUSSI DEVENIR MEMBRE d'immigrer.com : avec la carte d'adhérent, vous obtenez plusieurs services reliés à l'installation dont un accès privilégié et accéléré à un compte bancaire dans une banque canadienne qui a des succursales partout dans le pays.

- **Pour plus de renseignements : www.immigrer.com/ membres**

Vous n'avez aucune obligation de payer la totalité, mais un montant minimum doit être réglé chaque mois. La somme due s'accompagne de taux d'intérêt mensuels assez élevés tant que la somme n'est pas entièrement remboursée. Ces taux d'intérêt varient autour de 15 %. Il est important de choisir sa carte de crédit car les taux d'intérêt, les modalités de paiement, les plafonds d'autorisation et les frais annuels varient énormément d'une carte à une autre et d'une institution à une autre.

Un vaste choix est proposé par les institutions financières, mais il faut savoir que de nombreuses cartes de crédit ne comportent aucun frais annuel d'utilisation. Dès que vous aurez une première carte et un début d'historique de crédit, vous constaterez que vous recevrez de nombreuses autres offres de cartes de crédit. Pour comparer les différents coûts des cartes de crédit, rendez-vous sur le site www.infoconsommation.ca, et choisissez la rubrique « Argent ».

UNE VIE À CRÉDIT...

De nombreux magasins offrent des cartes de crédit afin de fidéliser leur clientèle. Ainsi, vous pourriez rapidement vous retrouver avec une importante quantité de cartes de crédit dans votre portefeuille, allant du magasin La Baie à Canadian Tire en passant par Zellers et Future Shop. Attention, ces cartes sont toujours de réelles cartes de crédit et non des cartes de débit comme en France. Comme pour les cartes de crédit traditionnelles, vous avez un mois pour payer la facture sans intérêt. L'obtention de ces cartes est soumise aux mêmes règles que les autres cartes de crédit, le magasin devra faire une enquête avant de vous donner une carte. Habituellement, dès que vous avez une carte de crédit, vous avez accès à toutes les cartes des banques et des grandes surfaces.

Vous comprendrez rapidement que le monde de la consommation en Amérique du Nord est basé sur le crédit. Ces cartes en plastique donnent en effet vite accès à des milliers de dollars. Vous pouvez toujours remettre à plus tard le paiement de vos cartes, mais soyez conscient que les intérêts s'accumulent de mois en mois si vous ne payez pas. Certains consommateurs en viennent parfois à payer plusieurs fois un article tant ils tardent à régler leurs comptes. Bienvenue dans le monde du crédit !
☛ **Bonus Web.** Pour plus d'informations : www.immigrer.com/137

Remplir ses déclarations d'impôts

Les contribuables québécois sont soumis à une double imposition, fédérale et provinciale, donc il faut remplir annuellement deux déclarations d'impôts. Dès que vous devenez résident du Québec, vous êtes assujetti aux impôts.

Pour les salariés, l'employeur déduit les impôts à la source. En février, vous recevez un T4 qui indique votre revenu de l'année écoulée et récapitule les montants retenus sur votre paie. La déduction à la source est

IMPÔTS : OÙ SE RENSEIGNER ?

REVENU QUÉBEC ➢ www.revenu.gouv.qc.ca ☎ 1-866-440-2500 (numéro sans frais au Québec).

À Montréal

- **Complexe Desjardins, CP 3000, succursale Desjardins, Montréal (Québec), H5B 1A4 ☎ 1-514-873-2600, 8 h 30 à 16 h 30 sauf mercredi dès 10 heures.**

À Québec

- **Bureau local, 200, rue Dorchester, Québec (Québec), G1K 5Z1 ☎ 1-418-659-6299, 8 h 30 à 16 h 30, sauf mercredi dès 10 heures.**
- **Revenu Canada ➢ www.cra-arc.gc.ca ☎ 1-800-959-3376 (numéro sans frais au Québec), pour les formulaires et publications ☎ 1-800-959-7383 (numéro sans frais au Québec), pour les renseignements sur l'impôt des particuliers.**

SI VOUS VOULEZ VOUS RENDRE SUR PLACE

À Montréal

- **305, bd René-Lévesque Ouest, Montréal, Québec, H2Z 1A6 ☎ 1-514-283-6715. Renseignements sur les remboursements d'impôts et crédit pour la taxe sur les produits et services.**

À Québec

- **165 de la Pointe-aux-Lièvres Sud, Québec, Québec G1K 7L3, fax 1-418-649-6478.**
- **Adresse où envoyer votre déclaration fiscale canadienne (si vous ne passez pas par Internet) : Centre fiscal de Shawinigan-Sud, 4695, 12e avenue Shawinigan Sud, Québec, G9N 7S6.**

plutôt un avantage dans la mesure où elle facilite la gestion de votre budget, car vous devenez plus conscient du revenu dont vous disposez. Vous devrez avoir rempli et remis votre déclaration d'impôts avant le 30 avril de chaque année. Le taux d'imposition est basé sur le revenu d'une façon progressive, ainsi sa part augmente selon vos revenus.

BANQUE NATIONALE
DU CANADA

Où trouver les formulaires ?

Pour obtenir les formulaires, il faut s'adresser à la fois à Revenu Canada, demander « La trousse générale d'impôts et de prestations » et à Revenu Québec. Vous pouvez obtenir ces formulaires sur Internet ou encore en téléphonant aux numéros indiqués dans l'encadré page 391.

Vous pouvez également remplir en ligne votre déclaration d'impôts sur le site Internet du gouvernement. Si vous optez pour la déclaration d'impôts sur Internet, vous pouvez toucher un remboursement d'impôts quatre fois plus rapidement que si vous passez par la méthode traditionnelle. Il n'est pas rare en effet de recevoir un remboursement représentant le surplus d'impôts payés. C'est généralement parce que votre employeur a retenu un montant trop important à la source.

Un logiciel pour remplir sa déclaration

La première année, il faudra calculer vos impôts à partir du moment où vous vous êtes installé au Québec, sans oublier les revenus obtenus de l'étranger.

Pour remplir votre déclaration, vous pouvez utiliser les services d'un comptable, d'une société spécialisée telle que H&R Block ou avoir recours à un logiciel d'impôt certifié comme ImpôtRapide (http://impotrapide.intuit.ca) et ImpôtExpert (www.drtax.ca/fr/impotexpert.aspx). Pour plus d'informations sur ces logiciels, rendez-vous sur le site d'ImpôtNet (www.impotnet.gc.ca). Les logiciels reviennent bien moins chers que les spécialistes en chair et en os. Ils offrent toute une gamme de services comme le calcul d'impôt selon les différents statuts. Assurez-vous avant de choisir un logiciel qu'il est bien certifié à 100 % par les gouvernements.

Attendez de recevoir tous vos relevés avant d'envoyer votre déclaration finale et gardez tous vos reçus en cas de vérifications du fisc. Sauvegardez toujours votre déclaration *via* les logiciels en .tax et non en .doc comme avec le logiciel de traitement de texte Word.

ÉVALUEZ VOTRE TAUX D'IMPOSITION

TABLE D'IMPÔT DES PARTICULIERS

Résidents du Québec - 2010

Revenu imposable	Impôt fédéral	Taux marginal	Impôt du Québec	Taux marginal	Impôt combiné	Taux marginal combiné
11 000	77	12,5 %	-	16,0 %	77	28,5 %
13 500	391	12,5 %	59	16,0 %	450	28,5 %
15 000	578	12,5 %	299	16,0 %	877	28,5 %
20 000	1 205	12,5 %	1 099	16,0 %	2 304	28,5 %
25 000	1 831	12,5 %	1 899	16,0 %	3 730	28,5 %
30 000	2 457	12,5 %	2 699	16,0 %	5 156	28,5 %
35 000	3 083	12,5 %	3 499	16,0 %	6 582	28,5 %
38 570	3 531	12,5 %	4 070	20,0 %	7 601	32,5 %
40 000	3 710	12,5 %	4 356	20,0 %	8 066	32,5 %
40 970	3 831	18,4 %	4 500	20,0 %	8 381	38,4 %
50 000	5 490	18,4 %	6 356	20,0 %	11 846	38,4 %
60 000	7 327	18,4 %	8 356	20,0 %	15 683	38,4 %
70 000	9 164	18,4 %	10 356	20,0 %	19 520	38,4 %
77 000	10 476	18,4 %	11 784	24,0 %	22 260	42,4 %
80 000	11 001	18,4 %	12 471	24,0 %	23 472	42,4 %
81 941	11 357	21,7 %	12 936	24,0 %	24 293	45,7 %
90 000	13 107	21,7 %	14 871	24,0 %	27 978	45,7 %
100 000	15 278	21,7 %	17 271	24,0 %	32 549	45,7 %
127 021	21 144	24,2 %	23 756	24,0 %	44 900	48,2 %
150 000	26 709	24,2 %	29 271	24,0 %	55 980	48,2 %
200 000	38 816	24,2 %	41 271	24,0 %	80 087	48,2 %
500 000	111 461	24,2 %	113 271	24,0 %	224 732	48,2 %
1 000 000	232 536	24,2 %	233 271	24,0 %	465 807	48,2 %

N.B. : L'impôt est calculé pour une personne célibataire n'ayant aucune personne à charge.

Source : Le Centre québécois de formation en fiscalité (QFF inc.).

Les taxes (fédérale, provinciale et autres)

Presque tous les produits et services vendus ou fournis au Québec, comme dans le reste du Canada, sont assujettis à la taxe fédérale sur les produits et services (communément appelée TPS) dont le taux est de 5 %. Certains produits et services sont exemptés de cette taxe : les produits alimentaires de base comme le lait et le pain, les produits pharmaceutiques, les matériels et services de soin, les loyers résidentiels. Sur le modèle de la TPS fédérale, le gouvernement du Québec a instauré en 1992 la taxe de vente au Québec (TVQ) de 9,5 %.

Cette taxe à la consommation est calculée selon le prix de détail de la plupart des biens et de certains services. Il existe également des exceptions comme les produits alimentaires et les vêtements pour enfants. Il faut donc calculer au total une taxe de 15 % sur la plupart des produits et services au Québec. Les prix affichés chez les commerçants n'incluent jamais les taxes mais elles sont ajoutées sur la facture.

N'oubliez pas de laisser un pourboire (appelé communément « tips ») pour des services comme dans les bars, les restaurants ou les taxis, où il n'est pas compris. Il faut compter environ 15 % de la somme avant taxes, donc habituellement le même montant que les taxes.

Les impôts fonciers et scolaires

Les résidents du Québec doivent également payer des impôts fonciers et scolaires. La première taxe est déterminée par votre municipalité, basée sur le prix du marché de votre propriété ou bien immobilier. La deuxième taxe, la taxe scolaire, est déterminée selon la commission scolaire de votre lieu de résidence.

ENTENTE FRANCO-QUÉBÉCOISE : OÙ SE RENSEIGNER ?

POUR EN SAVOIR PLUS SUR CETTE ENTENTE, vous pouvez contacter les organismes suivants :

- **Bureau des ententes de sécurité sociale, 1055, bd René-Lévesque-Est, 13e étage, Montréal, H2L 4S5 ☎ 1-514-866-7332 ou 1-800-565-7878 (ailleurs au Québec).**
- **Centre d'information et de coordination de l'action sociale (CICAS), section des résidents hors de France, 74, rue des Cévennes, 75015 Paris ☎ 01.53.78.01.01**
- **CRE-IRCAFEX, délégation internationale, 4, rue du Colonel-Driant, 75040 Paris cedex 01 ☎ 01.44.89.44.44**

LA RETRAITE AU QUÉBEC

Au Québec, le salarié cotise une part salariale d'environ 5 % à son régime de retraite. L'employeur va payer l'autre moitié du 10 % du montant de la cotisation, soit sa part de 5 % également. La retraite de base du gouvernement fédéral à 65 ans est très minime. Si vous travaillez pour une grande entreprise, vous pouvez bénéficier d'un plan de pension intéressant.

La plupart des Québécois cotisent à des REER (Régimes enregistrés d'épargne-retraite), déductibles du revenu imposable et disponibles dans la plupart des banques et institutions québécoises.

Pour en savoir plus sur les retraites, rendez-vous sur le site de la Régie des rentes du Québec (www.rrq.gouv.qc.ca). Vous pouvez aussi consulter la page 125 du guide pour en savoir plus sur le système de retraite au Québec. En cas de décès, le conjoint survivant peut toucher la moitié de la rente du conjoint décédé. C'est aussi le cas pour les couples de même sexe.

L'accord entre la France et le Québec

Le Québec a signé avec de nombreux pays des ententes de sécurité sociale. Celle avec la France est en vigueur depuis 1981. Grâce à celle-ci, les résidents du Québec peuvent percevoir les pensions qui leur reviennent, s'ils ont cotisé au moins un trimestre en France. Le conjoint est aussi éligible à cette retraite. Dans le cas contraire, si vous décidez de revenir en France après quelques années passées au Québec, vous pourrez également toucher les pensions du Québec auxquelles vous avez droit.

S'installer avec des enfants

S'installer avec des enfants se révèle plus complexe que d'immigrer en célibataire : le stress est plus grand pour un tel bouleversement. Il est conseillé d'envoyer un membre du clan en éclaireur afin de préparer l'arrivée de toute la famille. Cela permet de visiter en toute tranquillité les différents quartiers, de comparer les avantages offerts par chacun et de repérer les écoles. L'adaptation des enfants ? Cette question pose généralement plus de soucis aux parents qu'aux enfants, qui s'intègrent plus rapidement au groupe.

La garde des petits

Si vous avez des enfants à faire garder, vous avez le choix, au Québec, entre des garderies ou des nourrices. Attention, le terme « crèche » au Québec est plus utilisé en lien avec les fêtes de Noël ou comme synonyme d'orphelinat…

Les CPE (Centres de la petite enfance), subventionnés par le gouvernement québécois, accueillent des enfants âgés de 3 mois à l'entrée en maternelle (à l'âge de 5 ans) pour 7 $ par jour et par enfant. Mais, comme en France, obtenir une place dans une garderie est difficile : de nombreux parents doivent attendre un an et demi ou plus avant de pouvoir profiter de ces services. Ainsi le meilleur conseil à donner est d'inscrire dès que possible, avant même votre

LES CONGÉS PARENTAUX AU QUÉBEC

AU QUÉBEC, LE PÈRE OU LA MÈRE d'un nouveau-né a droit à un congé parental sans salaire d'une durée maximale de 52 semaines continues. Ce congé commence le jour de la naissance et doit se terminer au plus tard 70 semaines après. En effet, il existe un congé de maternité de 18 semaines pour les mères salariées du Québec qui s'ajoute au congé parental. Ce qui permet à la future maman de prendre un congé avant la date d'accouchement et de profiter, si c'est elle qui prend le congé parental, de son année de congé par la suite. Le congé de maternité commence au début de la seizième semaine avant l'accouchement.

Il existe aussi des « prestations de maternité » pour les femmes enceintes qui doivent s'arrêter de travailler. Celles-ci sont versées uniquement à la mère naturelle. Cette dernière peut recevoir l'aide financière à partir de la huitième semaine avant la date prévue d'accouchement et ce pendant 15 semaines. Pour y avoir droit, la femme enceinte doit interrompre son travail ou ses prestations ordinaires d'assurance-emploi pour cause de maternité et avoir accumulé au moins 600 heures d'emploi assurable l'année précédant sa demande.

En plus, les parents peuvent toucher des « prestations parentales » au moment choisi par eux pendant la première année qui suit la naissance de l'enfant. Ces prestations couvrent au plus 35 semaines et sont versées soit à la mère soit au père ou sont partagées entre les deux. Pour y avoir droit, un des parents doit interrompre son travail ou ses prestations ordinaires d'assurance-emploi pour s'occuper de l'enfant et avoir accumulé 600 heures d'emploi assurable l'année précédant la demande. Une preuve de la naissance de l'enfant ou un certificat d'adoption doit être fournie.

Depuis le 1er janvier 2006, les prestations de maternité et parentales offertes par le régime fédéral sont remplacées par le Régime québécois d'assurance parentale. Ce régime touche tous

(...)

(...)

les travailleurs admissibles du Québec qui prennent un congé de maternité, paternité, d'adoption ou un congé parental. La grande nouveauté : même les travailleurs indépendants peuvent dorénavant profiter de ce programme. Pour être admissible, il faut être un travailleur salarié ou autonome du Québec qui réside au Québec au début de la période de prestations. Il faut également avoir connu une diminution d'au moins 40 % de son revenu hebdomadaire ou du temps alloué à l'entreprise.

Régime québécois d'assurance parentale ➢ www.rqap.gouv.qc.ca

installation définitive, vos enfants sur les listes d'attente des garderies. Vous pouvez inscrire vos enfants à plusieurs endroits à la fois en laissant le numéro de téléphone d'une connaissance à Montréal. Vous pouvez obtenir *Le Répertoire des services de garde* sur les sites internet du ministère de la Famille et des Aînés du Québec (www.mfa.gouv.qc.ca/) et de Ma Garderie (www.magarderie.com). Le site Yoopa (www.yoopa.ca) est une bonne source d'informations et d'aide sur le monde de l'enfance.

La garde en milieu familial. Les tarifs varient d'un endroit à un autre, les enfants y sont admis de la naissance jusqu'à l'âge de 12 ans.

La troisième option est offerte par **les services privés** où les tarifs peuvent varier encore plus, allant de 12 $ CAN par jour à 28 $ CAN. Il est important de bien se renseigner au préalable sur les modalités de la garde, les activités, etc.

VOYAGER SEUL AVEC SON ENFANT EN TOUTE LÉGALITÉ

SACHEZ QUE SI VOUS ENTREZ ou sortez du Canada avec votre enfant sans votre conjoint ou votre ex-conjoint, vous devrez avoir une lettre de consentement de ce dernier. Pour des modèles : www.voyage.gc.ca/preparation_information/consent-letter_lettre-consentement-fra

LES ALLOCATIONS FISCALES POUR LES ENFANTS

Comme le Canada a deux paliers de gouvernement, les Québécois touchent deux types d'allocations pour les enfants. Il s'agit de la PFCE (Prestation fiscale canadienne pour les enfants) et de l'allocation familiale du Québec.

La PFCE (Prestation fiscale canadienne pour les enfants) dépend du gouvernement du Canada et est déterminée par le revenu familial, le nombre d'enfants et leur âge, leur situation familiale et la déduction pour frais de garde. Le montant de la prestation (non imposable) est versé mensuellement aux familles admissibles. L'admissibilité à cette prestation est réévaluée tous les ans selon la déclaration de revenus de l'année précédente.

L'allocation familiale du Québec couvre les besoins essentiels des enfants des familles à faible revenu. Pour y avoir droit, il faut déjà être inscrit à la prestation fiscale canadienne pour enfants. Le montant de l'allocation familiale du Québec varie selon la prestation canadienne, et aussi selon la situation conjugale, le nombre d'enfants de moins de

Voici un lexique pour vous y retrouver dans vos achats pour l'école

Au Québec	En France
Cartables	Classeurs
Efface	Gomme à effacer
Classeur	Filière
Duo-tang	Pochettes cartonnées avec trois attaches au centre
Séparateurs	Intercalaires
Brocheuse	Agrafeuse
Papier collant	Ruban adhésif
Aiguisoir	Taille-crayon
Pâte à fixe	Gommette
Du scotch	Papier collant ou tape
Sac d'école	Cartable
Babillard	Panneau d'affichage

18 ans et le revenu global de toute la famille. Vous pouvez télécharger en ligne les formulaires de ces demandes de prestations (www.cra-arc.gc.ca/bnfts/menu-fra.html et www.formulaire.gouv.qc.ca).

ÉQUIPEZ-VOUS À LA QUÉBÉCOISE

L'installation dans un nouveau monde demande une certaine adaptation. Et dans l'univers des enfants, certains petits détails peuvent faire toute la différence une fois sur place. Si vous immigrez avec des bébés, vous pouvez apporter tout votre matériel, mais sachez que vous trouverez dans certaines boutiques spécialisées plusieurs importations européennes dont le *Baby cook* si cher à bien des mamans européennes. À noter : depuis 2004, les marchettes (trotteurs) pour bébé sont interdites au Canada. Par ailleurs, plusieurs provinces canadiennes ne tolèrent pas que les passagers d'une voiture fument en compagnie de leurs enfants. Cette règle n'est pas encore en vigueur au Québec, mais cela ne devrait pas tarder. Pour mieux vous y retrouver, voici quelques points importants pour l'adaptation de vos enfants.

Le matériel scolaire

Comme le matériel scolaire n'est pas le même, cela ne sert à rien d'apporter celui de France, car au Québec les outils sont très différents. Les appellations et les dimensions n'ont rien à voir avec ce que vous pratiquez en France ; il en va ainsi de certains termes qui ne veulent pas du tout dire la même chose. Adaptés au standard nord-américain, les cahiers, les feuilles mobiles et les classeurs ne sont pas de même taille. Si vous êtes perdu, un membre du personnel des magasins de fournitures de bureau – la papeterie de votre quartier ou les grandes chaînes comme Bureau en Gros - vous aidera à vous y retrouver dans la liste des éléments demandés par le professeur de votre enfant.

Les habits d'hiver

Les soldes pour les habits de neige sont généralement en cours dès la fin janvier. Si vous arrivez avant la rentrée scolaire de septembre ou en été, il est aussi possible de trouver les habits de neige en août et septembre mais sans les réductions. Dépêchez-vous de vous équiper car ces vêtements partent rapidement. Pour la saison d'hiver, n'oubliez pas les pantalons de neige des enfants. Habituellement, ils sont vendus avec les marques locales d'habit de neige (le manteau et le pantalon), mais il est aussi possible de les trouver séparément. En Europe, ils sont surtout utilisés dans les stations de ski mais, au Québec, ils font partie du quotidien des enfants. Même les plus petits devront porter ces pantalons lorsque vous les déposez à la garderie ou à l'école. Pendant la période de la récréation ou lors des sorties, les jeunes doivent avoir nécessairement ces fameux pantalons adaptés aux intempéries. Où pouvez-vous vous les procurer ?

☛ Quelques boutiques proposant une bonne sélection pour les enfants :
L'Aubainerie ➢ http://aubainerieconceptmode.com/
Zellers ➢ www.zellers.com
Clément ➢ www.clement.qc.ca
Winners ➢ www.winners.ca

Autre accessoire indispensable : une bonne paire de bottes. Les enfants adorent rester longtemps à jouer dans la neige, mais il faut qu'ils soient bien chaussés pour affronter le froid. Le mieux est d'acheter les bottes sur place. Vous en trouverez dans les magasins cités ci-dessus. Les bottes Sorel (fabrication québécoise) et Kamik sont des références dans ce domaine. Et en passant, des moufles sont des mitaines au Québec.

Les sièges de voiture

Votre siège européen d'appoint ne pourra pas faire l'affaire au Canada pour votre enfant de moins de 7 ans. Vous ne pourrez utiliser un siège auto pour enfants acheté hors du Canada car il doivent être conformes à la réglementation canadienne. Tant que l'enfant ne mesure pas plus de 63 centimètres assis, il ne peut se passer d'un tel siège homologué au Canada. La réglementation est stricte, vous devez vous procurer ces sièges dès votre arrivée, que cela soit pour un bébé ou un jeune enfant. Vous pouvez les acheter d'occasion, comme sur les sites de revente d'objets de seconde main (kijiji.ca, par exemple), mais assurez-vous que le siège n'a pas plus de 10 ans de vie. La date de fabrication est normalement inscrite sur le siège.
☛ **Pour en savoir plus** sur les sièges
➢ www.saaq.gouv.qc.ca/prevention/sieges/loi.php

Comment s'intégrer

N'oubliez jamais que votre adaptation au Québec peut commencer dès votre décision de partir. Ouvrez les yeux et les oreilles : dès que vous parlerez de votre projet autour de vous, vous allez certainement bénéficier de nouvelles perspectives. Vous découvrirez en effet que des personnes, dans votre entourage, connaissent des Québécois ou des gens récemment installés outre-Atlantique. Vous pourrez alors mettre en place un réseau précieux d'informateurs et de relais qui vous permettra de préparer au mieux votre séjour ou votre immigration. Car une bonne intégration ne se mesure pas seulement à la rapidité pour trouver du travail, mais à la qualité des liens sociaux et affectifs que vous développerez dans votre nouvel environnement.

Un état d'esprit

« Au début, idéalement, on devrait écouter énormément et parler peu. Le temps d'observer, d'apprendre, de voir comment ça se passe, conseille Katy Harrouart, professeure d'origine française installée à Mont-Laurier dans les Laurentides. Il y a des bornes à ne pas dépasser ; pour les connaître il faut observer sans préjugés et sans juger. Il y a des différences, elles restent des différences, ça ne veut pas dire que ça nous sépare. Ce n'est pas à nous d'imposer notre manière de voir. On est là aussi pour apprendre. Après un certain temps, certains Français tentent d'imposer leur vision des choses. Moi, ça m'a passé et ceux qui persistent se font traiter de maudit Français. »

Pour Emmanuelle Arth, diplômée d'une maîtrise québécoise en géographie, il faut arriver avec des attentes réalistes. « Le Québec a la réputation d'être très accueillant mais ce n'est pas non plus l'eldorado, affirme-t-elle. Et puis, on amène ses problèmes avec soi. Une fois l'installation passée, les problèmes reviennent. Le Québec n'est pas la France en Amérique. Lorsque je lis des expériences d'immigration ratée, c'est en général que les personnes se sont attendues à trop de similitudes. Il y a un choc culturel. L'herbe n'est pas plus verte, elle est différente ! »

Ouverture, humilité

« Une démarche d'immigration c'est un projet de vie et un défi, affirme Yann Hairaud de l'organisme Clef pour l'intégration au travail des imigrants. On arrive dans un nouvel environnement et on doit s'efforcer de s'adapter. » Immigrant d'origine française lui aussi, Yann Hairaud s'est installé à Montréal il y a plus de dix ans. « Les Français ont tendance à se lancer tête baissée sans prendre garde aux différents états d'esprit et démarches », dit-il. Selon lui, il faut arriver dans de bonnes dispositions afin d'augmenter ses chances de réussite : « Il faut savoir que l'échec est possible. Cela peut venir du travail, mais cela dépend aussi de la capacité à s'adapter. Lorsqu'une personne remet tout en question systématiquement, tout sauf elle-même, c'est un facteur évident d'échec. »

« Au début, la plus grande qualité dont on doit faire preuve, c'est de savoir rester humble, pense Katy. On arrive dans un nouveau pays, avec des gens qui ne nous connaissent pas, qu'on ne connaît pas et qui ne nous doivent rien. On doit rester candide aussi, et ouvert à toutes sortes de choses ». Pour Aurélie Watremez, urbaniste installée à Québec, il ne faut pas arriver en terre conquise. « Une immigration réussie, c'est une mentalité, il faut de la volonté pour rencontrer des

« MAUDIT FRANÇAIS »

LA CONDESCENDANCE, le dénigrement et l'ironie sont très mal vus en général par les Nord-Américains et en particulier par les Québécois, surtout dans leurs rapports avec les Français.

En effet, de nombreux Français, parfois de passage ou installés dans la Belle Province, ont laissé au fil des années une marque quelquefois indélébile (surtout dans les années 60) et une impression qui se résume au concept du « maudit Français ». C'est-à-dire celui qui aime critiquer et remettre en question à haute voix tout ce qu'il a sous les yeux.

Les Québécois sont très allergiques à ce type de comportement et cette attitude les fera fuir très vite.

Êtes-vous un maudit Français ?
Évaluez vos chances d'être accepté par les Québécois.

Test 100 % GRATUIT
(Réservé à ceux qui ont de l'humour)

Recevez le résultat de votre test sur votre e-mail en allant sur le site : www.immigrer.com/maudit.html

- **Question 1**
  Au Québec, les Québécois ont-ils un accent ?
  Évidemment. ❐
  Nous avons tous un accent. ❐
  Non, c'est moi puisque je suis en minorité. ❐

- **Question 2**
  Qu'est-ce qui est le plus important pour vous ?
  Être sympathique et aimé. ❐
  Être cultivé et admiré. ❐
  Être riche et occupé. ❐

Question 3

Comment réagissez-vous en cas de conflit avec un collègue de travail ?

Vous abordez le sujet directement avec votre collègue. ❒
Vous allez en parler à votre supérieur. ❒
Vous en parlez à tous vos collègues de travail. ❒

Question 4

Aujourd'hui, vous n'avez pas le moral, comment allez-vous agir au boulot ?

« Je suis comme je suis, si j'ai pas envie de sourire, je ne vais pas faire l'hypocrite. » ❒
« Je tente de dissimuler mon moral, je souris comme si de rien n'était. » ❒
« J'en parle à mon entourage. » ❒

Question 5

Que faites-vous si un Québécois fait une erreur de français devant vous ?

Vous le reprenez et lui expliquez la règle. ❒
Vous faites comme si vous n'aviez pas entendu et continuez la conversation. ❒
Vous le faites répéter. ❒

Question 6

Dans quelles circonstances imitez-vous l'accent québécois ?

Avec vos amis Français et immigrants. ❒
Au travail, avec des connaissances, à n'importe quel moment. ❒
Seul chez vous devant votre miroir. ❒

Question 7

Dans quelles circonstances vous plaignez-vous ?

Quand les choses ne vont vraiment plus. ❒
Un peu tout le temps, pour faire sortir la pression. ❒
Pour entrer en contact avec les autres. ❒

Question 8

Si quelqu'un vous fait répéter plusieurs fois la même chose :

Vous le répétez en levant les yeux au ciel. ❒
Vous le répétez sans broncher. ❒
« Non, mais tu le fais exprès ! » ❒

Question 9

Comment agissez-vous en tant que patron au travail ?

Tout doit passer par votre approbation, vous accompagnez chaque étape de vos employés. ❒

Vous demandez des comptes-rendus à vos employés de temps en temps. ❒

Vos employés n'ont affaire à vous qu'en cas de problème ou de réorientation. ❒

Question 10

Le Québec c'est...

Une terre française en Amérique. ❒

Un coin d'Amérique en français. ❒

Une région francophone du Canada. ❒

Un DOM-TOM. ❒

Question 11

Lorsque vous parlez avec quelqu'un...

Vous aimez bien les phrases longues pour exprimer pleinement votre pensée. ❒

Vous préférez les échanges spontanés. ❒

Question 12

La bouffe au Québec ?

Vraiment pas bonne. ❒

Différente. ❒

Faut essayer. ❒

Question 13

Dans un bar, votre voisin, un non-fumeur, vous demande d'envoyer votre fumée ailleurs, que faites-vous ?

Vous lui faites remarquer que vous vous en fichez. ❒

Vous éteignez votre cigarette en pestant. ❒

Vous vous excusez en l'éteignant. ❒

Vous vous moquez de lui devant vos amis. ❒

Question 14

Quels sont les prix que vous regardez le plus ?

Celui du téléphone. ❒

Celui d'une bonne bouteille de vin. ❒

Celui du fromage. ❒

- **Question 15**

  Avec des Québécois, vous aimez parler de la France :

  Jamais. ❒

  Parfois. ❒

  Souvent. ❒

  Tout le temps. ❒

- **Question 16**

  Au Québec, vous allez trouver du travail parce que :

  Vous êtes compétent en général. ❒

  Vous êtes Français. ❒

  Vous êtes Français et compétent. ❒

  Vous êtes compétent dans votre domaine. ❒

- **Question 17**

  Le téléphone est une invention :

  Allemande. ❒

  Russe. ❒

  Française. ❒

  Canadienne. ❒

  Des États-Unis. ❒

- **Question 18**

  Un boulanger qui ne sait pas faire de baguette est :

  Un escroc. ❒

  Un paresseux. ❒

  Un boulanger. ❒

  Un maniaco-dépressif. ❒

  Un incompétent. ❒

- **Question 19**

  Comment appréhendez-vous l'avenir ?

  Avec prudence. ❒

  Y'en n'a pas, selon vous. ❒

  Dès aujourd'hui, pourquoi attendre. ❒

  Pas si vite ! ❒

- **Question 20**

  Que pensez-vous de la hiérarchie ?

  C'est une valeur du passé. ❒

  C'est nécessaire pour établir des distances. ❒

  C'est moche, mais il en faut. ❒

  Pourquoi pas... ❒

  C'est fait pour la contourner. ❒

LA QUESTION DÉLICATE DU *POLITICALLY CORRECT*

UN SUJET TRÈS DISCUTÉ POUR LES FRANÇAIS installés au Québec est la fameuse question du *political correct*. En effet, les Québécois, comme les Canadiens, ont une façon très consensuelle de dialoguer, échanger et de régler les problèmes. Ce n'est pas toujours facile à comprendre, surtout lorsqu'on vient d'arriver comme Annabel Maussionette qui est installée à Montréal depuis seulement quelques mois. « Avec ce consensus, tu ne sais jamais si la personne en face de toi dit vraiment ce qu'elle pense. C'est-à-dire, si c'est un "oui oui" ou un "oui mais", constate-t-elle. Il faut parvenir à décrypter le sens du OUI car c'est toujours un oui. Même si c'est parfois plutôt un NON ou encore un non qui peut être un oui. Tu marches sur des œufs. »

POUR AURÉLIE DEHLING, cela a des conséquences négatives comme positives. « C'est ce qui fait que c'est agréable de vivre au Québec, affirme-t-elle. Il y a très peu de tension entre les gens. Le rapport à l'autre est beaucoup plus cordial et respectueux. C'est une société qui fonctionne beaucoup plus sur la valorisation de la personne. Au Québec, on va se concentrer sur ce que tu fais de bien. Alors qu'en France, on va mettre en évidence ce que tu fais de mal. » Mais, selon elle, il y aussi les côtés négatifs. « Parfois, les choses ne sont pas dites comme elles devraient l'être. Ça empêche la progression de certaines personnes ou le déblocage de situations problématiques. Si quelqu'un a des difficultés qu'il ignore, on ne va rien lui dire. »

MÊME SON DE CLOCHE POUR CHRISTOPHE HUMBERT qui apprécie le *political correct* pour ses bons côtés, mais souligne les moins bons. « En effet, il y a peu de conflits, on évite la confrontation directe avec une personne et on garde le sourire en toutes circonstances, constate-t-il. Or, parfois cela ne ferait pas de mal de mettre les choses au point avec les personnes qui devraient être recadrées. Certaines situations peuvent s'envenimer et on a peur de dire les choses qui ne vont pas. Je crois que même si on doit le dire d'une façon courtoise et polie, il est nécessaire de le faire. Personnellement, j'ai trouvé mon équilibre, *(...)*

(...) **mais cela m'a demandé beaucoup de patience. Je fais comme eux. Je ne veux pas choquer, je tente de présenter les choses de façon posée mais ferme. »**

JESSICA, INSTALLÉE À QUÉBEC, a parfois des difficultés à s'y faire. « J'ai un esprit contestataire qui n'est pas très répandu ici ; c'est une grande différence culturelle, affirme-t-elle. Parfois, j'ai voulu remettre en question des choses au travail, les collègues avaient l'impression que je contestais alors que pour moi c'était juste une discussion. » Aurélie Dehling ajoute qu'une critique est toujours précédée ici de quelque chose de positif. « On aborde jamais un problème de but en blanc, affirme-t-elle. Il faut toujours commencer par du positif et critiquer de façon constructive en commençant par des phrases telles que : Qu'est-ce que tu penses de... Je t'encourage à... ». Quant à la confrontation, comme nombre de Français, elle a constaté qu'il faut absolument l'éviter. « Au Québec, on n'affronte pas les gens directement. Plus je passe de temps ici, plus j'apprends à dire les choses de façon moins brutale. » Même si ça peut parfois l'énerver, elle considère que c'est tout de même une façon plus respectueuse d'échanger. Selon elle, c'est une culture de l'évitement absolu de la confrontation.

gens et s'ouvrir à une autre culture. Aussi il faut être bien dans sa tête et savoir où on va. Pour les gens qui ne trouvent pas de travail, c'est plus difficile ; c'est ça qui permet d'accélérer l'intégration. »

COMPRENDRE LES RELATIONS FRANCO-QUÉBÉCOISES

Pour Christophe Humbert, informaticien installé à Montréal, cela a pris de trois à quatre mois pour s'habituer aux échanges professionnels avec les Québécois. « J'ai beaucoup observé et tenté de comprendre au début, se rappelle-t-il. Il y a toute une phase d'observation. On parle la même langue, mais on ne réagit pas de la même manière, on est totalement différent. Les Québécois sont vraiment des Nord-Américains qui parlent le français. C'est très important d'en prendre conscience.

C'est pas les Dom-Tom ou une région de France, c'est une société distincte au sein d'une autre société distincte (le Québec dans le Canada). C'est un mode de vie à la nord-américaine. Lire et se documenter c'est bien, mais il faut le vivre pour le comprendre. J'ai porté l'étiquette de Français dans ma compagnie. Au début, c'est un peu déphasant, mais il faut accepter. Ce n'est pas méchant du tout. »

Généralement, les Français installés au Québec prennent rapidement conscience qu'il faut éviter d'être prétentieux, conquérant ou condescendant dans leurs rapports avec les Québécois. Et vu l'historique d'amour-haine entre les deux peuples, si un Français présente ces travers, il peut être rapidement catalogué. Mais il ne faut pas non plus dramatiser, il suffit de montrer patte blanche, de faire comprendre que vous êtes là pour apprendre et que vous êtes ouvert. Les Québécois seront rassurés. En attendant d'être sur place, faites le test humoristique du maudit Français (voir page 408).

L'AMITIÉ À LA QUÉBÉCOISE

« Lorsqu'on s'installe ici, ça peut être long de bâtir un nouveau réseau, constate Emmanuelle Arth, installée depuis 2001 à Chicoutimi. Les gens ont déjà leur famille, leurs amis, leurs intimes. Lorsqu'on arrive adulte, on ne construit pas ses amitiés comme les enfants ou les adolescents. Tous les immigrants se retrouvent dans cette situation. »

En effet, comme partout, il faut prendre son temps pour lier des amitiés. Les Québécois sont faciles d'accès mais cela ne signifie pas que les liens se tissent plus rapidement qu'ailleurs. L'immigrant a un double défi, comprendre les codes de la socialisation et mettre en pratique ce nouvel apprentissage afin de réellement fraterniser.

NE CONFONDEZ PAS GENTILLESSE ET AMITIÉ

Le nouvel arrivant qui débarque autour de la trentaine se retrouve dans un monde où chacun a déjà constitué son cercle d'amis depuis longtemps. Il est demandeur et doit en être conscient afin de ne pas trop espérer de la gentillesse naturelle de la plupart des Québécois. Ne confondez pas attention avec amitié ! Se lier d'amitié prend du temps, il faut aller à la rencontre des autres, parfois créer des opportunités pour tisser des liens. Aussi, le tutoiement très répandu au Québec peut facilement laisser penser qu'il y a de la familiarité.

« Il y a une réelle différence culturelle à ce niveau-là, par exemple il y a moins de soupers entre amis. J'invite beaucoup plus que je ne suis invitée, constate Aurélie Dehling installée à Montréal depuis 2004. Ce n'est pas parce qu'ils sont radins, c'est juste qu'ils n'y pensent pas. » Aussi, la fréquence des rencontres semble moins intense avec les Québécois qu'entre Français. « Mon noyau d'amis au Québec est français, ce sont des gens que je vois tous les week-ends alors que mes amis québécois, je les vois une fois par mois. »

Le rapport à l'argent est également différent au Québec et cela n'est pas sans conséquences sur les relations d'amitié. « Avec les amis québécois il y a moins de problèmes d'argent. Chacun paie sa part au restaurant, chacun amène son vin, constate-t-elle. » Par contre, lorsqu'elle reçoit en grande pompe, ces amis québécois sont interloqués. « Dans ma tranche d'âge des 25-35 ans, on ne va jamais payer pour l'autre, ainsi lorsque ça m'arrive de payer pour tous lors d'une soirée, ils ne comprennent pas. Ce n'est pas de l'individualisme, ils pensent que c'est mal dépenser son argent. »

Et les disputes aussi sont différentes. « Comme au travail, en amitié on se fâche rarement avec quelqu'un au Québec. On se voit moins,

Vécu

Quelques grandes différences entre le Québec et la France

selon Pierre-Olivier Saire,
spécialiste en management interculturel

IMMIGRANT FRANÇAIS ARRIVÉ EN 1989 ***lors d'études au Québec, Pierre-Olivier Saire est devenu conseiller en management interculturel. Chargé de cours à HEC Montréal, expert en management interculturel et conférencier régulier à l'OFII, il analyse les différences fondamentales entre le Québec et la France.***

IL REMARQUE QUE LES FRANÇAIS sous-évaluent souvent les différences culturelles avec le Québec alors que le choc pour eux est aussi grand que s'ils allaient vivre en Suède. Il met quelques grandes différences en avant :

- **Au Québec, on arrive à s'entendre collectivement par le processus du consensus. En France, le contexte est tout à fait différent, il faut passer par l'argumentaire.**

- **En France, la familiarité est une démonstration sociale d'un rapport privilégié. Au Québec, c'est une obligation sociale. Si vous ne vous y pliez pas, vous allez être sanctionné socialement.**

- **En France, l'amitié se noue en passant du temps ensemble, en faisant des sorties, des soupers. En Amérique, on peut très bien avoir un ami que dans un champ particulier de sa vie, comme le travail. Celui qui ne partage pas la même représentation de l'amitié s'exclut du cercle social des Québécois.**

- **La société québécoise appartient à une réalité culturelle égalitaire alors que la réalité française est élitiste. On peut donc avoir une reconnaissance professionnelle au Québec sans avoir de reconnaissance sociale.**

(...)

(...)

- **Au Québec, le retard n'est pas supporté, qu'importe votre niveau social, alors qu'en France il peut illustrer la distance sociale entre deux individus.**
- **En France, vos amis vous ressemblent et proviennent de la même classe ou du même environnement, alors qu'au Québec, on peut très bien avoir des amis dans tous les milieux.**
- **Au Québec, on applaudit, on encourage le bon comportement. En France, on sanctionne le comportement déviant. Par exemple, au Québec, une faillite est une occasion de se refaire une santé financière, alors que c'est perçu en France comme une sanction économique et sociale.**
- **Il y a moins de rigidités au Québec : par exemple, vous pouvez reprendre des cours n'importe quand. Pas besoin de parcours parfait comme en France, ce qui compte, c'est ce que vous avez fait dans la dernière année.**

tout simplement, constate-t-elle. Il n'y a jamais de confrontation, juste un état de fait. » Aurélie a parfois l'impression que l'amitié n'a pas les mêmes implications. « Au Québec, tu as peur d'être un poids pour l'autre, souligne-t-elle. Il y a comme une obligation de ne pas ennuyer l'autre avec ses problèmes, de ne pas être trop lourd. Les gens se livrent plus difficilement. »

Comme les codes sociaux sont différents, les immigrants ont parfois des difficultés à faire la part des choses entre la gentillesse et une réelle amitié. Alexandre Guillaume ne compte que quelques amis québécois malgré ses quinze années au Québec. « Au niveau des relations humaines, cela m'a pris du temps pour comprendre les différences, avoue-t-il. En France, surtout à Paris, lorsque tu rencontres quelqu'un pour la première fois, dans ton estime il commence en bas de l'échelle, c'est-à-dire que c'est à lui de faire ses preuves. Alors qu'au Québec c'est le contraire. Lors de la rencontre, l'estime est à son maximum. C'est comme si on commençait en haut de l'échelle. Ils te respectent, ils sont sympathiques, mais ils sont comme cela avec tout le monde. C'est parfois difficile à comprendre que les gens soient si gentils, mais aussi peu engageants. »

En effet, les Québécois contrairement aux Français, reçoivent très peu. Ainsi ne soyez pas étonné qu'après quelques invitations à la maison, ils ne vous rendent pas nécessairement la pareille. Ne prenez pas cela comme de l'impolitesse mais soyez conscient qu'ils n'ont pas les mêmes codes sociaux que vous. Les échanges amicaux ne tournent pas autant autour de la table au Québec, c'est la même chose partout en Amérique du Nord. D'ailleurs en tout bon Nord-Américains, les Québécois sont impatients de se lever de table après une heure autour d'un bon repas. Cette différence qui peut paraître insignifiante au début, peut vous sembler difficile à surmonter à long terme. Ainsi comment doit-on entrer en contact avec les Québécois ? Comme les invitations à la maison pour un dîner ou un verre ne sont pas aussi communes au Québec, nous vous suggérons de lancer des invitations pour faire des activités : randonnées pédestres, activités avec les enfants, sorties au cinéma, promenades dans des quartiers ou dans la nature... Les Québécois socialisent en faisant des activités variées.

Limitez les références à votre pays d'origine

Vous constaterez que les Québécois sont curieux de votre pays d'origine et de votre installation, mais le défi est de sortir de cette première approche. Une fois le sujet abordé, ils se lassent rapidement d'une discussion qui s'éternise sur ce sujet. Si vous voulez vous lier avec vos nouveaux concitoyens, parlez-leur plutôt de leur quotidien et évitez de faire constamment référence à votre pays d'origine. Les débuts de phrase tels que "Nous, en France" ou "En France" sont à éviter, à moins que le contexte ne s'y prête. »

Participez à la vie culturelle et associative

En dehors du travail, il est toujours possible de lier des amitiés lors d'activités culturelles, sociales et autres. « Se faire des amis québécois, passe par des activités collectives, dit François qui vit depuis plus de dix ans avec son amie québécoise. Il faut aller dans un club sportif, prendre un cours pour rencontrer des gens. Ça peut prendre un an ou deux ans pour avoir des vrais amis. » Ainsi ne ratez pas une occasion de sortir et de faire la fête entre collègues, connaissances et autres. Courez les cinq à sept (rien à voir avec les cinq à sept à la française...), ces temps de rencontres entre collègues après le travail, pour aller prendre une bière, les « partys » de bureau à Noël, les invitations au chalet la fin de semaine, les BBQ pendant la belle saison, etc. Puis, il y a aussi les activités bénévoles ou sportives pour se faire des amis, sans parler des nombreux lieux de rencontres, et dans certains quartiers, le voisinage.

Le bénévolat : institution valorisée et reconnue

Plusieurs millions de Canadiens sont impliqués dans le bénévolat. Chaque année, plus de 2 millions de Québécois font du bénévolat dans leur communauté. Ces activités peuvent être de tout ordre : organisation et supervision d'événements culturels, sociaux ou économiques ; poste au sein d'un conseil d'administration, d'une entreprise ou d'un organisme à but non lucratif ; porte-à-porte pour récolter des fonds ; prestations de soins et aides diverses auprès de populations démunies...

BÉNÉVOLAT : OÙ SE RENSEIGNER ?

- **Centre d'action bénévole de Montréal, 2015, rue Drummond, bur. 300, H3G 1W7, Montréal (Québec) ☎ 1-514-842-3351 ➢ http://cabm.net**
- **Fédération des centres d'action bénévole du Québec, FCABQ ➢ www.fcabq.org**
- **Le bénévolat au Québec ➢ www.benevolat.gouv.qc.ca**

SE RENDRE UTILE EN TISSANT DE NOUVEAUX LIENS

Véritable tradition et institution en Amérique du Nord, le bénévolat est très répandu et valorisé. Il est de plus tout indiqué pour rencontrer de nouvelles personnes, acquérir un peu d'expérience dans un domaine méconnu ou encore ouvrir d'autres portes du marché du travail. De nombreux organismes et événements comptent sur les bénévoles pour réaliser de grands projets et mener à bien des campagnes de sensibilisation ou pour venir en aide aux plus démunis. Avez-vous un centre d'intérêt ou une cause qui vous tient à cœur ? Ces activités peuvent prendre toutes sortes de formes : participer à une radio communautaire, organiser un événement culturel, prendre part à une levée de fonds, devenir membre du comité exécutif de la garderie ou de l'école des enfants, donner de son temps pour des enfants handicapés, devenir membre d'un organisme environnemental, etc.

UNE EXPÉRIENCE RECONNUE

En plus d'y rencontrer des gens avec qui vous avez des points communs, ces activités vous permettent d'élargir votre champs d'expérience et vous fournissent un apprentissage reconnu. S'il peut se le permettre, le nouvel arrivant trouvera dans le bénévolat un moyen

Les erreurs à éviter lors d'une discussion avec un Québécois (ou tout autre Nord-Américain)

- Ne vous engagez pas dans des débats philosophiques et métaphysiques sans fin, les Québécois ont une approche de la conversation plus terre à terre. Ils aiment généralement parler de choses simples du quotidien, même si certains aiment refaire le monde devant une bonne table et du bon vin.

- Évitez de longs monologues. Les Québécois savent écouter, mais il ne faut pas en abuser. S'ils font des phrases courtes c'est parce qu'ils invitent leur interlocuteur à faire de même. La pensée est synthétisée ; quelques mots suffisent. Les longs discours risquent de les fatiguer.

- Au travail, ne parlez pas d'emblée de votre famille ou de votre état matrimonial. Les Québécois ont une conception plus fracturée des rapports entre le travail et la vie personnelle. Si vous vous liez avec un collègue en particulier, vous pourrez faire référence à votre conjoint ou à vos enfants mais au demeurant, il s'agit d'un sujet qui ne concerne que vous.

- Ne prenez pas mal les références à votre pays d'origine et votre origine. Il ne s'agit pas de préjugés ou de racisme mais généralement d'une simple et saine curiosité.

- Soyez attentif aux réactions de vos interlocuteurs. Leurs silences, leurs retraits peuvent en dire énormément sur les façons de réagir face à certaines situations.

- Apprenez à lire entre les lignes, n'insistez pas sur un sujet délicat sur lequel vous sentez que votre interlocuteur ne veut pas s'engager. C'est peut-être parce qu'il n'a pas envie d'en discuter. Comme les Québécois sont très consensuels, ils ne vont pas le dire directement ; ils préféreront éviter le sujet.

- Apprenez à faire la différence entre un *oui oui* et un *oui non*. Les Québécois ne vous diront jamais non, ou très rarement. Il faut apprendre à décoder le véritable sens d'un *oui*. Chose difficile au début et qui peut prendre des années de pratique. L'observation est de mise ! *(...)*

(...) ● Attention à la critique, elle peut être très mal prise ou même perçue comme une confrontation. Tout est dans la formulation au Québec. Si vous avez vraiment quelque chose à signaler, il faut toujours y ajouter quelque chose de positif afin de mieux faire passer la pilule.

● Ne vous aventurez pas dans une critique en règle sur un sujet précis. Vous pourriez rapidement passer pour un « chialeur » ou tout simplement pour un « Maudit Français ». Tout le monde n'est pas prêt à recevoir la critique, vous n'êtes pas en France.

● Ne soyez jamais frontal lorsque vous devez évoquer un problème. Apprenez à aborder le sujet d'une façon progressive et subtile. N'oubliez pas que vous avez affaire à des gens consensuels !

● Ne montez pas le ton et surtout évitez de vous emporter. C'est une attitude à proscrire en Amérique du Nord. Ça ne marche tout simplement pas. Vous ferez fuir de potentiels amis et collègues de travail, et dans les services, vous n'obtiendrez pas plus rapidement votre dû.

● N'interrompez pas votre interlocuteur. Surtout si vous êtes un Parisien avec une élocution très rapide, vous avez certainement moins l'habitude d'attendre votre tour dans les échanges. Au Québec, les conversations sont ponctuées de silence qui peuvent s'apparenter à des moments morts ou des occasions de relancer le sujet. Mais, en fait, les Québécois laissent beaucoup respirer leur conversation, comme pour laisser passer une idée, une image. Évitez de les bousculer. Généralement, les Français finissent par adapter leur rythme, mais ça prend du temps...

Pas facile tout cela, mais à ce stade il est important de préciser qu'il ne s'agit pas de vous comporter comme un hypocrite, juste de marcher un peu sur des œufs au début. Au moins pendant le temps de l'acclimatation, prenez en compte les nouveaux repères avant de vous lancer dans la meute. Avec le temps et l'observation, vous apprendrez à vous poser et à trouver votre équilibre. Évidemment, l'immigrant a un bagage, et il est difficile de bouleverser de vieilles habitudes. La nature revient au galop, mais sachez au moins prendre un certain recul.

idéal d'élargir le cercle de ses relations tout en découvrant la façon de faire locale, la culture du travail et son nouvel environnement. L'action bénévole est propice au développement de l'initiative, du *leadership*, du dynamisme et de la débrouillardise, des qualités tant recherchées par les employeurs québécois. Sachez que toutes ces activités bénévoles peuvent être inscrites dans votre *curriculum vitæ*.

« Ma femme fait beaucoup de bénévolat, notamment à l'école des enfants pour l'aide aux devoirs, affirme Christophe Humbert installé depuis 2007 à Montréal. Les premières relations se font au travail et dans le cadre du bénévolat. Il faut être curieux des autres. Ainsi, tu poses plein de questions afin de savoir comment ils vivent. Ça permet vraiment de comprendre la société dans laquelle nous avons choisi de vivre. »

Alors apprenti cuisinier, David Aghapekian a fait du bénévolat au restaurant Robin des Bois de la rue Saint-Laurent, un organisme qui vient en aide aux démunis. « C'est bon de faire du bénévolat, confie-t-il. Ça permet de rencontrer des gens, de prendre conscience de certaines problématiques qu'on ne connaît pas. C'est bien beau de vivre ici, mais il faut aussi participer. »

Les sports et loisirs

L'Amérique du Nord vit sur un mode sportif. Vous remarquerez que les gens aiment arborer des vêtements confortables et sportifs même s'ils ne participent pas aux jeux Olympiques. Ainsi les magasins de sport se multiplient sur les grandes artères des villes québécoises. Sports Expert, La Cordée, L'Aventurier, Kanuk deviendront des enseignes familières au gré des saisons.

Même si tous les Québécois ne sont pas de grands sportifs, beaucoup adorent s'adonner aux sports pendant leurs années d'études et poursuivent en entrant dans la vie active. Le fait d'y participer à votre tour augmente vos chances de vous lier avec eux. Le sport préféré des Québécois, c'est évidemment le hockey, véritable football de glace local. Normal, le plus grand joueur de tous les temps, Maurice Richard, est québécois ! Avec lui, véritable héros national au Québec, l'équipe des Canadiens-de-Montréal a conquis de nombreuses coupes Stanley au lendemain de la Seconde Guerre mondiale. Ainsi, dès leur tout jeune âge, de nombreux enfants usent leurs patins le samedi et le dimanche sur les patinoires et dans les arénas de quartier. Pendant les grands froids, raquettes, luge et motoneige sont toutes indiquées pour jouir de la neige. Les sports d'hiver sont certainement la meilleure façon de profiter de la saison.

Mais en dehors de ce sport adapté au pays, on peut pratiquer au Québec tous les sports possibles, de la motoneige au roller, en passant par le baseball et le vélo, jusqu'au football et au squash. Installée à Québec en tant qu'étudiante, Audrey Parily pratique plusieurs activités. Elle témoigne : « J'ai fait pas mal de sports comme du step et de l'aérobic, c'est bon pour la santé et ça aide à rencontrer d'autres personnes. »

3 000 KILOMÈTRES DE PISTES ET DE ROUTES

Les cyclistes pourront profiter des nombreuses pistes cyclables dans les villes, de vrais sentiers aménagés (respectés par les automobilistes) et adaptés pour la vie en deux roues (et aussi pour les patins alignés). Il est possible à Montréal de faire le tour de l'île sur ces pistes. En dehors des villes, de nombreux sentiers sont également disponibles un peu partout au Québec, que ce soit dans les Cantons de l'Est ou en Mauricie. Les plus courageux vont même jusqu'à faire le tour de la Gaspésie pendant la belle saison. Pour les adeptes du tourisme en guidon, il existe un site internet de la route verte (www.routeverte.com) et le portail des cyclistes québécois (www.velo.qc.ca). Si la condition physique ou la musculation vous tente, sachez que vous pourrez vous entraîner aux centres du YMCA (ou YWCA pour les femmes), les centres des chaînes Énergie Cardio (www.energiecardio.com) et de Nautilus Plus (www.nautilusplus.com). Toute une panoplie de centres sportifs et clubs de gym proposent à des prix imbattables des abonnements à leurs diverses activités. De plus, les complexes sportifs universitaires, que vous soyez inscrit ou non à l'université, offrent de bons équipements à des prix fort intéressants. Les centres communautaires des villes mettent également à disposition de nombreux services, tels l'utilisation gratuite de la piscine ou l'accès, à des prix attractifs, à diverses disciplines allant des cours prénataux au badminton jusqu'à l'aérobic, en passant par l'escalade.

Homme-femme : mode d'emploi

Les relations entre les hommes et les femmes sont différentes au Québec non sans provoquer quelques chocs culturels. Originaire de Lyon, alors âgée de 25 ans, Audrey Parily est arrivée en 2005 au Québec. « Les relations sont plus égalitaires au Québec, constate-t-elle. En France, le gars est plus macho mais plus engagé dans la relation. Les chums (petits-amis) de mes copines françaises font moins de choses sur le plan des taches ménagères. Les hommes ont encore l'impression que la femme est un être faible, qu'il faut la sauver. Ainsi, en France, si tu invites un garçon à boire un verre, tu vas lui faire peur. »

Le premier pas

Les Françaises installées au Québec sont souvent surprises par la passivité des hommes québécois. C'est le cas d'Audrey qui a été sous le

QUELQUES BLOGS SUR LE QUÉBEC

Les blogs des Français du Québec

Les immigrants du Québec sont de plus en plus nombreux à s'exprimer sur la Toile. Des démarches d'immigration, à l'enchantement de la découverte de leur nouveau pays, en passant par tous les états d'âme et les désillusions, ils nous font vivre à travers leurs yeux cette expérience exceptionnelle, agrémentée d'images, de notes personnelles et de bien d'autres découvertes.

- http://cymico.over-blog.com/ Une famille française installée à Sherbrooke dans les cantons de l'Est.
- www.mauditfrancais.com/ Depuis 10 ans, un « Maudit » Français à Montréal.
- http://dupommieralerable.over-blog.com/ Un couple d'immigrants français à Montréal
- http://365chosesafaireamontreal.wordpress.com/ Cet immigrant français partage une découverte pour chaque jour de l'année.
- poutineettartiflette.blogspot.com/ Poutine et tartiflette
- http://sylvain-montreal.blogspot.com/Sylvain à Montréal

Quelques autres blogs du Québec

- http://taxidenuit.blogspot.com/ Déambulations nocturnes d'un chauffeur de taxi montréalais.
- www.mereindigne.com/ Les chroniques d'une mère de famille québécoise.
- www.banlieusardises.com/ Martine Gingras tient son site web depuis 1995 sur Internet.
- http://houblog.net/ Le blog subjectif de Houssein, un immigrant tunisien installé à Montréal depuis 1999.
- http://lesjasettesdelisette.blogspot.com/ Lisette nous fait une p'tite conversation.
- www.oserparis.com/ Chroniques d'une Québécoise à Paris.
- www.montrealmultiple.com/ Deux journalistes de *La Presse* abordent le Montréal ethnique.

choc. « Lors de ma première semaine au Québec, je me demandais : Que se passe-t-il, suis-je devenue moche ? remarque-t-elle avec un sourire. Au Québec, on a l'impression de devenir invisible, personne ne vous regarde. En France, tu peux te faire draguer n'importe quand. Tu vas te réfugier dans l'écoute de ton iPod ou dans tes lectures et malgré tout, tu te fais draguer. Au Québec, même lorsque tu mets une jupe, on ne t'aborde pas. Tu as l'impression que ta période de gloire est terminée ! »

Pour sa part, Sophie Bertrand est arrivée au Québec en 2004, à 30 ans avec son conjoint français et ses deux enfants. Mais, avec le temps, le couple se sépare et elle rencontre un nouvel amoureux québécois. « La manière d'être en couple n'est pas construite avec les mêmes repères. La différence culturelle existe, affirme-t-elle. Les Français sont plus expressifs. Mon amoureux québécois est plus calme, posé et réfléchi. J'ai tendance à faire figure de tornade à côté de lui. »

Des codes sociaux différents

Malgré tout, Audrey a rencontré son amoureux originaire de Kamouraska (un beau village non loin de Québec) dans un bar à chansons où elle était allée avec une bande de filles. « Le petit côté exotique et l'accent a certainement aidé lors de notre rencontre, avoue-t-elle. Mon copain m'invitait au resto, j'aimais cela, pas les Québécoises. Les hommes sont moins galants, je trouve cela dommage. »

Sophie confie qu'elle a dû s'acclimater rapidement sur le plan culturel puisqu'elle refaisait sa vie avec un Québécois. « J'ai dû tout apprendre car j'étais confrontée à la culture québécoise, affirme-t-elle. Lorsque tu es avec des amis et qu'ils parlent d'un chanteur, tu veux savoir de

LE QUÉBEC EXPLIQUÉ AUX IMMIGRANTS

VICTOR ARMONY, ORIGINAIRE D'ARGENTINE, aurait aimé avoir un livre comme le sien lorsqu'il est arrivé au Québec en 1989. Ce professeur de sociologie de l'Université du Québec à Montréal a écrit en 2007 un livre pour répondre aux fréquentes interrogations des immigrants en terre québécoise. Les questions d'identité, de langue, de culture, de politique, de rapport avec le Canada anglais sont abordées dans ce livre de 200 pages. « Moi et mon épouse, tous deux sociologues de formation, avons pris un peu de temps avant de comprendre certaines choses car il nous manquait une dimension culturelle, affirme-t-il. Le Québec est une société plus énigmatique que d'autres en raison du rapport de minorité-majorité des Québécois au sein du Canada. »

SELON LUI, UN CHOIX AUSSI BANAL QUE LA LANGUE, ou les langues, à privilégier sur son répondeur peut prendre une toute autre perspective au Québec. « Déjà c'est un choix qu'on doit faire. Un choix banal, mais qui devient une prise de position politique au Québec, affirme-t-il. Poser une question en anglais à un chauffeur d'autobus peut créer un incident diplomatique. Ici tout est compliqué pour cela. » Selon Victor Armony, il y a des parallèles à faire entre le Québec et la Catalogne en Espagne. « Il y a une situation historique et identitaire particulière au Québec, constate-t-il. Cela peut expliquer certains comportements chez les Québécois, dus à la particularité de la dimension psychologique collective, à la mentalité. Même si on est un immigrant francophone, on ne comprend pas tout de suite les codes sociaux et cette réalité. On comprend ce qui est dit mais on n'en mesure pas toute la portée. Il y a des affinités évidentes entre les Français et les Québécois, mais il y a aussi de grandes différences déroutantes comme dans la façon de concevoir l'Histoire, l'identité et la langue. Ici c'est l'Amérique du Nord, mais teintée par l'identité québécoise. »

- *Le Québec expliqué aux immigrants* par Victor Armony, VLB Éditeur, 2007

☛ **Bonus Web.** Pour visionner la vidéo de l'entrevue : www.immigrer.com/138

qui ils parlent. Il y a beaucoup de repères que tu n'as pas, tu es à la découverte de l'autre aussi bien sur le plan musical que cinématographique, culinaire, etc. »

Véronique Perly qui a vécu six ans au Québec a évalué l'ampleur du décalage lors de son retour en France. « Au Québec, au travail, j'avais les mêmes responsabilités que les hommes alors qu'en France je n'ai pas le même niveau, affirme cette mère de trois enfants. Le statut de la femme en France n'est pas le même, c'est une société plus archaïque sur ce plan-là. Dans l'inconscient collectif français par exemple, c'est la femme qui s'occupe des enfants. »

« Au Québec, si tu gagnes plus que ton "chum" ça ne semble pas être un problème, affirme Audrey Parily qui a travaillé dans une entreprise de conseils. L'émission d'origine québécoise, "Un gars, une fille", est très différente dans la version québécoise : ça dit tout ! » Quant à la réputation de castrés des Québécois... Audrey affirme : « Je n'ai pas reconnu les hommes castrés dont on m'avait parlé. Et je n'ai jamais vu en mes amies québécoises des castratrices, comme dans la série québécoise *Les Invincibles.* »

De retour en France, Véronique a remarqué un changement d'attitude chez son mari français. « À cause de la pression sociale et du désir de ne pas perdre la face, il s'impliquait moins à la maison, confie-t-elle. Il en faisait plus lorsque nous étions au Québec. Pourtant, mes copines françaises me disent aujourd'hui que je suis chanceuse et qu'il est très impliqué dans les travaux ménagers, des choses que leur mari ne ferait pas. »

Ainsi les relations entre les deux sexes ne suivent pas les mêmes codes sociaux qu'en Europe. De quoi dérouter de nombreux hommes. La femme nord-américaine, surtout la Québécoise, est une farouche indépendante qui n'aime pas être redevable. Elle aimera prendre un verre en célibataire avec ses copines. En général, elle s'attend à ce que les hommes ne soient pas très démonstratifs dans leur approche et abordent la femme d'une façon amicale dans un premier temps. Au travail, on ne mélange pas vie sentimentale et boulot, c'est très mal vu.

Les obstacles à l'intégration

Nous abordons dans cette partie les grandes difficultés rencontrées par les nouveaux arrivants sur le plan de leur adaptation culturelle et sociale au Québec lors des différentes étapes de l'installation. Les problèmes liés au travail ont été traités dans la partie 2, dans le chapitre intitulé « Les obstacles à la recherche d'emploi ».

Les étapes de l'arrivée

« Le visa est une chose, mais la réelle immigration, c'est vivre ici, au Québec », affirme Sylvain Paulet, analyste financier récemment arrivé au Québec. L'attente du visa peut sembler interminable pour de nombreux futurs immigrants et travailleurs temporaires. Mais pourtant, la véritable aventure débute au moment où vous posez le pied sur le sol québécois. Vous êtes impatient de commencer votre nouvelle vie, il vous tarde de constater par vous-même tout ce que vous avez lu, entendu.

Le tourbillon de la première année

En général, le nouvel arrivant est dans un état d'euphorie les premiers temps. Tout est nouveau, il découvre un nouveau style de vie, de perception du monde, toute une nouvelle culture. Il est fasciné, il tente de comprendre, il est surpris par les différences et la plupart du

Vécu

Une grande remise en question

SI LE PROJET D'INSTALLATION ***ne va pas aussi bien que vous l'auriez souhaité, vous risquez de vous réfugier dans la critique de votre société d'accueil. Au stade de la désillusion, certains nouveaux arrivants en état de choc rejettent du revers de la main ce nouveau monde.***

« IL FAUT ÊTRE BIEN PRÉPARÉ, remarque Sylvain Paulet, sinon, en général, lorsque ça tourne mal, la réaction devient vite négative. Ça peut faire très mal à l'ego et aussi mettre mal à l'aise par rapport à la famille et aux amis restés au pays, affirme-t-il. De nombreuses personnes vont alors jeter le blâme sur la société québécoise, plutôt que de se remettre en question. Mais il faut savoir déterminer ce qui est le plus important, retrousser ses manches et "y aller" en considérant que ça prendra peut-être plus de temps que prévu, ou alors rentrer au pays. »

temps, il idéalise. En effet, il transporte avec lui toutes sortes d'images qui peuvent être vraies ou fausses. « Honnêtement, il n'y a pas de recette ni de technique pour aborder l'immigration, pense Christophe Humbert, informaticien installé à Montréal. L'intégration se fait en fonction de la personnalité de chacun et de ses motivations. Lorsqu'on arrive, il faut garder les pieds sur terre, il ne faut pas se laisser emballer par l'effet de nouveauté. »

L'installation nécessite un effort important au niveau des démarches administratives mais surtout au niveau de la recherche de logement, d'emploi et de la restructuration d'un milieu social et affectif. L'immigrant doit aborder ces divers aspects de front, puisqu'il doit trouver sa place dans tous à la fois. La première année est un véritable tourbillon de sensations, de réflexions, de découvertes, d'expériences et demande beaucoup d'énergie.

Le temps des désillusions

Selon Myriam Coppry, psychothérapeute auprès des immigrants et expatriés à Montréal, la première année est en effet une année d'euphorie, mais la réaction change rapidement. Généralement après un an débutent les premières vraies embûches de l'installation. « La deuxième étape, c'est la période où la personne porte un regard plus objectif sur sa société d'accueil. Si elle vit à ce moment-là des moments difficiles, c'est là que le danger peut surgir, c'est-à-dire que l'individu décide de rejeter ou non en bloc le Québec à cause de son malaise. C'est là que les Français (et autres immigrants) manquent beaucoup de soutien. Souvent les nouveaux arrivants ont un coup de blues et pensent que leur solitude n'est pas normale, alors qu'en fait une crise peut arriver. Et toute crise a un début et une fin. Ceux qui ne sont pas capables de comprendre cela décident parfois de partir, sans essayer de surmonter ces difficultés ou d'améliorer les choses », constate-t-elle.

Sortie de crise, réalisme et premier pas vers l'intégration

Des déceptions, petites ou grandes, peuvent se vivre dans plusieurs domaines et cela peut se révéler une dure épreuve pour le projet d'installation. Ce n'est surtout pas le moment de lâcher prise et de formuler des conclusions hâtives. Cette phase de l'immigration ou de l'expatriation est tout à fait normale. Elle est même nécessaire, en tant que transition entre le stade de l'illusion et celui de la réalité. Ne vous braquez pas, laissez-vous une chance, à vous et à votre nouvel environnement. Accrochez-vous aux choses positives.

Après l'illusion et la déception, arrive la phase du réalisme et des premiers pas vers une réelle intégration. Chaque individu vit ces étapes à

Vécu

Rentrer en France n'est pas synonyme d'échec

SELON PIERRE-OLIVIER SAIRE, ***spécialiste du management interculturel, l'immigrant passe à travers trois cycles d'acculturation : l'euphorie, la dépression et l'adaptation.***

« LA PHASE EUPHORIQUE fait en sorte qu'on ne voit pas certaines choses », constate-t-il. Selon lui, de toute façon, le moteur de l'immigration de nombreux Français au Québec n'est pas tant d'immigrer au Québec que de quitter la France. L'euphorie s'estompe quelques mois après l'arrivée lorsque la réalité rattrape l'enthousiasme de l'immigrant. Pierre-Olivier Saire suggère de ne pas prendre de grandes décisions lors de cette période dépressive, telles rentrer en France ou acheter une maison. Cette période peut accompagner toute la première année. Puis, vient la période d'adaptation qui peut durer jusqu'à deux ans. Pour Pierre-Olivier Saire, le retour au pays n'est pas nécessairement un échec, surtout s'il intervient au bout de cinq-six ans, car il peut permettre à l'immigrant de s'accomplir professionnellement.

LES RAISONS QUI POUSSENT à rentrer en France sont nombreuses : outre l'éloignement familial ou la difficulté de faire reconnaître ses diplômes, le besoin de se rapprocher de ses parents vieillissants, la volonté de voir ses enfants retrouver leur culture et ne pas devenir de véritables petits Québécois, ou encore le manque de reconnaissance sociale, peuvent en être d'autres. La société québécoise étant plus égalitaire qu'en France, certains Français, en quête de consécration professionnelle, peuvent en effet avoir envie de retourner chez eux, explique Pierre-Olivier Saire.

sa façon, selon son rythme. Pour certains, ces étapes peuvent durer trois ans, cinq ans. Pour d'autres, encore plus. À cette phase plus objective, vous verrez votre nouvel environnement avec plus de recul, vous serez capable d'évaluer ses côtés positifs comme négatifs.

Vécu

Accepter de ne pas être tout à fait le même

L'UN DES PLUS GRANDS DÉFIS DE L'IMMIGRANT, selon Myriam Coppry, reste qu'il doit accepter que ses enfants appartiennent dorénavant à la société d'accueil et qu'ils ne seront pas tout à fait comme lui. « Immigrer c'est tout perdre de ses références, c'est démarrer ailleurs, souligne-t-elle. On recommence tout, les amis, la famille. Les individus n'existent pas de la même façon, car ils n'ont plus le même entourage. Ceux pour qui ça se passe bien, sont en général ceux qui acceptent la différence. »

NOÉMIE DEHLING EST VENUE à plusieurs reprises rendre visite à sa sœur installée au Québec avant d'entamer des études à l'Université du Québec. « Les gens qui ont vraiment des problèmes pour s'adapter sont ceux qui restent dans des réseaux connus, qui ne font que soulever les différences d'une façon constante, constate-t-elle. Évitez ceux qui ne restent qu'entre personnes de même nationalité et qui répètent en permanence "En France...". Aucune relation ne pourra se baser sur des comparaisons perpétuelles. On veut vivre une expérience. Il faut avoir une ouverture d'esprit plus forte que dans notre pays d'origine, être curieux, vouloir en savoir plus. Il peut y avoir une gêne au début, mais il faut faire un effort de plus lorsqu'on est à l'étranger. »

CHOC CULTUREL ET INTROSPECTION

« Il n'y a pas de mauvaises ou de bonnes raisons d'immigrer, l'important c'est d'être conscient de ces raisons avant de partir, commente Myriam Coppry, psychothérapeute et elle-même immigrante d'origine française. Lors des préparatifs à ce grand saut, il faut se demander pourquoi on quitte son chez-soi », affirme-t-elle. Selon elle, les immigrants sont motivés par trois raisons principales. « En général, ils immigrent soit en réaction à un conflit familial, soit tout simplement pour exister en tant qu'individu, se prouver à eux-mêmes qu'ils peuvent y arriver. Soit pour offrir un meilleur avenir à leurs enfants. »

Elle a pu constater que les moins de 30 ans font souvent le saut simplement pour en faire l'expérience, en se posant moins de questions que les adultes de plus de 30 ans.

Immigration : le choix de l'investissement

L'immigration est une des plus grandes remises en question de votre vie. Le choc d'une nouvelle culture, qui ne paraissait pourtant pas éloignée, vous amènera certainement à de nombreuses réflexions. « L'état d'esprit de départ de nombreux Français pose souvent un problème, constate Myriam Coppry. Ils ont l'impression qu'ils vont retrouver des cousins éloignés, qu'ils partent en terrain conquis, mais ce n'est pas le cas », avertit-elle. Cette psychothérapeute ne compte plus le nombre de ses patients qui sont surpris par la différence culturelle. « Les Français souvent ne se considèrent pas comme des immigrants, mais comme des expatriés, dit-elle, c'est très difficile de leur faire comprendre que ce n'est pas le cas. »

Oublier ses repères pour en trouver de nouveaux

Lors de votre installation, vous serez peut-être choqué par de nombreux comportements ou façons de faire non conformes à ce que vous avez appris dans votre pays d'origine. L'immigrant perd tous ses repères, cela peut le mettre dans un état de fragilité constante comme l'a constaté Christophe Humbert. « C'est difficile parce que tu réapprends tout », affirme-t-il. Pour sa part, Audrey Parily était surprise de découvrir qu'une pharmacie au Québec ne vend pas juste des médicaments. « Je trouvais amusant qu'on puisse y acheter des bonbons ou un bon livre, affirme-t-elle. On est un peu perdu au début, mais on s'y retrouve avec le temps, et par la suite, on ne peut plus s'en passer. » « Une immigration c'est un stress incroyable, il faut tout réapprendre, avertit Myriam Coppry. Une action aussi simple que d'aller au guichet automatique d'une banque peut se transformer en une réelle expédition. »

ÊTRE AU CLAIR SUR SES MOTIVATIONS

Une réelle introspection s'impose avant de décider de quitter son sol natal pour s'installer ailleurs. Et l'immigrant ou l'expatrié doit poursuivre cette introspection une fois sur place. Jamais on n'apprend aussi bien à se connaître qu'en étant confronté à soi-même, loin de sa terre natale et des siens. Mais encore faut-il être réceptif à un tel état. « Il faut savoir à la base pourquoi on est parti, pourquoi on a quitté son pays, questionne Isabelle Crouzet psychologue d'origine française installée au Québec. Ce n'est pas la guerre en Europe, nous ne sommes pas des réfugiés politiques. De nombreux immigrants partent pour des raisons professionnelles, mais sous-estiment les raisons personnelles adjacentes qu'ils découvriront peut-être une fois sur place. Il faut savoir comment on se sent face à sa culture familiale. Est-ce qu'on partage les valeurs de notre famille ? Est-ce qu'on est en conflit avec elles ? Quelle est notre place dans la famille ? » Isabelle constate en effet que de nombreuses personnes quittent leur pays à cause de relations fusionnelles avec leur famille. « Ou ce peut être tout le contraire, on peut partir parce qu'on n'était un peu comme le mouton noir dans la famille, ajoute-t-elle. Il y a aussi le besoin d'émancipation, surtout à un âge où l'on souhaite découvrir qui on est dans un endroit que l'on ne connaît pas. Mais quelle que soit la situation, il y a une grosse prise de risque car certaines personnes en sortent grandies et d'autres s'y perdent. » N'oubliez jamais que vos problèmes immigrent ou s'expatrient aussi avec vous. Ce n'est pas en changeant de pays qu'ils disparaissent ou se transforment. Changer de pays ne change pas le mal de place. Si vous cherchez à fuir quelque chose, celle-ci vous rattrapera aussi au Québec.

Partir de zéro

Arrivée de Haute-Savoie, Sophie Bertrand a atterri à Gatineau avec sa famille à l'été 2004. Cette mère de deux enfants ne pouvait pas être employée tout de suite comme travailleuse sociale car les services de santé locaux lui demandaient des heures de travail impossibles. « En plus, comme je ne suis pas diplômée au Québec, les employeurs préféraient embaucher en priorité une personne formée sur place, même si j'avais cinq ans d'expérience. » Alors pour un temps, elle fait des petits boulots avec des horaires plus réguliers, comme vendeuse dans les magasins. Puis, elle devient pendant quelques années professeur de français (langue seconde) dans la capitale Ottawa en Ontario, la ville voisine de Gatineau. Elle apprend la culture locale du travail et tisse petit à petit un réseau de contacts.

Sophie apprend que les services de santé locaux ont changé leurs horaires et pose sa candidature pour des postes moins près de chez elle, où personne ne veut aller, pensant qu'elle aurait plus de chance de décrocher un premier emploi dans son domaine. « En effet, j'ai réussi à trouver quelque chose en tant que travailleuse sociale mais à 162 kilomètres (aller-retour) de chez moi, se rappelle-t-elle. Sans parler de tous les déplacements. Je n'avais pas compris tout de suite qu'il fallait en passer par là avant d'accéder à un emploi plus près de chez moi ». Deux mois plus tard, elle obtient un poste dans son secteur à 60 kilomètres (aller-retour) de la maison. « Après quatre ans d'efforts, j'ai réussi à être embauchée comme travailleuse sociale pour le gouvernement du Québec près de la maison, affirme-t-elle. Ce que je n'avais pas pris en considération au début c'est l'identification des annonces où le *turn* over est important, même si c'était un peu plus éloigné. J'ai fait des concessions et cela m'a ouvert des portes. »

DEUX ANS POUR RETROUVER SON NIVEAU DE VIE

En général, les immigrants ne retrouvent pas immédiatement le niveau de vie qu'ils avaient dans leur pays d'origine. « Il faut compter deux ans pour atteindre le même niveau, constate Yann Hairaud de la CITIM. Il n'y a pas de parcours typique, tout dépend du secteur et de la demande. On conseille aux gens de ne rien négliger et parfois de choisir un travail sous-qualifié par rapport à leur profil, affirme-t-il. Le départ à zéro n'est pas systématique, mais ce n'est pas à négliger parfois. »

Que vous ayez vingt ans d'expérience ou seulement quelques années, vous débarquez dans tous les cas dans un environnement où vous n'avez pas de repères et où personne ne vous connaît. Les gens doivent apprendre à vous découvrir et à vous faire confiance. Les Québécois ne connaissent pas les diplômes que vous avez obtenus et les entreprises où vous avez travaillé. Même de grandes entreprises comme France Télécom, la SNCF ou La Redoute ne sont pas des noms familiers au Québec. Un premier employeur doit donc vous donner votre chance. Vous avez tout à prouver, mais au moment opportun vous saurez certainement utiliser votre « bagage ».

NE NÉGLIGEZ PAS LES PETITS BOULOTS

De nombreux immigrants doivent souvent accepter au départ des petits boulots, afin de se faire la main sur le marché du travail québécois et élargir leur réseau de contacts. Rares sont ceux qui trouvent chaussure à leur pied dès leur arrivée. Il faut souvent se donner du temps pour atteindre ses objectifs. L'important est de comprendre et de s'adapter à la culture locale dans le milieu professionnel. Celle-ci n'est pas identique à celle d'Europe ou d'ailleurs et il est fondamental de la connaître. Et rassurez-vous, ce n'est pas parce qu'un jour vous

Vécu

Les petits boulots : une première expérience canadienne

« LES PARENTHÈSES PROFESSIONNELLES ne sont pas aussi préjudiciables qu'en France, affirme Yann Hairaud. Souvent dans une stratégie d'emploi, il est nécessaire de passer d'un travail à un autre. Le fait de ne pas occuper un emploi dans son secteur ou en lien avec son secteur n'est pas incontournable. » Les gens ne s'intéressent pas tant à votre titre ou à vos diplômes qu'à vos capacités réelles. Parfois, il est plus judicieux de passer par la petite porte pour arriver à ses fins. D'ailleurs des études démontrent qu'il est plus facile pour les travailleurs déjà en poste de trouver un autre emploi.

AINSI, UNE PREMIÈRE EXPÉRIENCE CANADIENNE est toujours valable, peu importe le niveau hiérarchique et le domaine. Même si votre premier travail est en dessous de vos capacités et de vos aspirations et dans un tout autre domaine, il est important puisqu'il vous donne de l'expérience au Québec et qu'il vous aidera à vous faire connaître.

occupez un emploi sous-qualifié que vous demeurerez à ce niveau toute votre vie. Les choses évoluent rapidement en Amérique du Nord, vous pouvez quitter un travail pour un autre emploi sans trop de préavis.

Bougez sans complexe pour évoluer

« Il y a une plus grande mobilité professionnelle au Québec », constate Yann Hairaud, directeur de la CITIM. Même son de cloche auprès de Jean Bourrette, responsable des relations publiques dans un organisme de réinsertion d'emploi à Montréal. « Au Québec, ça n'a rien à voir avec la France. On peut progresser très rapidement, il est beaucoup plus naturel de changer de travail. » C'est une autre particularité de l'emploi en Amérique du Nord, il y a de réelles possibilités

AVANT DE SE DÉCOURAGER...

CERTAINS PLIENT BAGAGE après seulement quelques mois de recherche, faute d'avoir trouvé l'emploi idéal tout de suite. Avant de partir, il faut donc que vous soyez bien conscient qu'une véritable recherche d'emploi dure six mois, et que le premier poste occupé est généralement en dessous de vos capacités, vos diplômes et vos années d'expériences important peu. Si vous ne voulez absolument pas entrer par la petite porte, assurez-vous d'avoir un bon coussin financier pour vivre les premiers mois, voire la première année. L'autre alternative reste de trouver un emploi à l'avance, mais comme nous l'avons indiqué dans ce livre, il n'est pas évident de trouver un employeur québécois prêt à faire les démarches spécifiques pour embaucher un travailleur à distance.

REPRENDRE DES ÉTUDES. Enfin, certains nouveaux arrivants décident de reprendre des études pour se perfectionner ou développer d'autres compétences. Cette décision peut en effet avoir des effets bénéfiques sur votre projet. Les établissements scolaires québécois, du CEGEP à l'université, offrent beaucoup de possibilités et de flexibilité aux adultes qui souhaitent reprendre des études soit le soir, soit la journée.

UN CHIFFRE ENCOURAGEANT. Selon différentes études du MICC (ministère de l'Immigration et des Communautés culturelles) et aussi du Centre d'études ethniques de l'université de Montréal, plus des trois quarts des immigrants québécois sont toujours au Québec plusieurs années après leur arrivée.

d'évolution. On gravit rapidement les échelons en fonction de ses compétences et de ses réalisations. Si vous êtes compétent et apprécié, vous ne resterez pas longtemps à un poste sous-qualifié.

« Il faut savoir également qu'au Québec, il y a moins d'engagement vis-à-vis de l'employeur, affirme Yann Hairaud. Beaucoup de nouveaux arrivants hésitent à prendre un emploi moindre car ils ne se sentent pas à l'aise d'aller par la suite vers un autre employeur. » Selon lui, il n'est pas mal vu de quitter son emploi, c'est dans les mœurs. « On embauche et débauche rapidement ! » conclut-il.

Bien vivre l'éloignement familial

« Ce n'est pas toujours évident d'être loin, pour les moments heureux comme malheureux, affirme Emmanuelle Arth qui vit à Chicoutimi (Saguenay) depuis 2001. Mon frère a eu des enfants et je n'ai pas été là. » Cette femme aujourd'hui à l'aube de la trentaine n'a pas encore eu d'enfants. « Il y a une part de déchirement, ce n'est pas toujours évident. Il y a des moments où les 4 000 kilomètres paraissent infranchissables. Pas possible d'aller passer un week-end en Alsace. En France, j'ai un accent québécois, ici j'ai un accent français. Quand j'ai arrêté de voir mon immigration comme un engagement à vie, ça a été plus facile à vivre. »

L'éloignement familial peut particulièrement toucher les femmes qui se sentent souvent plus proches de leur famille et/ou que la maternité vient transformer. C'est le cas de Véronique Perly qui a quitté sa vie au Québec après six belles années de découverte afin de retrouver sa famille en France. « Avec la venue des enfants, l'éloignement familial a été un élément déclencheur de notre retour en France. » Véronique ne pouvait pas concevoir de vivre et d'élever ses enfants si loin de sa famille (lire son témoignage dans le chapitre consacré au retour, page 459).

Pour Audrey Parily, le problème a aussi été important puisqu'il a provoqué un retour momentané en France après cinq ans de vie au Québec. « Puisque mes parents ont immigré des Antilles vers Lyon, j'ai déjà vécu les côtés négatifs de l'immigration ; je n'étais pas certaine

Vécu

Une séparation souvent difficile

LA DÉCISION D'IMMIGRER n'est pas sans conséquence pour son entourage. Même s'ils respectent votre choix de vie, la séparation peut être très pénible pour les parents. Vos enfants ne pourront entretenir de relations régulières avec leurs grands-parents, leurs oncles et tantes, leurs cousins et cousines.

VOUS NE VERREZ PAS VIEILLIR VOS PARENTS, ni grandir les enfants de vos frères et sœurs. Malgré les nombreuses visites, c'est toujours le cœur déchiré que vous quitterez vos proches. Il faut être conscient que le choix de l'immigration implique toute une variété de sentiments contradictoires.

AURÉLIE DEHLING QUI EST ARRIVÉE EN 2004 vient d'avoir un enfant. « Même en ayant mes sœurs sur place, ce n'est pas toujours évident d'être loin de ses parents, note-t-elle. Notre petite Margot grandit et nous sommes toujours assis entre deux chaises. D'un côté, une douceur de vivre au Québec avec un confort matériel. Et de l'autre, on reste un Français qui ne vit pas chez lui. Tu n'es pas d'ici et tes parents vieillissent sans toi. » Aurélie se dit transformée par la maternité. « Quand tu as des enfants, c'est différent, affirme-t-elle. Je ne pensais pas dire cela, mais tu réalises que ton enfant n'aura pas la même culture ni les mêmes références que toi et que tu as donné naissance à un Québécois. Ne pas partager la même culture que son enfant, je trouve cela assez particulier. Tout ceci n'est pas évident. »

de vouloir vivre la même chose, affirme-t-elle. J'étais fille unique, je n'avais pas de cousin ni de cousine. Ça m'a vraiment manqué. Et je voudrais que mes enfants établissent des relations fortes avec mes parents. Ça va être triste si j'ai des enfants à 6 000 kilomètres. »

Installée depuis 2004 à Gatineau, Sophie Bertrand a trois enfants dont la petite dernière née au Québec. « À partir du moment où je suis partie si loin, il a fallu s'organiser, note-t-elle. Mes parents ont fait l'acquisition d'une webcam. C'est notre cérémonial du samedi ou du dimanche matin. C'est pas si mal. Le plus difficile, c'est quand il y a des décès. On ne peut pas toujours se rendre en France pour partager ces moments-là. »

Maintenir le lien outre-Atlantique

D'abord, attendez-vous à une grande surprise dans votre entourage lorsque vous leur annoncerez que vous partez, surtout dans le cadre d'une immigration. Les amis vous encourageront probablement à construire votre projet, mais la famille proche, même si elle comprendra, sera certainement attristée de vous voir partir aussi loin. Vous vous dites peut-être qu'aujourd'hui avec Internet, l'avion et le téléphone, vous ne serez tout de même pas si loin. C'est vrai et faux à la fois. Oui, vous pourrez communiquer plus facilement avec votre famille et vos proches qu'à une autre époque. Mais vos nouvelles expériences seront si fortes qu'il deviendra parfois très difficile d'expliquer ce qu'ils ne vivront et ne connaîtront jamais. Il peut sembler compliqué de vous suivre ; ainsi il faut parfois doubler d'ardeur pour vous faire comprendre. Lors de leurs visites au Québec, ils comprendront mieux votre vie quotidienne et votre nouvel environnement.

Affronter la solitude et bâtir de nouvelles amitiés

Mais surtout, il suffit de quitter sa famille, ses amis et son entourage, pour se rendre compte de la place immense qu'ils prennent dans nos vies. L'éloignement familial est avec l'hiver un des éléments déclencheurs d'un retour au pays. L'immigration amène l'individu à s'isoler affectivement. Désormais, il est seul face à ses problèmes. Des amis de longue date ne se remplacent pas en quelques semaines. Vous serez seul, entouré d'étrangers, certes gentils, mais qui ne vous attendaient pas. Cet isolement peut être difficile à vivre si vous n'êtes pas du genre solitaire. En cas de coup dur, l'éloignement peut devenir un véritable calvaire.

Petit à petit, vous vous ferez des amis sur place. Au début, vos nouveaux amis seront certainement comme vous, des immigrants fraîchement débarqués. Vous vous comprendrez bien et vous chercherez les mêmes choses. Les premiers temps, vous aurez certainement des contacts cordiaux avec les Québécois, mais l'amitié, comme partout, met du temps à se développer. Pensez au dernier ami réel que vous vous êtes fait dans votre pays d'origine, ce lien doit déjà dater de quelques années. C'est la même chose au Québec, ce sentiment se développe peu à peu. N'oubliez pas que vous êtes plus demandeur que les Québécois qui sont entourés des leurs. Traditionnellement, les amitiés se nouent à l'école ou au travail, mais il est aussi possible de rencontrer des gens lors d'activités de loisirs, sur des sites internet ou au sein d'organismes bénévoles et autres. N'hésitez pas à aller de l'avant, engagez-vous, proposez votre énergie pour une bonne cause.

Cet élément peut être déterminant dans le succès de votre intégration bien qu'on ait tendance à le minimiser avant son installation définitive. Vous devrez redoubler d'efforts pour créer de nouveaux liens, ce qui peut peser lourd à la longue. En cas de découragement, ne tombez pas dans le piège d'accuser vos hôtes de superficialité ou de fermeture d'esprit. Si les Québécois sont faciles d'accès au début, ils le sont moins par la suite ; comme tout le monde, il leur faut du temps pour que vous preniez une place dans leur vie. De plus, surtout en ville, les gens ont peut-être tendance à se voir de manière moins assidue que dans votre pays d'origine. Aussi rappelez-vous la dernière fois que vous vous êtes réellement lié d'amitié avant votre

Vécu

Un grand stress pour les couples

DEPUIS L'ÂGE DE 12 ANS, Sophie Bertrand avait toujours rêvé d'aller au Québec. À l'approche de la trentaine, cette Parisienne, mère de deux enfants, en parle à son mari, originaire de Haute-Savoie. Après neuf mois de réflexion, le couple est décidé à vendre la maison et à se lancer. Ils font un voyage de repérage de trois semaines en janvier 2004.

JUILLET SUIVANT, ELLE ARRIVE TOUTE SEULE avec son chien et sa valise afin de préparer la nouvelle maison à Gatineau dans l'Outaouais québécois. « Mon mari devait rester en France pour s'occuper de quelques affaires. Je suis partie seule sans les enfants pour installer la maison », se souvient-elle. Mais seule pour faire toutes les démarches d'installation, elle constate rapidement un réel décalage lorsque son mari arrive un mois plus tard. « Le décalage avec mon mari était énorme, j'ai tout mâché, toutes les étapes de l'immigration, la maison, la voiture... Lorsqu'il est arrivé, la maison était installée, les rideaux étaient aux fenêtres », se souvient Sophie. Dans le même temps, elle a dû tout réapprendre, des choses inexplicables lorsque l'autre est à 7 000 kilomètres. « La première fois que je suis allée au Canadian Tire (un magasin de rénovation) je suis restée deux heures et demie dans les rayons », confie-t-elle.

DES TENSIONS DANS LE COUPLE avaient commencé bien avant l'immigration. « Nous avions failli nous séparer à plusieurs reprises en France. Ce qui nous a retenus, c'était la pression sociale. L'immigration a d'abord resserré les liens ; pendant les démarches, nous avions un objectif commun. » Au bout de quelques mois, elle trouve un emploi assez bien rémunéré. « Le vrai détachement s'est produit lorsque la situation s'est stabilisée. Avec la famille si loin, dans notre vie au Québec, il n'y avait plus de pression sociale. Ça nous a permis d'aller jusqu'au bout de notre histoire. Puis, au niveau culturel, le regard n'est pas le même au Québec lors d'une séparation. » Peu à peu, elle se rapproche d'un collègue de travail québécois de son mari. « À un moment, j'ai réalisé que je n'étais plus

(...)

(...) **amoureuse de mon époux et que j'avais des sentiments pour son collègue », confie-t-elle. Finalement, Sophie quitte son mari et emménage rapidement avec son nouvel ami. Après avoir habité dans deux logements à Gatineau, ils ont finalement construit leur maison en 2007. Leur fille est née la même année, un troisième enfant pour Sophie.**

installation à l'étranger : les relations profondes et sincères sont rares, et c'est encore plus vrai en vieillissant.

Tensions dans les couples

Certains couples ne tiennent pas le choc de l'immigration, chaque personne vivant l'immigration à sa manière ou se révélant différente une fois au Québec. De nombreux couples d'immigrants se séparent quelques années après leur arrivée au Québec.

Myriam Coppry, psychothérapeute auprès des expatriés et immigrants, connaît bien ces tensions que vivent de nombreux couples suite à une immigration. « L'immigration est une des raisons qui amènent certains couples à divorcer. Les gens vont se découvrir une autre nature. La femme devient plus indépendante, l'homme devient plus amorphe, par exemple. » L'adaptation des rythmes au nouvel environnement peut être très différente. Parfois l'un a plus de facilités que l'autre à s'adapter à son nouvel environnement de travail ou affectif, à se faire des amis, à s'habituer à être loin de sa famille. Le décalage de ces adaptations peut provoquer de réelles tensions dans les couples. Myriam Coppry constate que les couples doivent souvent attendre cinq ou six ans pour que la transition se fasse complètement vers un nouvel équilibre. « Souvent, ils vont se transformer, ils ne seront pas les mêmes personnes qu'auparavant. Il faut qu'ils s'attendent à cela. »

L'ADAPTATION À LA CULTURE

Les Québécois sont avant tout des Nord-Américains, ils sont plus près des Américains, qu'ils le veuillent ou non, que des Français. Le Québec n'est pas une terre de France en Amérique mais un coin francophone de ce continent. Ils sont francophones certes, et leurs ancêtres étaient les Gaulois, mais là s'arrête la ressemblance. Le Québec entretient des liens particuliers avec la France de par l'origine de ses habitants, son histoire, sa langue et les a renforcés depuis quelques dizaines d'années grâce aux artistes, à la maison du Québec à Paris et aux différents échanges commerciaux, politiques etc. Mais les Québécois sont un peuple à part entière qui vit depuis presque 400 ans à plus de 7 000 kilomètres de la France. En immigrant il y a des siècles, ces Français fondateurs de la Nouvelle-France sont devenus des Nord-Américains. Donc, globalement, celui qui cherche des « cousins » intacts sera déçu.

LA SIMILITUDE DE LA LANGUE CRÉE LE MALENTENDU

Si les Québécois parlaient une autre langue que le français, il y aurait certainement moins de malentendus. « La langue commune entre les Québécois et les Français crée des confusions, constate Yann Hairaud, de la Clef pour l'intégration au travail des immigrants. La communauté de langue peut constituer un leurre dissimulant les différences réelles. Il est alors nécessaire d'envisager une période d'adaptation. » Les échanges franco-québécois peuvent parfois porter à confusion et ouvrir la porte à de nombreux quiproquos. Ceci surtout parce qu'on suppose, de part et d'autre, qu'on se comprend. « La première fois que je suis allée à l'école pour ma fille et qu'ils m'ont remis la liste des fournitures scolaires, je me suis sentie perdue », se souvient Sophie Bertrand. Je ne comprenais pas ce qu'était un duo-tang. Et je trouvais que quatre cartables, c'était beaucoup ! Au magasin, j'ai suivi le commis qui m'a aidée dans mes achats. » Pour pallier ces problèmes culturels rencontrés par les nouveaux arrivants, certains organismes d'aide aux immigrants offrent même des ateliers d'initiation aux différences culturelles comme c'est le cas à l'Office Français de l'immigration et de l'intégration (OFII) de Montréal.

À Rome, vivre comme les Romains

En général, pour s'adapter à une culture, il faut faire comme ses concitoyens. Cela n'implique pas de s'empiffrer de « poutine » (*fast-food*) et de « queue de castor » (pâtisserie canadienne) dès votre arrivée, mais de s'ouvrir petit à petit à la culture environnante selon votre personnalité. « Pour la nourriture, la première année fut difficile, avoue Christophe Humbert. Il a fallu découvrir certaines références et ne pas se limiter aux grandes surfaces. Par exemple, nous avons découvert une petite boutique rue Saint-Zotique, un petit fromager qui vend des fromages québécois. Ça permet de découvrir d'autres produits que la sacro-sainte nourriture française. Au Québec, il n'y a pas que la pizza et le hamburger, mais également une vraie culture culinaire. » Si vous êtes du genre sportif, les sorties en plein air sauront certainement égayer votre esprit de trappeur ou d'aventurier. Si vous aimez les arts, sachez découvrir l'histoire, le cinéma, la chanson et la littérature locale, le parler québécois. Vous resterez toujours marqué par votre pays d'origine, vous resterez longtemps le « p'tit Français » aux yeux des Québécois et ne perdrez jamais votre accent français, mais vous aurez trouvé un équilibre entre vos racines et votre style de vie.

« La première chose que j'ai faite, je me suis raccroché à TV5, avoue Sophie Bertrand installée à Gatineau. Mais, au bout de quelques semaines, il fallait que je mette de côté mes repères français pour adopter ceux de la société québécoise. Et lorsqu'on comprend les

Vécu

Ne vous enfermez pas dans la communauté française

IL EST NORMAL de fréquenter au début des gens comme vous, qui viennent du même pays et vivent des situations semblables. De nombreuses associations et amicales de Français sont présentes à Montréal et ailleurs au Québec, le nombre de personnes originaires de France s'élève à environ 100 000 à Montréal, des écoles offrent une éducation à la française, vous pouvez profiter des nombreux restaurants français du Québec... Mais ne perdez pas de vue que vous n'êtes pas venu au Québec pour vivre comme en France.

À MOINS QUE VOUS NE SOYEZ QUE DE PASSAGE, vous n'avez certainement pas envie d'être en décalage constant par rapport à la société qui vous accueille et encore moins de ne pas vous sentir accepté. « Il ne faut pas s'isoler, conseille Myriam Coppry. Il faut éviter de se retrouver en communauté de Français. Il faut dépasser les premières impressions avec des commentaires comme “Les Québécois sont comme ci, comme ça !” »

« **IL FAUT AVOIR DES CONTACTS AVEC DES QUÉBÉCOIS** et tenter de les comprendre. Ce qu'il ne faut pas faire, c'est comparer les deux pays constamment. » Elle constate que certains immigrants au bout de quelque temps idéalisent leur pays d'origine. « Ils le font pour garder un souvenir, et pour ne pas tout perdre. Ceux qui ne le font pas ont souvent trouvé un équilibre dans leur nouveau milieu. » « Ne restez pas qu'entre Français d'autant que ce n'est pas ce qui manque, dit Audrey Parily qui est venue au Québec en tant qu'étudiante. Même à l'Université Laval à Québec, il y a des Français. Lorsqu'il y a des travaux de groupe, il faut tenter de former un groupe hétérogène avec des Québécois. Vivre au Québec qu'avec des Français, c'est dommage. »

références culturelles, on est capable de dialoguer avec les gens, d'avoir une véritable conversation avec eux. » Elle affirme aussi qu'il a fallu changer quelques habitudes d'outre-mer. « En tant que Français, tu as tendance à téléphoner à 17 h 30 chez les gens, dit-elle.

Sorties, spectacles et restaurants à moindre prix

Un réseau culturel qui valorise la promotion des spectacles et événements québécois permet de faire des découvertes et de s'intégrer rapidement à la vie culturelle en bénéficiant régulièrement de tarifs réduits et billets gratuits pour une foule d'événements culturels.

- **www.atuvu.ca**
- **www.accesculture.com**

L'union fait la force. Ces sites offrent de nombreuses aubaines pour sortir, découvrir, manger, bouger à petits prix puisque vous profitez des achats de groupe de ce site.

- **http://tuango.ca et www.teambuy.ca**

Mais au Québec, c'est une erreur, ils sont en plein souper. On dérange. » « Étant donné que je suis venue rendre visite à ma sœur quelques fois avant d'étudier à l'UQAM, j'ai fait moins d'erreurs que la plupart des nouveaux venus, confie Noémie Dehling. Il y a une véritable étape à franchir pour aller au-delà de la différence culturelle. Il faut juste cibler "le contenu" et enlever l'étiquette. Il faut se concentrer sur ce qui est dit et non sur la façon de le dire. Autrement, tu passes à côté de quelque chose. »

Pour Katy Harrouart, qui s'est installée non loin de Mont-Laurier, dans les Laurentides, écrire des articles pour le journal local lui a ouvert les portes de la culture québécoise et lui a permis de la découvrir. « Tous les artistes passent par Mont-Laurier, dit-elle. Et comme il s'agit d'une petite salle, on peut vraiment être près d'eux. Un travail de pigiste sous-payé m'a permis d'aller à la rencontre de la société tout entière et ainsi des Québécois. J'avais tout à apprendre. C'est une ouverture à la culture du pays extraordinaire. »

DES ADRESSES POUR LES GASTRONOMES

Le principal point d'achoppement pour les Français à travers le monde reste la nourriture. Sur ce plan non plus, vous ne retrouverez pas la France au Québec et même si les Québécois apprécient de plus en plus la bonne chère, les gastronomes devront déployer plus d'efforts pour savourer leurs plats préférés. Et encore, estimez-vous chanceux d'être au Québec, car répétons-le, la Belle Province est une exception sur le continent. Montréal reste un endroit unique en Amérique du Nord avec la plus forte concentration de restaurants français.

DU PAIN, DU VIN, DU FROMAGE

Les vins et les fromages étant importés, ils pèseront plus lourdement dans votre budget. Heureusement les Québécois s'intéressent de plus en plus aux fromages (et aussi aux vins) et de nombreux fromages québécois ont vu le jour ces dernières années. Les fromageries Hamel installées à Montréal qui comptent 450 variétés ou encore la fromagerie du Marché Atwater sauront vous orienter vers ces délices locaux. Il existe de nombreux fromages québécois avec des noms évocateurs comme le Pied-de-vent des îles de la Madeleine, le Bleu Bénédictin et le bleu ermite de l'Abbaye-Saint-Benoit-du-Lac, le Chevrochon ou le Douanier de la fromagerie Kritz-Kayser à Noyan.

De nombreuses boulangeries se sont installées ces dernières années à Montréal et à Québec, ce qui permet de trouver une bonne baguette. Sachez reconnaître les enseignes Au Pain Doré, Première Moisson et aussi toute une variété de boulangeries artisanales et biologiques comme Le Fromentier, Boulangerie de Froment et de Sève, Le Fournil.

POUR MANGER FRANÇAIS, DE TEMPS EN TEMPS…

SI VOUS TENEZ À MANGER FRANÇAIS, vous découvrirez avec joie les magasins « La Vieille Europe » dont l'épicerie principale se situe sur la rue Saint-Laurent à Montréal.

MONTRÉAL A QUELQUES MARCHÉS publics qui regorgent de produits frais. Au nord de la ville, au cœur du quartier italien, vous trouverez le Marché Jean-Talon qui propose de nombreux produits intéressants. Au sud de la ville, dans Saint-Henri, il y a le Marché Atwater, très fréquenté par les gastronomes. Vous y trouverez fromageries, boucheries, poissonneries, fruits et légumes frais vendus par les cultivateurs ainsi que bien d'autres produits. De nombreux Français apprécient la Pâtisserie de Gascogne qui a quelques magasins à Montréal avec des comptoirs un peu partout. Vous en trouverez par exemple, rue Laurier, à deux pas d'Outremont ou à Westmount, rue Sherbrooke Ouest.

POUR MANGER BIO. Sachez aussi découvrir les mets végétariens, biologiques et naturels dont sont friands de nombreux Québécois. En réaction au « *fast-food* », toute une série d'épiceries et de restaurants offrent une panoplie de produits de qualité pour contrer le hamburger-frites. La chaîne de restaurants végétariens Le Commensal offre de belles découvertes pour le palais. Vous retrouvez nombre de leurs produits dans les supermarchés au rayon frais.

➢ Quartiers gourmands, guide des épiceries fines du Québec
➢ www.quartiersgourmands.com

Le vin français est peut-être plus cher, mais vous pourrez découvrir à la SAQ (Société des alcools du Québec) une quantité de bouteilles d'alcools du monde entier. Qui sait, vous développerez peut-être une dépendance au vin chilien, australien ou californien ! Il est aussi possible de trouver du vin en dehors des magasins de la société d'État, ceci chez les « dépanneurs », mais il s'agira la plupart du temps de piquette. Surveillez les enseignes « Apportez votre vin » en devanture des restaurants québécois. En effet, certains établissements vous permettent d'apporter votre vin pour accompagner un repas. Et ils vous le débouchent avec le sourire ! Vous repartez avec la bouteille non terminée si vous le désirez. Il n'y a aucune gêne au Québec à vouloir rapporter les restes à la maison. En découvrant la quantité de nourriture dans votre assiette, vous comprendrez vite pourquoi cette façon de faire est assez répandue au Québec comme aux États-Unis.

Découvrez les spécialités locales

Si vous voulez manger québécois, faites un tour au minuscule restaurant de la rue Mont-Royal, La Binerie. Au menu, pâté chinois (l'équivalent d'un gratin dauphinois avec du maïs), tourtières, ragoût de boulettes et fèves au lard. Vous avez envie de déguster un hamburger ou de vous aventurer vers une poutine, mettez le cap sur L'Avenue, La Paryse ou L'Anecdote sur le plateau Mont-Royal.

Montréal offre aussi des spécialités à la sauce hébraïque, comme le fameux « Smoked Meat », un sandwich de viande fumée et le Bagel classique (pain rond au sésame), ou avec du saumon fumé. Pour le sandwich, rendez-vous dans les restaurants Dunn au centre-ville et Schwartz, rue Saint-Laurent. Vous pouvez acheter des bagels rue Fairmount et rue Saint-Viateur dans le Mile-End. Et si vous voulez la totale, rendez-vous pour un brunch chez Beauty's pour le bagel-saumon fumé. Si vous êtes amateur de goûts plus exotiques, sachez que Montréal offre aux curieux de nombreux restaurants du monde entier allant de l'Afghanistan à l'Éthiopie en passant par le quartier chinois et aussi des restaurants du Mexique, de l'Inde et du Japon.

L'HIVER, LES QUELQUES ARPENTS DE NEIGE DE VOLTAIRE

« Mon pays ce n'est pas un pays, c'est l'hiver ! » La première ligne de cette chanson de l'auteur-compositeur québécois Gilles Vigneault aurait pu être la devise du Québec. Elle résume bien l'importance de l'hiver au Québec. Un universitaire québécois, Michel Arcand, a publié dans les années 90 un essai intitulé *Abolissons l'hiver* ! Ce petit livre publié aux éditions Boréal n'est pas passé inaperçu dans la Belle Province. L'auteur constate qu'il est contre nature de vouloir défier l'hiver. Les Québécois, inventeurs de la motoneige, ont su s'adapter à cette saison au fil du temps. De nombreux Québécois détestent l'hiver, d'autres l'adorent pour ses activités de plein air. La première neige peut tomber dès novembre et la dernière en avril. Donc, on peut compter au maximum six mois d'hiver. Ceci est valable à Montréal, mais si vous vous trouvez dans le nord du territoire, vous aurez des hivers encore plus rudes. À Québec il y a plus de neige et les températures sont plus froides qu'à Montréal. C'est d'ailleurs à Québec qu'on retrouve en février le Carnaval de Québec et que s'est ouvert un hôtel de glace pour les visiteurs. Si le froid vous rebute, le Québec n'est peut-être pas fait pour vous.

« J'ai toujours adoré la neige, c'est beau, proclame Peggy. Ce n'est pas le même rythme, c'est plus calme. Il n'y a pas d'urgence comme en été. L'hiver donne un rythme à l'année, on sait qu'on va avoir trois ou quatre mois de vie différente. Ce n'est pas comme en Europe avec huit mois où tous les jours se ressemblent, constate-t-elle. Au Québec, on est plus proche de la nature en raison de ces variations. Vous êtes obligé de composer avec l'hiver, le changement de saison est là. »

Sec en hiver, humide en été

Mais il faut tout de même savoir que dans ce pays nordique (même si Montréal est à la même hauteur que Bordeaux, eh oui !), les habitants ont su apprivoiser les extrêmes. Le climat du Québec n'est pas tempéré comme celui de la France, les hivers sont froids et les étés sont chauds (surtout le mois de juillet). C'est un climat d'extrêmes, influencé en été par les masses tropicales d'air chaud, et en hiver par les masses d'air froid et sec venant de l'Arctique. En hiver, les températures descendent parfois en dessous de – 20 °C en janvier et février, habituellement les mois les plus rigoureux de l'année. Ces dernières années, avec les bouleversements climatiques et l'effet El Nino, les Québécois ont vécu des hivers plus doux. Considérez toujours le facteur vent lorsque vous voulez mettre le nez dehors, avec lui vous arrivez à mesurer la température réellement ressentie sur la peau. Cet élément peut faire toute la différence, et transformer un simple – 10 °C en un réel – 20 °C. Mais rassurez-vous, le vent ne se lève pas tous les jours sur le Québec.

Les Québécois déploient beaucoup d'énergie pour combattre le froid. Pas question de faire un défilé de mode, ils s'habillent chaudement de la tête aux pieds. Pour bien se protéger du froid, il faut porter différentes couches de vêtements tel un oignon, et surtout, lors des grands froids, ne pas oublier un long caleçon pour briser l'élan du vent. De nombreux magasins se spécialisent dans la vente de vêtements chauds à l'allure sportive conçus pour affronter les plus grands froids. Les maisons et les édifices sont très bien isolés contre le froid, les résidences sont principalement construites en bois avec fenêtres à double vitrage, justement pour contrer le froid.

Les centrales hydroélectriques du Québec produisent une des électricités les moins chères au monde, les Québécois peuvent ainsi se chauffer à des prix fort intéressants. Montréal a développé une ville souterraine, un réseau étendu de couloirs souterrains en plein centre-ville, permettant de relier bien à l'abri du froid des centres commerciaux à des bureaux, à des immeubles résidentiels et au métro. Les voitures sont souvent équipées d'un démarreur à distance afin de réchauffer le véhicule avant de prendre le volant, certaines voitures ont même des sièges chauffants.

Comment passer l'hiver

Le pire de l'hiver se concentre certainement autour du déneigement, du facteur vent et de la « slush », une espèce de gadoue prise entre la neige et l'eau. Cette dernière s'accumule au coin des rues, obligeant à enduire les bottes d'une crème protectrice afin de prévenir la formation de calcaire sur le cuir. Pour ce qui est du pelletage, véritable sport national en hiver après le hockey, il vous gardera certainement en forme. Mais si par malheur, vous prenez la voiture lors d'une tempête de neige, en plus de courir le risque d'être pris dans les bancs de neige (surtout si vous n'avez pas de 4x4), vous risquez d'utiliser la pelle plusieurs fois dans la journée pour sortir votre véhicule (matin, midi et soir si vous devez sortir en mi-journée). Sans parler des véhicules de déneigement de la ville qui ensevelissent votre voiture lors du nettoyage des rues.

La meilleure façon de supporter l'hiver est... de l'apprécier, et pour cela, il faut faire un peu de sport. Les amoureux de l'hiver vous parleront des sports hivernaux, allant de la raquette au ski de fond en passant par le patin et la motoneige. Ils vous parleront aussi du soleil qui brille souvent dans le ciel bleu lors des longs mois d'hiver. Pendant ce temps, de nombreuses villes européennes ont des hivers pluvieux et gris. Ils vous parleront de ce sentiment de réconfort et de sérénité lorsqu'on se retrouve chez soi, bien au chaud, lors d'une tempête de neige. L'hiver fait la véritable joie des enfants qui se roulent, glissent et sculptent la neige pendant des heures. C'est la joie de vivre un véritable Noël blanc au pays du Père Noël ! Un pays avec quatre saisons distinctes et des activités pour les accompagner. Mais attention, si vous aimez faire du ski alpin, ce n'est pas au Québec que vous allez trouver des montagnes hautes comme les Alpes. Il faut aller de l'autre côté du Canada pour cela, en Colombie-Britannique et en Alberta, vers les majestueuses Rocheuses.

Beaucoup de Québécois coupent l'hiver en prenant des vacances dans le sud, dans les îles. Le Mexique, Cuba et les Antilles sont des destinations de prédilection pour oublier le froid. Les compagnies de voyages proposent des séjours très alléchants pendant les mois d'hiver. De nombreuses personnes âgées du Québec immigrent vers le sud, principalement en Floride, pendant les mois les plus froids de l'hiver, on les appelle les « snowbirds ». Mais pensez que s'il n'y avait pas d'hiver, le Québec ne serait pas aussi peu peuplé et surtout ne serait pas ce qu'il est.

Le retour

Dans certains cas, le retour est considéré comme inévitable, que cela soit pour des raisons familiales, des différences culturelles trop lourdes à porter ou le désir de s'épanouir professionnellement ailleurs. Pour Isabelle Crouzet, psychologue d'origine française installée à Montréal, le retour n'est pas évident car l'immigrant revient changé. « S'il revient des années après, l'immigrant devra faire face à un pays d'origine qui a changé. Et pendant son absence, la famille s'est organisée sans lui ; il faut du temps pour qu'il retrouve sa place. » Selon elle, il faut se préparer à ce retour et s'attendre à une réelle période de réadaptation. « Il y a une phase de désillusion, des choses qui peuvent manquer du Québec, affirme-t-elle. C'est un vaste mélange car ils sont contents de revivre en famille, les fêtes, les vacances. Mais les immigrants ne seront jamais plus comme avant. Ils sont assis entre deux chaises. Partir, c'est plonger dans une quête de soi. »

Le retour de Véronique

Lorsqu'elle arrive à Montréal en septembre 1998, Véronique Perly est une jeune femme de 23 ans venue faire un échange CREPUQ de huit mois à l'Université de Montréal. « À mon départ, je voulais de l'indépendance, faire table rase et m'éloigner de ma famille, se souvient-elle. J'avais besoin de cette coupure pour me construire. Le Québec m'intéressait car c'était un bon compromis entre l'Amérique et l'Europe. » Et en effet, pour cette étudiante de Jussieu en biochimie l'arrivée à Montréal bouleverse sa vie. Un mois et demi après l'atterrissage, elle rencontre le grand amour dans une boîte de nuit de Montréal. Tony est français comme elle, venu aussi à Montréal pour terminer son doctorat en physique à l'Université du Québec à Montréal. La destinée a même voulu qu'ils soient, sans se connaître, dans le même avion lors de leur arrivée en septembre. Mais Tony est parti pour trois ans à Montréal ; Véronique qui devait y résider huit mois va revoir ses plans et complètera son cursus par un diplôme québécois de maîtrise dans son domaine.

Les raisons de cette décision

« Au début tout est beau, la neige c'est fantastique, confie-t-elle. Mais au bout d'un certain temps, l'enthousiasme retombe, on voit que Noël approche et qu'on n'a pas l'argent pour aller voir la famille en France. La deuxième année, c'est l'année des désillusions, c'est la plus terrible. Après on s'installe dans le confort, avec des hauts et des bas. » Elle et son conjoint ne sont pas toujours en phase, parfois les discussions sont houleuses. « Pour Tony dans sa tête, c'était plus clair, il était parti pour faire un PHD et son plan était de revenir en France après ; il n'a jamais cherché de travail au Canada après ses études. Moi, je me suis sentie portée, j'étais bien, j'avais mon cercle d'amis. »

Véronique accouche de son premier enfant en 2001. Quelques mois plus tard elle dépose sa maîtrise à l'Université de Montréal. Puis en 2002, elle commence un travail chez Orthosoft, une entreprise spécialisée dans les logiciels destinés à l'orthopédie ; son salaire est de 42 000 $ lors de son embauche. En 2003, elle a un deuxième enfant. « Ce sont les enfants qui font basculer le choix de rester ou du retourner dans son pays d'origine, si on décide vraiment de s'intégrer ou de rentrer, constate-t-elle. Je me rendais compte que les enfants allaient grandir sans famille autour d'eux au Québec, qu'ils n'auraient pas de

Vécu

Un retour de validation pour Audrey Parily

AUDREY PARILY EST ARRIVÉE EN JUIN 2005 comme étudiante en MBA à l'Université Laval de Québec. De fil en aiguille, elle reste quatre années, cumulant un diplôme québécois et un emploi dans une entreprise de conseils de la ville de Québec. Mais cette lyonnaise d'origine n'est pas très sûre de l'endroit où elle veut construire sa vie. « Je suis vraiment à la croisée des chemins, affirme-t-elle. Cela ne fonctionnait plus avec mon chum (petit ami) québécois, je vais avoir 30 ans cette année, mon visa est expiré et j'ai plein de questions dans la tête. » Pourtant, au Québec, Audrey occupait une bonne place percevant un salaire de 45 000 $, des assurances, des horaires variables et une bonne ambiance de travail. « En quatre ans au Québec, j'ai toujours eu de bonnes expériences et je n'ai jamais eu de gros coups durs », constate-t-elle.

MALGRÉ TOUT, AFIN DE FAIRE LE POINT, elle part à l'été 2009 en France et vit chez ses parents à Lyon. « Je veux être sûre de moi et décider si je construis ma vie au Québec ou en France, affirme-t-elle. Tous les immigrants se demandent régulièrement s'ils ont fait le bon choix. Tu vois tes amis à distance avoir des enfants, tu ne les connais pas. Tes parents vieillissent, tu n'es pas là. Avec les sept heures d'avion, difficile de retourner en France aussi facilement qu'on le voudrait. »

APRÈS QUATRE MOIS EN FRANCE, elle sent que le Québec lui manque énormément. « On apprécie la famille et les amis, la proximité, mais tout n'est pas simple, constate-t-elle. Lorsque je parle du Québec, au début les gens m'écoutent, mais assez vite ils sont moins attentifs. Mes amis parlent de choses que je ne connais pas. Moi, j'ai découvert une autre culture, une autre façon de vivre. Mes amis sont restés dans le chemin classique : études, travail, copain et bientôt enfant. Dans l'idéal, j'aimerais retourner en France pour de bon et avoir la même qualité de vie qu'au Québec mais c'est très difficile car à Québec, les gens sont tellement près de la nature. À Lyon, il y a du béton partout. J'aimerais aussi retrouver une bonne ambiance de travail, ce qui n'est pas facile à dénicher en France. » *(...)*

(...) **BIEN QU'ELLE AIT UN PEU TRAVAILLÉ en France avant de décoller pour le Québec, Audrey est déçue par la recherche d'emploi. « En France, on sent plus la crise économique qu'au Québec. Il n'y a pas beaucoup d'offres d'emplois. » Elle poursuit : « Si je trouve le boulot de mes rêve en France, je le prends. Je vais tout de même valider ma résidence permanente pour l'immigration au Canada. Mais est-ce que je vais être vraiment capable de me réadapter à la société française et accepter tous ses travers ? Est-ce que je vais être capable de vivre avec ce qui m'énerve ici et d'oublier tous les bons côtés du Québec ? » Des questions auxquelles Audrey ne peut pas encore répondre et qu'elle prendra le temps de décortiquer.**

Ne manquez pas de découvrir son roman *Passionnée Givrée*, le premier tome d'une trilogie, aux éditions De Mortagne. L'histoire d'une Française de 26 ans expatriée au Québec.

Noël avec leurs cousins, cousines, grands-parents. Pour moi la famille, c'est une valeur importante et je voulais transmettre cela à mes enfants. Ma grand-mère, je voulais qu'il la connaisse. »

Puis un élément lié directement à ses enfants vient profondément perturber Véronique. « Je n'avais pas envie que mes enfants se sentent d'une origine culturelle différente de la mienne, avoue-t-elle. Mes références culturelles, je ne pouvais pas leur transmettre car ça ne leur parlait pas. Par exemple, le Nutella, ça ne représentera jamais la même chose pour un Québécois que pour un Français. J'ai l'impression qu'on fait des enfants pour se prolonger nous-mêmes, et quand on élève ses enfants dans un autre pays, ils n'assurent plus cette transmission, c'est perturbant. C'est un peu comme si on perdait son enfant. Un deuil trop difficile à faire. » Selon elle, de nombreux immigrants ne réalisent pas cela sur place. Pour sa part, c'est une fois rentrée au pays qu'elle a pleinement pris conscience de cette perspective. « Il est difficile de dire qu'on rentre parce qu'on n'accepte pas que ses enfants aient des références culturelles différentes des siennes. C'est un peu vécu comme une honte, un échec pour beaucoup de gens. Car le Québec c'est tellement le monde des possibles pour les Français. Là-bas, on se dit que si on travaille fort, on pourra tout faire. » Mais elle estime que dans bien des cas il y a un prix à payer. « Ce qui est difficile, c'est qu'on laisse un peu d'affectif sur le chemin. »

L'ÉTAPE DÉCISIVE

« J'ai adoré l'ouverture d'esprit des Québécois, confie-t-elle. Je me suis construite à Montréal. Je suis arrivée seule et étudiante et j'en suis repartie mariée avec deux enfants ». Mais malgré ses constatations, Véronique est victime en 2004 d'un licenciement économique. Comme son visa dépendait de ce contrat temporaire, elle se retrouve sans statut au Québec. Quelques mois plus tard, après le « post-doc » de Tony, ils décident de rentrer en France car celui-ci a décroché un contrat de dix mois en région parisienne au Commissariat d'énergie atomique.

En parallèle, le couple avait entamé les démarches pour devenir immigrants. À cette époque, il fallait un minimum d'un an d'expérience professionnelle pour faire une demande de résidence permanence. « Le pire c'est que la résidence permanente nous l'avons reçue deux semaines après notre retour en France, souligne-t-elle. Incroyable, ça aurait changé notre vie si nous l'avions eue plus tôt. Comme nous n'avons pas validé la résidence, nous l'avons perdue. »

LE CHOC DU RETOUR INVERSÉ

« Un retour c'est pareil que l'arrivée au Québec mais en accéléré, affirme Véronique Perly. C'est un point que les Français sous-estiment. Quand tu rentres, l'euphorie prédomine. C'est comme si tu étais en vacances. Les gens sont heureux de t'entendre parler du Québec. Ils te posent des questions, ils sont surtout intéressés par les anecdotes, moins par les gens, leurs valeurs. C'est le premier choc qu'on prend en pleine face : peu de personnes s'intéressent à ce que tu as vécu culturellement. Il y a une part de deuil à faire. Cependant, en rentrant, je n'ai pas le sentiment d'un échec, juste celui d'avoir vécu une très belle aventure. Ma fille qui est née au Québec est très intéressée par ce pays. Elle n'y a vécu que trois ans, mais cela tient une très grande place dans sa vie. »

Décalage social

Aussi, Véronique constate qu'un fossé s'est creusé avec de nombreuses personnes de son entourage. « Les gens ont appris à se passer de toi. Ils ont vécu des choses que tu ne comprends plus. Tu ne te sens plus impliqué dans les conversations. Six ans d'absence, c'est long. C'est suffisant pour perdre des amis, pour ne pas voir grandir un enfant. Avec certains amis, on n'avait plus rien à se dire, je ne me sentais pas concernée par les discussions. J'avais envie de leur parler du Québec et elles, en fait, n'étaient pas intéressées. Ça faisait partie de moi et, à quelques exceptions près, elles ne l'ont pas compris. »

Décalage culturel

Son expérience au Québec l'a transformée sur certains points ; par exemple, elle n'a plus autant de tabou par rapport à l'argent. « Plusieurs connaissances trouvaient que je parlais énormément d'argent lorsque je suis revenue, raconte-t-elle. J'évoquais mon salaire, j'étais complètement décomplexée par rapport à cela. J'étais devenue un peu québécoise finalement et je choquais les gens. Et puis au bout d'un an, je suis redevenue une Française comme toutes les autres. »

En quatre ans, trois déménagements

Riche de son expérience du Québec, Véronique entame sa recherche d'emploi avec beaucoup d'assurance. En plus, elle a acquis un bon niveau d'anglais au Canada. « Je savais que professionnellement ça allait être compliqué en France et je n'avais pas tort », confirme-t-elle. Depuis Montréal, elle envoie cinq CV à des entreprises situées en région parisienne. Elle trouve très rapidement un emploi comme responsable d'un département d'études cliniques à 42 000 $ euros par an. Après dix mois de contrat, le laboratoire de son compagnon ferme ses portes et celui-ci se retrouve sans travail. Il retrouve un emploi trois mois plus tard à Rennes en Bretagne, un CDI chez Thomson. « J'ai alors demandé à mon entreprise Scient'x de me faire passer d'un CDI à un CDD, dit-elle. Je travaillais à partir de chez moi à Rennes. » Mais l'entreprise de son mari est vendue et l'activité est transférée à Grenoble au commissariat de l'énergie Atomique.

Huit mois d'hésitation

« C'est là que les questions sont revenues, nous avons eu une période d'hésitation qui a duré huit mois, affirme-t-elle. Je ne savais même pas où chercher un boulot puisque je ne savais plus où il allait travailler. Car les activités de son entreprise devaient être transférées à Grenoble, mais nous ne savions pas s'il allait garder son emploi. À ce moment-là, je me suis dit, pourquoi suis-je rentrée ? Je voulais retourner à Montréal mais Tony ne voulait rien savoir. Pour autant, je me suis replongée dans les papiers d'immigration et j'ai dit : s'il se retrouve au chômage, on repart. »

Après des mois d'incertitude, Tony est finalement transféré à Grenoble. Véronique suit son mari mais pose ses conditions : elle veut avoir un troisième enfant et être libre de faire ce qu'elle veut sur le plan professionnel. En janvier 2008, elle accouche de son bébé et commence la même année une formation dans une école de commerce. Aujourd'hui, elle travaille pour une entreprise de biotechnologies de Grenoble mais elle sait l'entreprise en difficulté et n'a pas l'assurance de garder son emploi. Qu'importe, Véronique a fait le choix de travailler moins pour avoir du temps avec ses enfants.

Des conseils pour le retour

« Lors d'un retour, il faut se rappeler pourquoi on est parti, affirme-t-elle. Ce qu'on a quitté, ce qu'on a fuit, ça n'a pas changé et ça peut même avoir empiré. On ne peut pas imposer ce qu'on veut. À mon départ, je voulais de l'indépendance, j'avais besoin de cette coupure pour me construire. » Véronique pense que sur le plan professionnel, l'immigrant ne peut pas essayer de transposer la situation. « On ne peut pas avoir de responsabilités à un jeune âge en France, c'est plus difficile qu'au Québec, affirme-t-elle. Il faut faire ses preuves, l'ascension est moins rapide qu'en Amérique. »

Sur le plan personnel, il faut s'attendre à une période d'adaptation. « Il faut se préparer éventuellement à changer d'amis, de cercle social. Une expatriation, ça transforme en profondeur. Même si ce n'est pas une démarche volontaire, ça se fait naturellement. Aujourd'hui, j'ai besoin d'évoluer dans des cercles internationaux avec des gens qui ont vécu des expériences à l'étranger. »

Et puis, sur le plan matériel, il faut s'attendre à certaines concessions. « À Montréal, nous aurions eu au moins le double pour vivre. Notre niveau de vie a baissé, il faut l'accepter, c'est un renoncement, affirme-t-elle. Ça fait partie des règles du retour. La vie matérielle est

REGARD SUR SON IMMIGRATION : L'AVIS D'UNE PSYCHOLOGUE FRANÇAISE INSTALLÉE À MONTRÉAL

POUR ISABELLE CROUZET, membre de l'ordre des psychologues du Québec et immigrante depuis près de dix ans, immigrer n'est pas un retour à la case départ. « On ne repart jamais à zéro, on ne peut pas, on poursuit avec soi-même, affirme-t-elle. L'immigrant arrive avec ses bagages, son histoire. Ici, il y a la découverte d'un pays étranger et la découverte de soi, constate-t-elle. C'est-à-dire qu'on réalise de façon plus grande nos forces et nos faiblesses lors d'un séjour à l'étranger. Cela accélère notre compréhension de nous-même, ça vient grossir les traits. Lorsqu'on reste chez soi dans un certain confort, on a moins l'occasion de regarder ses côtés négatifs. »

POUR QUE L'IMMIGRATION SOIT UN SUCCÈS, il faut une réelle motivation. « Cela a l'air évident, mais pourtant certaines personnes n'en ont pas conscience, il peut y avoir de l'auto-sabotage. Il faut développer une capacité à observer ce nouveau monde extérieur et à s'observer réagir face à cette nouveauté. Il faut savoir se taire et regarder comment les gens vivent, comment les choses fonctionnent. C'est un pays étranger, tout est différent. » « Si la vie de la personne qui veut immigrer lui convient dans son pays d'origine, a priori, je ne pense pas qu'elle aura envie de le quitter. Si elle le fait, ce sera dans un processus purement exploratoire de quelques années. Comme une expatriation de trois ans qui demeure une expérience de vie. Mais pour les autres, l'immigration est souvent un mouvement réparateur, une véritable thérapie pour certaines personnes. »

SELON ISABELLE CROUZET, DE NOMBREUX IMMIGRANTS réalisent en mettant des enfants au monde loin à l'étranger qu'ils les privent de leurs grands-parents. « Ce qui compte, ce n'est pas forcément de se voir tous les jours. On peut très bien être important dans la vie de ses petits- *(...)*

(...) **enfants tout en étant loin. La fin de semaine, une mamie peut téléphoner et lire une histoire à ses petits. Le téléphone ne coûte rien maintenant et il y a aussi Internet et les webcams. C'est possible mais il faut que les grands-parents y croient ». Selon elle, l'immigrant doit s'attendre à vivre assis entre deux chaises. « À partir du moment où on a quitté la France, l'immigrant se sentira toujours déchiré, affirme-t-elle. Il faut l'assimiler. L'immigrant de la première génération ne sera jamais pleinement et entièrement là. S'il arrive à bien gérer tout cela, être assis entre deux chaises peut devenir une réelle richesse. Ce n'est pas un mal, ce n'est pas qu'on a plus de chaises pour s'asseoir, mais juste qu'on a le choix entre plusieurs. »**

plus simple au Québec ; on gagne plus d'argent, plus facilement. Mais ici j'ai trouvé d'autres choses pour compenser comme ma famille, mon identité. »

Les démarches administratives du retour

Vous pourrez trouver de l'aide auprès du consulat français local ou de votre ambassade. En effet, depuis quelques années le consulat français de Montréal offre des séances de préparation au retour. Sur la Toile vous trouverez également de nombreuses informations ; sont conseillés des liens internet sur le site du consulat, dont un très bon guide de retour des expatriés publié par le consulat général de France à Montréal :
☛ www.consulfrance-montreal.org/IMG/pdf/Guide_du_retour_novembre_2011.pdf

Ne pas oublier de consulter le dossier « Le guide du retour en France » du site de la Maison des Français de l'étranger. Vous pouvez le télécharger directement sur la page d'accueil du site de la MFE :
☛ www.mfe.org

Démarches auprès du consulat

Vous pourrez obtenir auprès de votre consulat le certificat de changement de résidence qui vous permettra de ne pas acquitter les taxes et droits de douane pour vos biens personnels lors du retour au pays. Ce certificat valable un an doit être retiré en personne auprès du consulat français. Vous devez cependant avoir séjourné au moins douze mois au Canada pour en bénéficier. Si vous n'étiez pas immatriculé à votre consulat local, vous devrez apporter des preuves de votre séjour au Canada comme les factures mensuelles de téléphone, d'électricité ou un bail de location. Pour en savoir plus sur les conditions :
☛ www.douane.gouv.fr/page.asp?id=59

Il est recommandé de remettre sa carte consulaire auprès de son consulat. Vous pouvez aussi aviser votre consulat français afin de vous radier de la liste des Français installés à l'étranger et des listes électorales à l'étranger. N'oubliez pas de vous y inscrire une fois de retour en France.

Le déménagement

Le déménagement au retour n'est pas si différent de votre déménagement à l'aller. De nombreux déménageurs font le voyage dans les deux sens. Vous devrez faire les mêmes listes pour retourner en France. Veuillez vous référer à la partie sur le déménagement en début de guide (page 82).

Permis de conduire

Si vous aviez déjà un permis de conduire français avant votre départ, celui-ci est toujours valable lors d'un retour en France. Si vous n'avez qu'un permis de conduire québécois, vous devrez faire un échange de permis auprès de votre préfecture, ceci dans un délai d'un an à compter de votre arrivée. Avant de quitter le Québec, il est nécessaire d'obtenir votre certificat de changement de résidence auprès du consulat car il est nécessaire pour obtenir le permis de conduire français. Vous devez aussi obtenir au consulat l'attestation pour échange de permis de conduire. Et avoir en main un relevé informatique du permis de conduire que vous demanderez auprès de la SAAQ (Société d'assurance automobile du Québec).

La sécurité sociale

La France et le Québec ont signé des accords bilatéraux dans ce domaine.
☛ Pour en savoir plus : www.cleiss.fr.

- Si vous avez cotisé à la Caisse des Français de l'Étranger, contactez-les : BP 100 - 77950 Rubelles, 01 64 71 70 00 ➢ www.cfe.fr

- Si ce n'est pas le cas, il vous faudra mener quelques démarches afin d'être couvert lors de votre retour. Au Québec, il est important de contacter la RAMQ (Régie d'assurance-maladie du Québec) et d'obtenir le formulaire SE401-Q207, intitulé « Attestation relative à la totalisation des périodes d'assurance maladie et maternité ». En France, vous devez vous inscrire à votre CPAM (Caisse primaire d'assurances maladie) muni de votre formulaire. Si vous n'avez pas d'emploi à votre arrivée, vous pouvez faire une demande de CMU (Couverture maladie universelle).

- Si vous n'avez pas acquis la nationalité canadienne et rentrez en France pour une période de moins de trois mois, vous devez demander à la RAMQ le formulaire SE401-Q208 « Attestation de droit aux prestations en nature de l'assurance maladie maternité pour un séjour temporaire sur le territoire de l'État d'origine ».

ATTENTION DE NE PAS REPARTIR SUR UN COUP DE TÊTE !

IL FAUT BIEN RÉFLÉCHIR à un retour et surtout ne pas minimiser l'adaptation à cette immigration inversée. Si vous avez immigré et que vous voulez rebrousser chemin au bout de quelques mois, peut-être que vous êtes tout simplement sous l'effet du choc culturel. Laissez passer la première année et le temps des désillusions pour prendre le pouls de votre immigration. Si vous avez entrepris toutes ces démarches et fait un tel investissement de temps et d'argent, cela vaut peut-être la peine de prendre la température de votre projet.

ATTENTION AUX DÉCISIONS hâtives en fin d'hiver, à l'arrivée du printemps ou pendant la période des fêtes lorsque l'éloignement familial se fait sentir. En effet, certains immigrants, comme les Québécois eux-mêmes, réagissent mal à la longueur d'un hiver interminable. Il n'est pas rare que certains décident de plier bagage au mois de mars ou d'avril. L'effet de l'hibernation pendant des mois peut vous avoir un peu démoralisé. Ressaisissez-vous et tentez de faire la part des choses entre une envie soudaine et un désir profond de prendre le large.

☛ Pour plus d'informations sur la CPAM et la CMU
➢ www.ameli.fr
☛ RAMQ, Régie d'assurance-maladie du Québec : 425, bd de Maisonneuve Ouest, Montréal, 514-864-3411
➢ www.ramq.gouv.qc.ca

LES ALLOCATIONS

Afin de profiter de toutes les aides dont peuvent bénéficier les Français, vous devez contacter la CAF (Caisse d'allocations familiales) de votre domicile : www.caf.fr

La retraite

Puisqu'il y a une entente dans ce domaine entre le Québec et la France, vos années de travail et donc de cotisation au Québec ne seront pas perdues une fois de retour en France. Vous percevrez ainsi une retraite par rapport à ce séjour à l'étranger selon un montant calculé au prorata de vos années de résidence au Canada.

- Si vous êtes un expatrié sous contrat de droit local, vous devez obtenir un relevé de participation auprès de la RRQ (Régie des rentes du Québec).

- Si vous êtes détaché par votre employeur français et avez résidé au Québec plus de trente-six mois, vous devez contacter votre CPAM locale.

- Si vous avez cotisé à la CFE, vous n'avez aucune démarche à faire, sauf les informer de votre nouvelle adresse.

☛ En France : www.info-retraite.fr

☛ Au Québec : www.rrq.gouv.qc.ca

La fiscalité

Vous devez clôturer votre exercice fiscal et faire votre déclaration annuelle d'impôts comme tous les résidents du Québec en mars. Demandez à votre employeur de vous envoyer votre T4 à votre nouvelle adresse. Signalez également vos nouvelles coordonnées à Revenu Québec et Revenu Canada. Vous pouvez télécharger les formulaires sur les sites internet de ces organismes gouvernementaux ou encore vous les procurer à l'ambassade du Canada en France ou à la Délégation générale du Québec à Paris. Veuillez vous rapporter à la section sur les impôts pour la procédure (page 390). Et notifiez à votre centre des impôts votre nouvelle adresse française.

Vécu

Quelques témoignages sur les envies de retour au bercail

CHRISTOPHE HUMBERT, INSTALLÉ DEPUIS 2007 avec sa petite famille à Montréal n'a pas vraiment envie de retourner en France. « Nous ne ressentons pas de manque par rapport au pays d'origine, affirme-t-il. On préfère que la famille vienne nous voir car on peut leur faire découvrir ce que nous vivons au Québec. Ma femme et moi, nous ne sommes pas partis fâchés ou par dégoût, mais tout simplement parce que nous avions envie d'autre chose. On est parti serein. Nous sommes bien au Québec, nos enfants y sont également bien. J'accepte le Québec avec ses défauts et ses qualités. »

POUR KATY HARROUART, ARRIVÉE À 27 ANS à Mont-Laurier dans les Laurentides, l'avenir est moins certain. « Je ne peux pas dire que je me vois rester ici toute ma vie, affirme-t-elle. Avec mon nouvel ami, aussi immigrant français, on ne s'impose rien. Cela dit, c'est mal parti pour retourner en France. Quand j'y suis, je trouve cela petit et je trouve qu'il y a trop de monde. Je ne suis pas sûre d'être capable de revivre en France. J'ai vraiment un gros choc culturel lorsque j'y retourne. En fait, si ça ne te plaît pas, tu as deux options, soit tu travailles pour améliorer ce qui ne te plaît pas, soit tu rentres chez toi. Ce n'est pas définitif l'immigration, c'est une expérience. Si tu ne t'y sens pas bien, fais demi-tour. »

POUR EMMANUELLE ARTH, ARRIVÉE EN 2001 à 21 ans, le fait d'être sans enfants peut encore interférer sur le cours des événements. « Pour le moment, je suis heureuse dans ma vie au Québec à Chicoutimi, explique-t-elle. Je n'exclus rien, ni revenir en France, ni rester pour de bon au Saguenay. Mais, c'est une question trop déchirante pour le moment, que je ne me pose pas encore. »

☛ Ministère des Affaires étrangères : www.mfe.org/Default.aspx?SID=12100

☛ Revenu Canada : www.cra-arc.gc.ca

☛ Revenu Québec : www.revenu.gouv.qc.ca

Inscription des enfants à l'école

Pour l'inscription des enfants en primaire, vous devez vous adresser à la mairie de la commune dans laquelle vous allez résider. Il est recommandé de mener ces démarches au mois d'avril ou de mai pour une rentrée en septembre. Pour les études secondaires, vous devez vous adresser au service de la scolarité du rectorat de l'Académie de la ville dans laquelle vous allez vivre. Il est préférable de faire ces démarches au mois de février ou de mars pour une rentrée en septembre. Pour l'inscription dans une école en France, n'oubliez pas tous les bulletins et les livrets scolaires de vos enfants.
☛ Ministère de l'Éducation nationale, les académies :
www.education.gouv.fr/cid3/les-rectorats-et-lesinspections academiques.html

La recherche d'emploi

Et pour une réintégration réussie, il faudra trouver le travail adapté à ce retour. Vous pouvez commencer à chercher à distance grâce à Internet, à commencer par une inscription au Pôle Emploi (anciennement ANPE).
☛ APEC, Association Pour l'Emploi des Cadres : www.apec.fr
☛ Ministère du Travail : www.travail-emploi-sante.gouv.fr
☛ Ministère de l'Enseignement supérieur et de la recherche :
www.enseignementsup-recherche.gouv.fr
☛ Pôle emploi : www.pole-emploi.fr

Autres démarches

N'oubliez pas de signaler votre changement d'adresse à votre banque, votre consulat, votre employeur, etc. Avisez votre propriétaire de vos intentions en mettant fin à votre bail. Résiliez tous vos abonnements et forfaits de téléphone, internet, télévision, journaux, magazines, associations, électricité, gaz, etc.

Index

A

B

C

G

I

J

L

M

N

T

U

V

éditions
EXPRESS ROULARTA

Express Roularta Éditions
29, rue de Châteaudun
75308 Paris cedex 09

Directeur délégué
Sébastien Loison

Coordination éditoriale
Nathalie Riché

Suivi d'édition
Aurélie Le Guyader

Révision
Élodie Ther

Mise en pages
Nord Compo

Graphisme couverture
Philippe Marchand/OLO

Fabrication
Catherine Pegon

Achevé d'imprimer en mars 2012
par l'Imprimerie Darantiere
(Dijon Quétigny) France

Dépôt légal : avril 2012
N° d'impression : 12-0412
ISBN : 978-2-84343-884-4